LARROUSSE

DES

PLUS BEAUX SITES DU MONDE

Du même auteur, chez le même éditeur :
Monuments de France, 2007
Châteaux, 2008

Pour la première édition :

Direction éditoriale
Michel Guillemot

Direction artistique
Henri-François Serres Cousiné

Édition
Gilbert Labrune
Avec le concours de Pierre Vallas

Recherche iconographique
Marie-Annick Réveillon

Réalisation graphique
soyousee.com

Gardes
Laurent Blondel

Index
Nelly Morin

Fabrication
Nicolas Perrier

Pour la présente édition :

Direction de la publication
Carine Girac-Marinier

Direction éditoriale
Christine Dauphant

Édition
Véronique Tahon

Recherche iconographique
Frédéric Mazuy

Fabrication
Martine Toudert

ISBN 978-2-03-586537-3

LAROUSSE DES PLUS BEAUX SITES DU MONDE

Gérard Denizeau

Sommaire

Amériques

Asie et Océanie

Europe

INTRODUCTION GÉNÉRALE

Aucune notion ne semble mieux rendre compte du génie particulier de notre époque que celle de patrimoine mondial. D'une nouveauté absolue au regard de l'histoire, cette façon de considérer l'héritage des civilisations comme un objet de partage universel offre une légitimité inédite à cette immense mutation – vivier d'espoirs secrets, source d'inquiétudes inédites – que nous plaçons sous le vocable, tout récent, de « mondialisme ».

Car un tel partage suppose considération réciproque, reconnaissance mutuelle et attention partagée, toutes conceptions humanistes dont l'histoire belliqueuse des nations a parfois pu conduire à désespérer. Or, aujourd'hui, le glissement progressif de l'idée de monument local vers celle de patrimoine universel ouvre des perspectives neuves et heureuses au principe de solidarité planétaire. Qu'une pyramide égyptienne, une cité inca ou un temple bouddhique apparaisse aux yeux de tous les hommes comme un bien commun à préserver et à transmettre – en ce qu'ils ont d'original, de différent, d'inimitable, d'irremplaçable – ne peut qu'inciter à un optimiste raisonné quant à la convivialité des générations à venir ; même si les obstacles restent nombreux, la principale difficulté, en matière patrimoniale, n'ayant jamais été autre que le principe d'ostracisme qui dénie toute validité à ce qui vient d'ailleurs, sauf à le placer au chapitre, vaguement condescendant, de l'exotisme.
À s'en tenir au seul exemple de l'Europe, il aura ainsi fallu attendre le XVIe siècle pour découvrir, dans les *Essais* de Montaigne (1580), une réflexion sérieuse et exigeante sur l'éventuelle validité des autres grands foyers de civilisation ; à quoi il faudra que s'ajoutent encore deux siècles pour voir cette réflexion jouer dans l'ordre du temps, l'ouverture des fouilles scientifiques de Pompéi en 1748 transformant l'idée que les hommes se faisaient jusque-là d'un passé idéal ou barbare. Et même lorsque la civilisation européenne, y compris dans ses prolongements américain ou océanien, se mêlera – essentiellement à partir du XXe siècle – de considérer avec un mépris moindre les autres grandes terres de création à travers le monde, elle commencera par provoquer nombre de nouveaux malentendus, dont le célèbre « Art nègre? Connais pas! » de Pablo Picasso – exaspéré par les louanges d'une critique ignorante et vaguement méprisante – rendra assez bien compte. Puis les deux grands conflits mondiaux ruineront d'ultimes illusions tout en œuvrant à la genèse douloureuse d'une nouvelle pensée planétaire. Que les effets économiques de cette conception soient discutés, personne ne peut aujourd'hui l'ignorer ; mais que certaines structures neuves, issues de cette même conception, travaillent à réduire la méconnaissance respective des peuples et des continents, personne ne saurait non plus sérieusement le contester. Car il n'est aucun moteur plus puissant que la curiosité pour amener les hommes à se déplacer les uns vers les autres, de façon à jouir *in situ* des attraits de tous les sites monumentaux et naturels dispersés à la surface du monde.

Des Sept Merveilles au Patrimoine mondial

Si la notion de patrimoine mondial est toute récente, l'idée de recenser, de classer et de hiérarchiser les chefs-d'œuvre dus à l'effort des hommes bâtisseurs est très ancienne. Pour imprécise qu'elle reste dans de nombreuses mémoires, la liste mythique des Sept Merveilles du monde (qu'une opération purement mercantile a «actualisée» en juillet 2007) renvoie directement à l'Antiquité et à ses plus hautes réalisations. Pourtant, c'est là un point capital, rien n'est plus malaisé à établir que la genèse de cette liste mythique, sinon l'éventuelle identité de ses auteurs supposés, hors quelques noms attestés.

Par exemple, si les énumérations de merveilles universelles sont aussi nombreuses que précoces, les spécialistes en la matière se sont désormais accordé sur la quasi-impossibilité d'attribuer à Philon de Byzance (IIe siècle av. J.-C.) le plus illustre de ces inventaires, la célèbre «liste canonique», «officialisée» au ve siècle de notre ère et «publiée» au xe siècle... sur un manuscrit qui ne sera sérieusement étudié qu'à partir de 1640! Par ailleurs, ce ne sont pas moins de quinze autres listes qui ont pu être dénombrées dans les écrits des Anciens, des listes qui, de surcroît, divergent souvent et profondément, certaines citant le Colisée et l'arche de Noé, d'autres le temple de Salomon ou la cité de Thèbes...! La «liste canonique», établie donc au moment où les Huns déferlent sur l'Europe (la bataille des Champs catalauniques se déroule en 451) cependant que l'Empire romain d'Occident s'effondre rapidement (il disparaît en 476), présente cette particularité de reprendre les sources les plus anciennes; ainsi la voit-on citer expressément les jardins suspendus de Babylone. Mais, relativement au catalogue que l'histoire a fixé pour la postérité, elle présente une grave lacune : le phare d'Alexandrie n'y est pas nommé (il est «remplacé» par les remparts de Babylone). C'est dire que la liste historique des Sept Merveilles du monde a été déterminée tout à la fois par l'usage et par le recoupement de sources multiples. Le lecteur moderne ne s'en étonnera pas, lui qui sait, de mieux en mieux, à quel point le classement contemporain des chefs-d'œuvre du Patrimoine mondial par l'Unesco pose de redoutables problèmes.

Avant de développer la réflexion sur les premières leçons dispensées cette liste légendaire, il n'est pas inutile d'en rappeler le détail : grande pyramide de Kheops (environ 2600 av. J.-C.); jardins suspendus de Babylone (vers 595 av. J.-C.); statue de Zeus olympien (430 av. J.-C); temple d'Artémis à Éphèse (IVe siècle. av. J.-C.); mausolée d'Halicarnasse (353 av. J.-C.); colosse de Rhodes (vers 304 av. J.-C.); phare d'Alexandrie (vers 280 av. J.-C.). On relèvera, en premier lieu, que si la répartition géographique des sites sollicite trois continents (en fait, une partie extrêmement réduite de leur aire, pour l'essentiel limitée aux terres orientales de la zone méditerranéenne), seule la statue du Zeus olympien a vu le jour en terre européenne. La grande pyramide et le phare d'Alexandrie occupaient le sol africain, les quatre autres se situaient en Asie, avec le cas particulier de l'île de Rhodes. Ensuite, elles sont ramassées dans le temps (du VIe au IIIe siècle av. J.-C.), à l'exception notable de la grande pyramide, qui les précède toutes d'au moins vingt siècles; assez curieusement, c'est pourtant la seule que nous puissions encore admirer, la seule, aussi, à apparaître sur la liste actuelle du Patrimoine mondial. Car, et c'est là le point final, ces extraordinaires réalisations ont disparu presque totalement, hors la grande pyramide. Soit qu'elles aient été anéanties (statue de Zeus olympien, colosse de Rhodes), soit qu'il n'en reste que d'infimes fragments (soubassements douteux des jardins suspendus de Babylone, reliefs ruinés et hypothétiques du mausolée d'Halicarnasse comme du phare d'Alexandrie), soit enfin que l'archéologie nous permette d'en espérer une très partielle reconstitution (temple d'Artémis à Éphèse). Dans l'immédiat, ce qui reste le plus sûr, faute d'une volonté patrimoniale ancienne qui nous en eût assuré la préservation, c'est la part de rêve que ce mythe fondateur alimente depuis si longtemps. Un rêve nuancé de regret et de nostalgie, mais aussi d'une certaine perplexité quant à la volonté ou à l'absence de volonté ayant pu ainsi conduire à la disparition presque complète de ces sommets de l'industrie humaine. Au cœur du XXe siècle, c'est-à-dire au moment où l'humanité venait d'inventer, avec l'arme nucléaire, l'outil de son autodestruction, ne serait-ce pas en partie de ce regret qu'aurait surgi la volonté de recenser et de protéger ce qui pouvait et devait encore l'être?

Patrimoine mondial et classement de l'Unesco

Ce n'est évidemment pas un hasard s'il est revenu à l'une des plus importantes et des plus prestigieuses institutions internationales, en l'occurrence l'Unesco, de formaliser cette volonté de classement et de préservation d'un certain nombre de sites, en les plaçant sous le sceau patrimonial et en veillant soigneusement à les découvrir équitablement dans toutes les parties du monde. C'est en novembre 1972 qu'a donc été instituée une convention relative à la protection du patrimoine mondial, culturel et naturel de l'humanité. Les termes de cette convention valent d'être rappelés, le comité du Patrimoine mondial exprimant la volonté expresse d'établir, de mettre à jour et de diffuser une liste de biens culturels et naturels soumis par les États-parties et considérés comme ayant une valeur universelle exceptionnelle. Il aura tout de même fallu encore six années pour que soit entreprise la constitution de cette liste, en 1978; régulièrement enrichie, atteignant désormais le chiffre de 830 biens (644 biens culturels, 162 naturels et 24 mixtes, situés dans 138 États), elle est devenue un véritable enjeu politique et économique pour de très nombreuses nations de mieux en mieux reconnues comme foyers culturels notables… mais aussi – ce qui n'est pas toujours et seulement un avantage – en tant que destinations touristiques émérites! Le Comité s'est fixé pour toute première tâche de fournir une coopération technique au titre du Fonds du Patrimoine mondial pour la sauvegarde de sites du patrimoine mondial, initiative qui présente un véritable caractère d'urgence lorsque ces sites appartiennent à des terres aux ressources économiques limitées. Les responsables d'un bien figurant sur cette liste peuvent immédiatement commanditer des expertises, puis solliciter des fonds pour former un personnel spécialisé et obtenir l'envoi de l'indispensable équipement technique. Toutes les demandes – faut-il le préciser? – font l'objet d'un examen attentif de la part de la Commission, la nécessité absolue des travaux d'entretien et de préservation, voire de reconstruction, devant être établie au moyen d'un dossier solidement argumenté. Cependant, il serait abusif de prétendre que la liste de l'Unesco rend un compte fidèle de toutes les merveilles monumentales du monde. En dépit d'une évidente bonne volonté de la part des dirigeants de cette magnifique entreprise, il faudra encore beaucoup de temps pour que se réduise, par exemple, l'écart important qui sépare la recension des sites européens (Allemagne, Espagne, France, Italie en tête) de celle d'autres parties du monde, aussi remarquables par leur variété que par leur quantité.

L'espace et le temps

Une fois posés ces principes de prudence et de nécessaire recul, comment rendre compte, dans un ouvrage synthétique, des principaux caractères du patrimoine mondial? En sachant, par exemple, que la liste de l'Unesco n'a pas encore pris en compte certains des plus hauts chefs-d'œuvre monumentaux, comme l'Opéra de Sydney, ou qu'elle l'a fait de telle façon qu'il ne nous a pas été possible d'y souscrire complètement. Ainsi des cathédrales gothiques d'Île-de-France ou de la ville de New York; dans un cas comme dans l'autre, le cadre de leur inscription est soit trop étroit, soit trop large relativement à notre propre projet. Ainsi verra-t-on que la coïncidence entre la liste de l'Unesco et la sélection des sites ici retenue n'est pas totale, notre inventaire supposant certains aménagements destinés à conférer un caractère plus exemplaire aux sites choisis. D'autre part, tout discours induisant une méthode, il a semblé plus opérant d'user, pour la construction de cet ouvrage, des deux modes de classement les plus universellement reconnus, la géographie et la chronologie.

Par «géographie», il faut entendre ici un principe de regroupement des terres qui ne se plie pas complètement aux lois de la seule détermination physique. Pour compter, peser et diviser l'immense héritage des civilisations, l'Unesco a pris, en 1979, le sage parti de limiter le découpage de la surface terrestre à quatre zones, considérables, mais au sein desquelles se lisent d'indiscutables éléments d'unité : Afrique et Moyen Orient, Amérique(s), Asie et Océanie, Europe. Quelles que puissent être les faiblesses d'un tel principe, il apparaît aujourd'hui sans rival en matière d'efficacité et de cohérence. Aussi son adoption pour les quatre principaux chapitres de ce livre nous a-t-elle paru aller de soi. En tête de chacun de ces quatre volets, le lecteur trouvera d'ailleurs une introduction synthétique rappelant ces éléments d'unité et justifiant la structure choisie. Un avantage considérable de ce principe formel tient à la nécessité d'établir un principe d'égalité entre les grandes zones d'activité humaine. Il n'échappera à personne, par exemple, que l'Afrique est souvent le parent pauvre des recensions patrimoniales, et qu'elle l'est de façon parfois choquante; exalter ses paysages, sa faune, sa flore (en grand péril, au demeurant), ne constitue le plus souvent qu'un habile subterfuge pour évacuer presque tout ce qui relève du pur génie architectural de la civilisation. Pour nous limiter à cette seule référence, la monumentale construction en pierre du Grand Zimbabwe, colosse de l'Afrique australe, a longtemps fait l'objet d'attributions fantaisistes de la part des archéologues, tant il semblait aller de soi que les populations locales étaient incapables d'un tel exploit! Là d'ailleurs réside peut-être le premier mérite de la liste du Patrimoine mondial de l'Unesco, qui rétablit de façon optimiste, et parfois utopique, une hiérarchie non plus fondée sur les seules capacités de nuisance des grandes nations militaires et économiques, mais sur ce que l'homme peut léguer de meilleur à la postérité, aussi bien dans le cadre de ses particularismes nationaux et régionaux que sous le jour d'un cosmopolitisme solidaire.

Le problème de la sélection

Parce que l'incalculable richesse de ce patrimoine mondial constitue probablement le premier obstacle à sa connaissance et à son intelligence, il nous a bien fallu procéder à une sélection. Tous les hommes (hormis quelques bienheureux dont l'auteur de ces lignes ne fait, hélas, pas partie) savent qu'il vient un âge où il faut renoncer à tout vouloir connaître des merveilles de notre planète, un moment de la vie où il faut accepter de faire des choix – dont la plus épineuse difficulté est moins la sélection elle-même que l'abandon de tout ce qu'elle n'a pas retenu. Dans l'idéal, il eût été bien agréable d'avoir à présenter les quelques milliers de sites formant le décor ordinaire de notre imaginaire collectif, surtout depuis que le cinéma, la télévision et tous les autres moyens audiovisuels les ont popularisés. Mais, d'une part, la matière commande et chacun aura conscience de l'impossibilité pratique de mener à bien une telle entreprise, dont il est d'ailleurs probable que l'énormité finirait par générer un certain sentiment de monotonie, de lassitude. D'autre part, le principe sélectif ne doit pas être considéré seulement comme un moindre mal. Il présente, bien au contraire, cette particularité stimulante d'induire, assez paradoxalement, une prise en compte impérieuse de tout ce qui n'est pas retenu ! Les choix de Brasília, Stonehenge, Machu Picchu, Chartres, Angkor, Bandiagara... pour nous limiter à quelques illustres propositions ici distinguées, n'ont pas vocation à épuiser l'intérêt des esprits curieux, mais bien plutôt à aiguiser cette curiosité relative aux villes contemporaines, sites mégalithiques, cités précolombiennes, cathédrales gothiques, temples orientaux, habitats naturels... dispersés par milliers sur toute la surface de notre commun vaisseau terrestre.

Une approche avant tout visuelle

Aucun exposé sur l'œuvre n'ayant jamais eu vocation à remplacer cette dernière, c'est en premier lieu à une connaissance visuelle des biens patrimoniaux qu'invite un livre de cette nature. Mais, en regard de cette précellence de l'image, les données documentaires d'ordre historique, artistique, voire social ou esthétique, ne peuvent qu'enrichir cette perception purement sensorielle du lieu choisi, lui permettant de trouver une place dans l'histoire sur laquelle est fondé notre présent. Au gré des quatre grands chapitres formant l'ossature du *Larousse des plus beaux sites du monde,* c'est ainsi une soixantaine de lieux élus dont rend compte une abondante iconographie commentée.

L'Afrique et le Moyen Orient, réunis au sein d'une même entité cartographique, proposent d'emblée un voyage dont l'éclectisme géographique le dispute à la disparité culturelle, de la plaine d'Ur, foyer premier de notre civilisation voici soixante siècles, au paysage togolais du Koutammakou, dont les maisons d'argile à tourelles continuent de régulièrement surgir des mains de leurs bâtisseurs d'aujourd'hui. Au passage, l'esprit aura eu tout loisir de méditer sur les splendeurs pharaoniques de Gizeh ou Karnak, au cœur d'une Égypte assurant la rencontre des continents africain et asiatique, sur les tours cylindriques du Grand Zimbabwe, isolées au sein des étendues sauvages de l'Afrique australe, etc. La cité jordanienne de Pétra, l'oasis saharienne de Ghadamès, le foyer syrien de Palmyre ou la forteresse franque du Krak des

Chevaliers balisent de la même façon cet immense territoire, au même titre que la colossale falaise habitée de Bandiagara ou que les «gratte-ciel» de Sanaa, perle de la péninsule Arabique. La richesse et la variété de l'aire patrimoniale américaine sont tout aussi impressionnantes, la cité mexicaine de Teotihuacán ouvrant, à peu près au même titre que les foyers mayas de Tikal ou de Chichén Itzá, une longue tradition d'invention monumentale dont les grandes villes modernes de Québec, La Havane, New York ou Brasília seront les lointaines et brillantes héritières. Sur les terres américaines, ce patrimoine colossal est d'autant plus précieux que les écrits font souvent cruellement défaut avant l'invasion européenne. Pour entrer dans l'intimité des civilisations andines, par exemple, nulle autre source que leurs traces visuelles, à Chan Chan, ancienne capitale chimu, comme à Machu Picchu ou à Cuzco, miroirs énigmatiques de l'ancien Empire inca. Même observation au sujet des civilisations amérindiennes du nord dont le site de Mesa Verde restitue l'émouvant reflet, ou encore pour l'îlot de Rapa Nui – mieux connu sous le nom d'île de Pâques – aux mystérieuses et muettes statues monumentales.

Asie et Océanie proposent une mosaïque d'une richesse au moins égale par la diversité dans l'espace et dans le temps. Au hasard de ses fragments, le voyageur y sera aussi bien frappé par l'antique splendeur de Persépolis, capitale ruinée de l'Empire achéménide, que par les inattendues sinuosités de la Grande Muraille de Chine; il y admirera, de l'Inde au Japon et avec une égale exaltation, la rutilance des grottes sacrées d'Ajanta, la fidèle immuabilité des temples bouddhiques du Hôryû-ji ou la prolifération décorative des temples de Khajurâho. Il y méditera aussi sur la précarité des plus hautes civilisations, à Angkor-Vat comme à Katmandou, face à la pyramide indonésienne de Borobudur comme devant le tombeau de Timur Lang (Tamerlan), au sein de Samarkand. Si enfin, la Cité interdite de Pékin, les mosquées d'Ispahan ou le Taj Mahal d'Agra renvoient encore au passé, bien des sites pourraient, à l'image du célèbre Opéra de Sidney, illustrer ailleurs la modernité d'une veine inventive inépuisable.

Reste le cas particulier de l'Europe. Une Europe dont les sources les plus anciennes, celles de Lascaux ou de Stonehenge, ne le cèdent en rien, sous le rapport du prestige, aux joyaux monumentaux récents de Versailles, de Potsdam ou de Paris. Une Europe qui revendique avec la même fierté la gloire de l'acropole d'Athènes et celle du Forum romain, le génie raffiné de Pompéi ou l'austère grandeur de la Bourgogne romane. Une Europe, enfin, qui possède, avec Istanbul, Venise, Pise, Florence ou le Vatican, le Mont-Saint-Michel, la cathédrale de Chartres ou la cité de Carcassonne, l'Alhambra de Grenade, le Kremlin de Moscou ou les châteaux de la Loire, une palette incomparable de trésors médiévaux et renaissants.

Au sortir d'un tel voyage initiatique, qui doutera encore que la notion de patrimoine mondial ne participe directement de cette utopie de paix universelle dont les plus hautes consciences ont toujours aimé à rappeler qu'elle se déterminerait moins par la repos des armes que par le temps venu de la concorde entre tous les cœurs?

Afrique et Moyen Orient

INTRODUCTION

Le regroupement, par l'Unesco, de l'Afrique et du Moyen-Orient au sein d'une même entité patrimoniale obéit à une logique dont la source remonte à plusieurs millénaires. Si effectivement l'Afrique forme en soi un bloc physique d'une patente cohésion, sa destinée historique, politique, religieuse, linguistique, diplomatique ou culturelle aura toujours été étroitement liée à celle de cette partie occidentale de l'Asie que l'usage européen place sous le label d'Orient – «Proche-» ou «Moyen-».

Ne disposons-nous pas, en la matière, de l'exemple convaincant de l'Égypte qui occupe tout à la fois le nord-est du continent africain et la péninsule asiatique du Sinaï? Au point que certains géographes proposent maintenant de calquer la limite afro-asiatique sur la frontière israélo-égyptienne. Ce qui reviendrait, par ailleurs, à considérer Israël comme une terre d'Asie, leçon dispensée par la pure géographie physique, mais contestée par d'autres logiques, la sportive par exemple, qui fait participer les équipes israéliennes aux compétitions européennes! Plus au nord, la situation d'Istanbul est tout aussi exemplaire de ces confusions, la grande cité turque (que le lecteur trouvera au chapitre européen) occupant les deux rives du Bosphore qui sépare, traditionnellement, l'Asie de l'Europe. Logique au regard du passé, le choix de l'Unesco offre de surcroît l'inestimable avantage de remodeler les systèmes de pensée relatifs à l'histoire des civilisations. Que les étages de la ziggourat d'Ur et les tours cylindriques du Grand Zimbabwe, par exemple, appartiennent – au-delà des abîmes qui les séparent dans le temps et dans l'espace – à un même champ de cultures si diverses conduit l'historien à pressentir une solidarité inédite et féconde, dont les sites monumentaux deviennent la plus spectaculaire expression.

Des cités aux villes

Parmi les plus anciennes cités du monde, on compte un assez grand nombre de foyers qui gravitent au large des rivages orientaux de la Méditerranée, parfois assez loin à l'intérieur des terres. Ainsi d'Ur qui, vivier antique de notre civilisation, naquit voici soixante siècles au cœur d'une vaste plaine alluviale. Ur dont presque plus rien ne transmet le souvenir, hors ces ruines colossales que l'effort moderne des archéologues a extraites d'un néant programmé – auquel est peut-être en train de les renvoyer la folie meurtrière des nouveaux Barbares. Ici pourtant, des hommes avaient choisi de s'installer, de se grouper, de former l'une des premières cités de l'histoire. Des hommes animés par ce même instinct grégaire les ayant partout incités à fonder des agrégats de plus en plus complexes d'habitations dont la prolifération devait générer à terme un nouveau cadre convivial, celui de la ville. Une ville aux visages multiples, de la cité édomite – puis nabatéenne, ensuite romaine – de Pétra, excavée du grès rouge des murailles méridionales de l'actuelle Jordanie, jusqu'à l'oasis saharienne de Ghadamès, «Perle du désert» et carrefour commercial parmi les plus singuliers du monde méditerranéen avec son labyrinthe de rues souterraines. Ou encore, échappant au cadre strict de ce chapitre, mais située au point de rencontre de l'Orient et de l'Occident, Istanbul, ni asiatique ni euro-

DOUBLE PAGE PRÉCÉDENTE : détail d'une porte Dogon, Mali.

péenne, partout étrangère, unique et pourtant exemplaire, métropole captivante dont l'intense activité contraste étrangement avec la tragique et silencieuse solitude de la ziggourat d'Ur.

Le poids de la religion, la force des armes

Au hasard des grands sites du Patrimoine mondial, le visiteur n'omet jamais de méditer sur la part déterminante du fait religieux et des nécessités guerrières dans la genèse du legs monumental. Rien de plus instructif, en l'occurrence, que l'hypertrophie architecturale des grandes pyramides occupant la nécropole pharaonique de Gizeh, sur la rive gauche du Nil, ou que les formes herculéennes du temple d'Amon-Rê, sur le site de Karnak.

Ailleurs, en revanche, l'homme impose parfois ses prérogatives terrestres. Si Gizeh semble n'avoir d'autre logique que l'illogique principe d'immortalité, d'autres foyers se réclament de préoccupations purement matérielles, voire matérialistes. Plaque tournante d'une activité marchande internationale, Palmyre dut ainsi l'essentiel de sa fortune aux opulentes caravanes qui, parties des rives méditerranéennes, traversaient le désert syrien pour rayonner, du plateau anatolien aux steppes de l'Asie centrale. Très loin de là, en terre occidentale d'Afrique, la cité romaine de Timgad demeure, sur le sol de l'actuelle Algérie, un modèle d'urbanisme latin, avec son forum, son théâtre et tous ses édifices civils qui exaltent la toute-puissance politique de l'Empire à son apogée. En franchissant à nouveau quelques milliers de kilomètres et un millénaire d'histoire, c'est dans la partie occidentale de la Syrie, sur les contreforts du djebel Ansariyya, que nous trouverons le Krak des Chevaliers, sentinelle fortifiée des anciens États latins d'Orient alors placés sous la domination conquérante des Francs. Plus lointain encore, et infiniment plus mystérieux, le site du Grand Zimbabwe, au sein des étendues sauvages de l'Afrique australe, attestera, par la puissance de ses murailles ayant si longtemps provoqué la perplexité des Européens, le caractère universel des préoccupations défensives et rituelles de l'homme au hasard de toutes les contrées et de toutes les époques

L'homme en son habitat

Probablement est-ce en Afrique subsaharienne qu'apparaît sous son jour le plus limpide la notion de patrimoine, qui suppose avant tout la domestication des puissances naturelles par l'homme. À Bandiagara, par exemple, le long de cette falaise colossale dont la course dépasse 200 km, les hommes ont installé depuis plusieurs siècles leur habitat dans un cadre que rien ne prédisposait apparemment à cette occupation; d'où un ensemble d'une stupéfiante originalité, mais si peu figé dans sa légende et ses racines que son inscription sur la liste du Patrimoine mondial a stimulé, au lieu de la réduire, sa féconde inventivité. Observation qui pourrait être formulée sans dommage au sujet du site oriental de Sanaa, joyau de la péninsule Arabique, où la tradition millénaire des «gratte-ciel du désert» n'a jamais été plus fertile qu'au cours des dernières décennies. Ultime étape du survol initial de cette aire immense, le paysage du Koutammakou, dont les maisons à tourelles en terre ont gagné une réputation mondiale, met brutalement en lumière le faisceau obscur qui lie la force des hommes d'aujourd'hui au cycle des mutations rituelles puisées aux sources ancestrales.

Ur BERCEAU DE LA CIVILISATION

Ur, cité très antique de Chaldée (sol actuel de l'Iraq méridional), naquit il y a environ soixante siècles sur les rives de l'Euphrate, aujourd'hui distant d'une quinzaine de kilomètres. C'est une surprise toujours renouvelée pour le voyageur que sa découverte, au cœur d'une vaste étendue terreuse dont la monotonie n'est rompue que par le surgissement des tells, monticules formés par le linceul de sable que les millénaires ont accumulé sur les plus anciens reliefs de la civilisation sumérienne. [IRAQ, NON CLASSÉ]

Le premier établissement des hommes sur le site remonte à plus de 4 000 ans av. J.-C. ; rien de plus modeste que cette occupation initiale, dont l'archéologie a établi qu'elle était fondée sur un groupement de huttes usant du roseau aussi bien pour l'armature tressée que pour les parois tissées. Victime des inondations fréquentes en ce lieu marécageux, la ville d'origine fit place, quelques siècles plus tard, à une agglomération créée *ex nihilo* par de nouveaux colons venus des terres septentrionales. Maîtres du travail des métaux – pour l'essentiel, le bronze, l'argent et l'or –, ces derniers occupants entreprirent rapidement de donner à leur riche et puissante cité un visage plus vigoureux. C'est en briques d'argile durcies au soleil qu'ils en rebâtirent presque tous les édifices, reprenant approximativement le modèle de la hutte en roseau, soit un assemblage de minces parois reposant sur des fondations solides.

Ziggourat et ruines de la cité antique.
Autrefois fertile, riche en blé et en fruits, la terre d'Ur a subi une dramatique mutation vers le IVe siècle av. J.-C. lorsque le cours de l'Euphrate s'est détourné, provoquant la ruine de l'ingénieux système d'irrigation élaboré par les Chaldéens. Désormais, c'est au cœur d'un paysage désolé que se dresse, dédiée à la divinité lunaire Nanna, la ziggourat, construite sur ordre d'Ur-Nammu (r. 2111-2094 av. J.-C.). Moins célèbre que son homologue de Babylone (immortalisée par la Bible sous les traits de la tour de Babel), elle avait mieux résisté au passage des millénaires et se présentait comme l'archétype du génie sumérien avant les ravages guerriers des quinze dernières années. Méconnaissable, vandalisé, le site d'Ur risque aujourd'hui l'anéantissement, à moins que la nécessité sacrée du devoir de mémoire ne finisse par l'emporter sur le jeu des ambitions et des stratégies contemporaines.

Ur dans la Bible

Dans la *Genèse*, premier livre de la Bible, Ur est signalée comme la patrie de Térakh, père d'Abraham, de Nakhor et d'Haran. Le décès d'Haran (« Et Haran mourut en la présence de Térakh, son père, au pays de sa naissance, à Ur des Chaldéens », XI, 28) précède le départ de la famille (« Et ils sortirent ensemble d'Ur des Chaldéens pour aller au pays de Canaan », XI, 31), la troisième et dernière allusion à la grande cité étant le fait de Dieu reconnu d'Abraham (« Moi, je suis l'Éternel, qui t'ai fait sortir d'Ur des Chaldéens », XV, 7). Vers 1900 av. J.-C., date

approximative de ces événements, Ur était alors la capitale d'un royaume qui s'étendait du golfe Persique à l'Assyrie. Mais la dynastie d'Ur-Nammu – auteur du Code homonyme – commençait déjà à céder ses prérogatives face à la puissance montante de Babylone, évolution à la source d'un phénomène migratoire qui ne laisse pas de compliquer la tâche des historiens chargés d'établir l'origine du peuple hébreux !

La ziggourat d'Ur, témoin d'une splendeur disparue

À son apogée, Ur constitua la plaque tournante d'un complexe maritime assurant la liaison entre le golfe Persique, l'Inde et l'Orient. C'est de ces lointaines contrées que venaient probablement l'argent et l'or si généreusement prodigués dans les tombes royales mises au jour de 1927 à 1929 par une équipe anglaise placée sous la direction de Leonard Wooley. Ce dernier était sur place depuis 1922, succédant à son compatriote Taylor qui, soixante-dix ans plus tôt, avait été le premier à signaler l'intérêt du site, presque complètement enfoui. Datés du IIIe millénaire av. J.-C., seize tombeaux de rois ont livré une impressionnante panoplie d'objets destinés à accompagner le souverain dans l'au-delà : mobilier, bijoux, chars, etc.

Au-delà des murs de la ville, les sites funéraires – qui comptent aussi quelques centaines de tombes plus modestes – ne sont jamais très éloignés de l'ombre tutélaire de la ziggourat,

L'écriture cunéiforme

Inventée à Sumer vers 3400 av. J.-C., l'écriture cunéiforme, la plus ancienne qui nous soit parvenue, a très rapidement évolué du système pictographique vers le principe phonétique. « Cunéiforme » provient du latin *cuneus* (coin), par allusion à la forme en coin de l'empreinte qu'un calame taillé dans le roseau, et pourvu d'une pointe à trois arêtes, laissait en creux sur l'argile encore fraîche de la tablette, premier support du texte. Adaptée à l'akkadien, à l'élamite, au hittite et au louvite, encore pratiquée au tout début de notre ère, cette écriture fut oubliée jusqu'en 1835, date de la découverte de l'inscription de Behistun. Son déchiffrement, définitivement établi par François Thureau-Dangin (*Inscriptions de Sumer et d'Akkad*, 1905), est à la source d'une bien meilleure connaissance de la civilisation sumérienne.

Tablette babylonienne (IIe s. av. J.-C.)

Le grand escalier de la Ziggourat.
Lien monumental entre divinités souterraines et divinités célestes, la ziggourat d'Ur n'a pas livré le secret de toutes ses fonctions rituelles ; le grand escalier de façade qui mène à son faîte suggère l'hypothèse de l'exercice cultuel, mais aussi celle de l'observation astronomique.

À G : ***La ziggourat d'Ur.***
Inclinés vers l'intérieur et légèrement incurvés, les murs de la ziggourat d'Ur supportent encore deux niveaux, sur les trois que postulent les archéologues. Le premier étage atteint une hauteur de 11 m pour une surface au sol de 62,50 m × 43 m ; probablement le bâtiment d'origine atteignait-il une hauteur totale de 21 m. L'accès en était assuré par un éventail de trois escaliers, dont deux placés en position latérale ; le troisième, frontal, menait directement à la plate-forme sommitale.

témoin majeur de la puissance sumérienne. Le mot ziggourat (*zuqqurat*) dérive du verbe *zaqqaru* qui peut se traduire littéralement par «construire en hauteur». Une ziggourat est donc un édifice monumental caractérisé par l'idée d'élévation vers le ciel, particularité dont nous retrouverons le concept, trente siècles plus tard, avec la cathédrale gothique. Elle superpose de trois à sept niveaux de terrasses à base carrée ou rectangulaire. Construite en briques de terre crue séchée au soleil que les maçons alignent en rangs croisés pour assurer la solidité de la structure, la grande tour d'Ur est renforcée par un mur de parement d'une épaisseur de 2,50 m, dont l'appareil est lié par un fort bitume, gage d'étanchéité. Si l'installation sommitale d'un temple semble établie, les irréversibles dégâts de l'érosion interdisent d'en connaître l'agencement exact.

Une situation dramatique

Après des années de guerre, que reste-t-il aujourd'hui du site d'Ur, l'un des plus anciens berceaux de notre civilisation ? Selon l'universitaire américain Zainab Bahrani, professeur à l'université de Columbia, «les troupes américaines [...] ont transformé le site d'Ur en base militaire, creusant même des tranchées dans le sol». Constat proche de celui de l'archéologue McGuire Gibson, analysant le pillage de l'inestimable patrimoine antique d'Iraq : «Ce qui est menacé est une part importante de l'héritage culturel mondial.» Aujourd'hui, c'est un tragique cri d'alarme que lancent les spécialistes du monde entier, le plus vieil État du monde ayant d'ores et déjà perdu la quasi-totalité de ses trésors archéologiques et artistiques.

Gizeh AU ROYAUME DE LA DÉMESURE

Très ancienne petite bourgade que les dernières décennies ont transformée en énorme agglomération, Gizeh (en arabe Al Djîza) s'est déployée de façon anarchique sur la rive gauche du Nil. Sa position au départ de la route menant au site des grandes pyramides lui a valu de donner son nom à la célèbre nécropole pharaonique.

[ÉGYPTE, CLASSÉ EN 1979]

Dominant un ensemble funéraire complexe, les gigantesques tombeaux de trois pharaons de la IVe dynastie (2650-2530 av. J.-C.) s'élèvent à des hauteurs impressionnantes : 66 m pour la pyramide de Mykérinos, 136 m pour celle de Khephren (encore dotée de son parement sommital), 137 m pour celle de Kheops.

La pyramide de Mykérinos

En retrait de ses deux illustres compagnes et dotée de dimensions moins impressionnantes, la pyramide de Mykérinos est souvent négligée, y compris par nombre de visiteurs, qui se donnent tout juste la peine de lui accorder un regard superficiel et fugace. Pourtant, l'édifice a peu à envier aux réalisations voisines. Ses dimensions, en premier lieu, restent respectables, puisque le côté de sa base carrée atteint 103 m (108 m à l'origine), sa hauteur 66 m et son volume total environ 256 000 m^3 ! Initialement, ses quatre faces, d'une déclivité de 51,20°, étaient revêtues de granit rose, sur le premier tiers de sa hauteur, et de calcaire sur les deux tiers supérieurs.

Son agencement intérieur a surpris les premiers fouilleurs par sa complexité. L'entrée se découvre, traditionnellement, sur la face nord ; les traces de brèche qui la surmontent sont le résultat de tentatives de pillage non abouties. Une fois franchi le seuil de cette entrée discrète, le visiteur descend un corridor qui, au terme d'une course de 32 m, le conduit à une antichambre aménagée dans la pierre et ornée de bas-reliefs hiératiques. À cet instant, le couloir, autrefois bloqué par un système de triple herses, retrouve un niveau horizontal et aboutit, 13 m plus loin, à une chambre funéraire de 10,45 m sur 3,80 m pour une hauteur de 4 m, son palier étant situé à 6 m au-dessous du sol. C'est dans cette chambre que

Vue générale.
Le site s'étend à la lisière du désert de Libye sur le rebord d'un plateau rocheux. Il compte de nombreux monuments des IVe et Ve dynasties de l'Ancien Empire, ce qui les fait remonter à plus de vingt-cinq siècles av. J. C. De droite à gauche sur ce document, les trois pyramides de Kheops, Khephren et Mykérinos (précédée par les trois pyramidions des épouses royales) occupent la première place, leur seul rival en célébrité étant le Sphinx relié à la pyramide de Khephren. Mais le voyageur y découvrira également divers temples funéraires, deux autres groupes de trois pyramides à l'est et au sud, ainsi que de multiples mastabas, tombeaux de dignitaires religieux ou de civils.

Le Sphinx vers 1930.
Sur ce cliché de l'entre-deux guerres, l'excavation sommaire du Sphinx atteste l'énormité de l'effort ultérieur ayant permis aux archéologues d'arracher à la malédiction, plusieurs fois millénaire, d'un inéluctable ensablement, les plus prestigieux monuments des antiques dynasties égyptiennes.

les fouilleurs ont trouvé un sarcophage en bois, d'époque plus tardive bien que portant le nom du pharaon. Au-dessus de la chambre primitive s'ouvre un couloir qui, ramenant le visiteur sous l'appareillage de la pyramide, se termine en cul-de-sac. Les claustrophobes apprécieront… les autres adresseront un discret salut aux pillards que leur avidité dotait finalement d'un singulier courage ! Il faut donc revenir à la chambre primitive pour y découvrir une galerie plongeant vers la base, la «descenderie», qui mène à la chambre funéraire du Roi, à l'ouest. Couverte d'une fausse voûte en granit, cette dernière contenait un sarcophage de basalte sans inscription, dont le couvercle fut perdu en mer en 1838, l'expédition anglaise qui s'en était emparée ayant connu à l'occasion un naufrage – qui devait alimenter force spéculations précoces sur la «malédiction du pharaon» ! Sur le flanc de la chambre funéraire, une salle, probablement destinée au mobilier royal, a été elle aussi soigneusement dépouillée de ses trésors.

Comme toutes les pyramides, celle de Mykérinos était appareillée à un temple funéraire dont les assises sont encore visibles à l'écart de sa paroi orientale ; de là part la «chaussée sacrée» qui mène au temple de la vallée, lui aussi presque anéanti. Surtout, le tombeau de Mykérinos présente cette particularité d'être flanqué de trois pyramides satellites ; si les deux premières sont restées à l'évidence inachevées, la plus orientale a été attribuée à la reine Khâmerernebty, épouse du pharaon.

À DR : ***Le Sphinx de Gizeh.***
Le Sphinx de Gizeh (XXVIe siècle av. J.-C.) se présente sous la forme d'un bloc sculpté monumental, taillé dans le roc d'un promontoire naturel. Constitué par le corps d'un lion couché arborant la tête du pharaon Khephren, il réunit, sous cette forme symbolique, les hautes vertus attribuées au souverain : force, puissance et justice. Tournée vers le fleuve sacré du Nil, la statue atteint une longueur totale de 57 m ; à l'origine, elle était couverte de plâtre peint dont il subsiste quelques traces.

La pyramide de Khephren

Parce qu'elle est située sur la partie la plus élevée du plateau calcaire qui constitue le site de Gizeh, à quelque 300 m au sud-ouest de celle de Kheops, la pyramide de Khephren paraît légèrement plus haute que cette dernière. En réalité, ses dimensions sont un peu moindres, le côté de son socle carré ne dépassant pas 215 m, contre un peu plus de 230 à sa voisine ; cette illusion d'optique est renforcée par une déclivité également un peu plus forte – son angle de pente est de 52°20. Au premier regard, la pyramide se signale surtout

par la conservation de la partie sommitale de son revêtement. Pour les archéologues, cet édifice présente aussi l'inestimable avantage d'avoir conservé, autour de lui, une grande partie du complexe funéraire dont il forme l'élément le plus spectaculaire. Du temple bas, il a ainsi été possible de désensabler et de reconstituer une partie non négligeable. Quant au temple haut, il a laissé suffisamment de traces explicites pour que les spécialistes aient pu comprendre son fonctionnement et rétablir sa disposition. Du premier au second de ces temples funéraires, enfin, la liaison de la chaussée sacrée est encore visible, dans sa partie inférieure. En revanche, la disposition intérieure de la pyramide – pourvue de deux entrées situées au nord – est d'une simplicité presque décevante pour les amateurs de labyrinthes.

Le temps des pyramides

Succédant à l'époque thinite des deux premières dynasties, l'Ancien Empire, qui s'étend de 2600 à 2480 av. J.-C., voit défiler six dynasties. La IIIe est dominée par Imhotep, prêtre, architecte, médecin et philosophe, dont le nom signifie «Celui qui vient en paix». Actif entre 2800 et 2700 av. J.-C., promoteur du remplacement de la terre cuite par la pierre, il est l'instigateur du complexe funéraire de Saqqarah, dominé par une haute pyramide à degrés. La IVe dynastie nous a légué les grandes pyramides de Kheops, Khephren et Mykérinos, précédées par celles du premier souverain de la dynastie, Snefrou, véritable initiateur, qui n'en fit pas achever moins de trois : celle de Meïdoum, la «Rhomboïdale» et la «Parfaite», modèle pour les constructeurs de Gizeh.

La pyramide de Kheops

Érigée vers 2600 av. J.-C., la pyramide de Kheops est la seule des Sept Merveilles du monde à nous être parvenue dans un état de conservation satisfaisant. Avant même de découvrir sa complexité interne, le visiteur médusé comprend d'emblée pourquoi la seule vision du plus colossal tombeau de tous les temps a fasciné et continue de fasciner depuis cinquante siècles. L'érection d'un tel géant exigea, de la base au sommet, la mise en place de rampes de terre humectée, donc glissante, pour hisser les blocs posés sur des traîneaux et les mettre en place. S'agissant de l'enduit destiné à protéger l'édifice, les

constructeurs conçurent une couche de calcaire et de granit d'Assouan formant une paroi lisse. La seule entrée de l'édifice se trouve sur la face nord, à la hauteur inhabituelle de 16 m ; autrefois dissimulée par un simple parement de pierre, elle ouvre sur la descenderie, dont la hauteur n'excède pas 1,20 m et la largeur 1,05 m.

En dépit de ses dimensions titanesques, la pyramide de Kheops reste surtout un tour de force pour son aménagement intérieur (la surface au sol de ses couloirs et chambres monte à 525 m²), l'effort de ses architectes ayant porté sur la défense des accès à la chambre sépulcrale et sur le système de voûtes devant la recouvrir. Trois emplacements successifs ont été prévus pour cette chambre. Le premier projet était souterrain, la chambre se situant, après un trajet de 114 m dans la descenderie, à une trentaine de mètres sous la base. Il fut abandonné au profit d'une deuxième localisation, à 21 m au-dessus de la base. D'une largeur supérieure à 5 m, cette seconde chambre (dite «de la Reine») était couverte de voûtes disposées en double versant, contre-butées les unes par les autres. Pour y accéder, il fallut rattacher un nouveau couloir sur la descenderie et, pour entreposer les blocs de granit destinés à condamner ce couloir après les funérailles du pharaon, les architectes imaginèrent l'étonnante grande galerie voûtée en encorbellement. Longue de 47,85 m, haute de 8,60 m et large de 2,10 m, elle conserve encore les marques d'usure laissées par les pièces de bois et par le coulissement des cordages nécessités pour la traction des blocs de granit.

Pourtant, ce projet fut à son tour abandonné et remplacé par celui d'une troisième chambre, située au palier supérieur de la grande galerie. Les bâtisseurs égyptiens multiplièrent alors les prouesses techniques, aussi bien pour assurer la protection du couloir d'accès par trois herses que pour permettre la ventilation à l'aide de petits conduits, ou pour sauvegarder les énormes dalles de la voûte, soulagées par plusieurs espaces de décharge superposés. Haute de 5,85 m, longue de 10,50 m et large de 5,24 m, la «chambre du Roi» contient encore la cuve de granit dans laquelle fut placé le sarcophage pharaonique. Et pourtant, en dépit des mesures de protection, au mépris des risques encourus et des châtiments prévus, pillards et profanateurs parvinrent à vider la chambre funéraire de son contenu, comme d'ailleurs celles de toutes les autres pyramides, puis de tous les tombeaux royaux, à l'illustre exception de l'hypogée de Toutankhamon.

Le Sphinx et ses mystères

La pyramide, faut-il le rappeler, n'est que la pièce la plus apparente d'un gigantesque complexe funéraire, formé pour l'essentiel de temples et de reliefs. Parmi ceux-ci, le Sphinx, taillé d'un seul bloc dans une masse de calcaire couronnée de roche dure, est flanqué par deux temples – dont celui de Khephren – aux riches inscriptions qui ont fourni une documentation précise aux archéologues. C'est ici qu'intervient un nouveau débat, plusieurs géologues soutenant, depuis 1990, que le Sphinx n'a pu être taillé à l'époque de la construction du temple, donc que l'assimilation au pharaon dont il reproduirait les traits est erronée. Pour notre époque qui n'aime rien autant que l'incertitude, n'est-ce pas là le plus sûr gage d'un intérêt renouvelé pour le royaume de la démesure ?

DOUBLE PAGE PRÉCÉDENTE :
La pyramide de Kheops, une montagne de pierres.
Avec une base de 440 coudées (environ 230,50 m), la grande pyramide atteignait une hauteur de 146,60 m (aujourd'hui réduite à 137 m) et couvre toujours une surface de 52 900 m². L'angle des quatre pentes est 51° 50 et son volume total monte au chiffre effarant de 2 592 100 m³. La perfection de l'ajustage des blocs de grandes dimensions (leur hauteur moyenne est de 1,50 m) suscite toujours l'admiration. Pesant chacun plusieurs tonnes, ils sont disposés en assises constituant autant de gradins.

À DR : ***Livre des morts, papyrus.***
Sur ce manuscrit non daté, on distingue le dieu Anubis qui offre, à bout de bras, la momie du défunt à l'hommage de ses proches. C'est par l'étude de tels documents que les archéologues ont pu reconstituer le rituel funéraire de l'Égypte pharaonique dans toute sa fastueuse singularité.

Scribe accroupi du Louvre.
Découverte à Saqqarah en 1850, cette statuette, haute de 53,70 cm et remontant probablement à la IVe dynastie, fait appel au calcaire peint. Elle impressionne surtout par le réalisme des yeux : cristal de roche pour la pupille, pierre blanche pour la cornée, cernes de cuivre.

Karnak ORDRE COLOSSAL ET DÉCOR MONUMENTAL

À Karnak (en arabe dialectal, «village fortifié»), face au voyageur que ses pas ont conduit jusqu'au seuil du temple d'Amon-Rê, jadis réservé au seul clergé, se dresse, herculéenne mais délicate, silencieuse mais turbulente, l'une des plus anciennes et des plus prodigieuses manifestations du génie bâtisseur de l'homme antique.
[ÉGYPTE, CLASSÉ EN 1979]

Le site de Karnak regroupe trois complexes : aménagé sous Antef II (XXIe siècle av. J.-C.), le plus important est consacré au dieu du soleil Amon-Rê, les deux autres au dieu faucon Montou (nord) et à la déesse-mère Mout (sud). De l'occupation romaine à l'expédition de Bonaparte en 1798, l'histoire du lieu, riche en son temps de 60 000 habitants, aura été celle d'une longue et navrante dégradation, encore aggravée par divers tremblements de terre. Au cours des âges, divers voyageurs avaient signalé la présence de gigantesques ruines sur le site de Thèbes, mais c'est seulement au XVIIIe siècle que l'identification assurée de la ville et de ses temples avait levé les derniers doutes quant à leur importance. Si divers découvreurs (Belzoni, Rifaud, Roberts, etc.) fouillent les lieux à la suite de l'expédition de 1798, il faut attendre la création du Service des antiquités de l'Égypte, en 1858, pour assister à l'ouverture d'un chantier scientifique, sous l'impulsion d'Auguste Mariette dont l'ouvrage, *Karnak, étude topographique et archéologique* (1875), restitue, à l'aide de relevés pris sur place, le plan et la structure de la zone monumentale.

Complexité d'un site cosmique

Une fois franchi le débarcadère orné de deux petits obélisques, le visiteur remonte l'allée bordée de sphinx criocéphales qui mène au premier pylône, porte trapézoïdale à double massif évoquant les deux montagnes qui donnent naissance au soleil dans la cosmogonie égyptienne ; long de 113 m, large de 15 m à sa base, ce pylône culmine, bien qu'inachevé, à 40 m. Au-delà, la grande cour qui accueillit tant de cérémonies religieuses, est bordée au nord et au sud par deux temples reposoirs : celui de Sethi II regroupe trois chapelles accolées, propres à recevoir les barques sacrées des dieux Amon, Mout

Salle hypostyle. Érigée sur ordre de Sethi Ier, achevée par Ramsès II, la salle hypostyle déploie sur un vaste rectangle (52 m × 103 m) une futaie de 134 colonnes atteignant jusqu'à 23 m de hauteur. Entièrement couverte à l'origine, elle recevait un éclairage central depuis la partie haute de la travée principale ouverte de baies, les claustras. La splendide décoration intérieure, répartie sur les murs et les supports, évoque les cérémonies du culte local. Les égyptologues ont identifié sur l'extérieur du mur nord le récit des guerres de Sethi Ier, les scènes extérieures du mur sud chantant les victoires de Ramsès II en Palestine, notamment sa victoire sur les Hittites à Qadesh.

et Khonsou ; celui de Ramsès III use d'un plan traditionnel : porte encadrée par deux colosses, cour à péristyle, salle hypostyle et triple sanctuaire.

Le second pylône le cède à peine au premier pour le gigantisme : long de 98 m, large de 14 m, il ouvre sur la légendaire salle hypostyle, sorte de formidable forêt d'énormes papyrus qui, figés dans la pierre, distillent un curieux sentiment de démesure. Quelques pas encore, et le troisième pylône présente des décorations fortement incisées, occasion d'admirer l'une des plus belles scènes de navigation que nous ait léguées l'Égypte, vision centrée sur la barque sacrée d'Amon-Rê.

Dégagement et préservation de Karnak

La plus grande partie du site étant enfouie sous un remblai de 5 à 10 m, Mariette en proposa le dégagement. En 1895, l'opération est confiée à Georges Legrain, qui met au jour les axes principaux du temple, opérant dans la cour de la Cachette une moisson de quelque 15 000 objets, dont 800 statues. L'écroulement d'une partie de la salle hypostyle en 1899 nécessite la consolidation des fondations et l'allègement des structures portantes. La mise hors eau étant menée à bien, le niveau du sol antique est atteint et les supports raffermis. À Legrain et Pillet succède, de 1924 à 1954, Henri Chevrier qui pompe les eaux stagnantes du Lac sacré et met en place un système d'évacuation par drains en 1935. Avec l'amélioration des moyens techniques, le dégagement est achevé en 1954. Mais la disparition du remblai provoque une dégradation rapide de la pierre et le tassement des substructions remaniées ; d'où l'appel heureux, dans la dernière décennie, aux physiciens et aux chimistes, qui œuvrent à la solidification du grès, au renforcement du calcaire et au sauvetage de la décoration polychrome.

Ordre colossal, décoration monumentale

Trois autres pylones suivent, au-delà desquels les monuments se multiplient : sanctuaire en granit de Philippe Arrhidée, salle des Fêtes aux peintures vigoureusement colorées, sanctuaire de Thoutmosis III (1484-1450 av. J.-C.), ouvert par un portique dont les six colosses portent l'effigie du roi, Akh-Menou aux piliers osiriens, etc. C'est dans le temple de l'Est de Ramsès II (1301-1235 av. J.-C.), tout proche, que se dressait le plus haut obélisque jamais érigé à Karnak (33 m), démonté puis remonté sur la place du Latran à Rome. La porte de Nectanebo, haute de 19 m, le Lac sacré, dominé par l'édifice de Taharqa, dédié à Rê-Horakhty, les quatre derniers pylônes et le temple de Khonsou, bien conservé, complètent cet univers titanesque dont le temple d'Opet, dédié à Osiris, clôt la découverte.

Le temple au-delà du Lac sacré. L'eau, élément fondamental de la cosmogonie égyptienne, joue un rôle décisif dans les rituels de purification comme pour les cérémonies d'offrandes. Ainsi s'explique la présence du Lac sacré qui, résurgence de l'Océan initial, est attribué à Thoutmosis III ; ce bassin a été reconstruit par Henri Chevrier d'après les rares vestiges dont il put disposer après le dégagement du site. Divers escaliers permettaient au clergé d'avoir un accès direct à cette vaste étendue d'eau (120 m × 77 m) ; par ailleurs, les prêtres surveillaient attentivement les variations de niveau du fleuve voisin au moyen d'un nilomètre construit dans l'angle nord-ouest du bassin, afin de prévenir les effets de la crue. Une enceinte, large de presque 9 m pour une hauteur de 21 m, délimitait l'aire sacrée ; son appareillage en assises courbes fut peut-être un hommage au mouvement des eaux. Percée de huit portes, dont quatre de taille impressionnante, cette ceinture protectrice attestait l'importance religieuse de Karnak.

Pétra CITÉ FASTUEUSE ET FORTERESSE NATURELLE

Bien que l'occupation préhistorique de son site soit attestée, la ville de Pétra, taillée dans le grès rouge des murailles naturelles du sud désertique de Jordanie, n'a livré que peu d'indices relatifs à ses premiers habitants. Initialement occupée par les Édomites, elle entre dans l'histoire à l'extrême fin du ve siècle av. J.-C., lorsque les Nabatéens se préparent à en faire, sous le nom de Séla, la capitale de leur royaume. [JORDANIE, CLASSÉ EN 1985]

Dans le même temps que Rome étend sa domination sur l'Europe occidentale, Pétra (de *petros*, rocher en grec) s'affirme comme le carrefour commercial majeur du Proche-Orient. Étape idéale pour les caravanes se rendant d'Arabie du Sud en Égypte et en Phénicie, elle devient le centre d'un vaste empire commercial dont les ramifications couvrent les territoires actuels de la Jordanie, de l'Égypte, de la Syrie et de l'Arabie saoudite.

De la fortune glorieuse à l'oubli total

Les Nabatéens ont rapidement compris que le site constituait en soi une forteresse à peu près imprenable, d'autant plus que, pour différentes raisons d'ordre géologique ou climatique, les falaises étaient creusées de grottes autorisant une grande facilité d'installation. Pourtant, conquise par les armées romaines de Trajan en l'an 106, Pétra déclinera rapidement au profit de Palmyre. Complètement remaniée au IIIe siècle, la cité est dotée par ses nouveaux maîtres d'une voirie régulière, conforme aux principes de l'urbanisme romain. En l'an 363, un tremblement de terre anéantit une grande partie du site qui, durant encore deux cents ans, constituera le siège d'une modeste communauté chrétienne. C'est à partir du VIIe siècle que Pétra entre dans la longue phase de transition qui la voit se transformer en foyer musulman de faible rayonnement. Épisodiquement passée aux mains des Croisés (XIIe s.), la forteresse enchâssée dans le roc sombrera ensuite dans un abandon total, n'étant redécouverte qu'en 1812 par l'archéologue suisse Johann Ludwig Burckhardt. Un sommeil d'une longueur d'autant plus stupéfiante qu'au temps de sa splendeur, c'est par milliers que Pétra avait édifié d'admirables édifices rituels, funéraires ou civils, dont l'altière beauté le disputait à l'audace architecturale et à l'ingéniosité déco-

Au cœur du chaos rocheux. Le formidable plateau jordanien qui abrite le site antique de Pétra est traversé d'entailles profondes aux formes tourmentées. Les hautes falaises de grès sont animées d'anciennes coulées de basalte dont les sinuosités dessinent un tableau naturel à la palette fantastique. Au voyageur découvrant la cité née du rocher, la descente vers les temples et les tombes taillés à même les puissantes murailles rocheuses laisse un impérissable souvenir, le regard embrassant partout des perspectives d'une déroutante sauvagerie.

rative. Aujourd'hui, à 262 km au sud de la capitale Amman, la Citadelle rose, inscrite au Patrimoine mondial de l'Unesco en 1985, est à nouveau glorieuse et prospère. Signe des temps, elle ne doit cette résurrection ni à la force de ses armes ni aux bénéfices de ses comptoirs, mais à la seule curiosité d'une déferlante touristique dont rien, à brève échéance, ne semble devoir endiguer le flot.

Variété et mutation d'un patrimoine colossal

Les principales ruines de Pétra sont gréco-romaines, mais elles constituent un patrimoine aussi varié par les styles que par les époques. Située au fond d'une gorge profondément encaissée, la ville n'est accessible que par un long défilé, le Siq, dont la longueur dépasse 1,5 km pour une largeur minimale de 2 m, les falaises atteignant par endroits une hauteur de 100 m. La couleur des roches – en grès rouge de Nubie – ajoute beaucoup à la magnificence des nombreux temples et tombeaux creusés à même le roc et souvent remarquablement conservés.

Au sortir du défilé surgit le monument le plus impressionnant de Pétra, El Khazneh (le Trésor), creusé dans la roche ; haute d'une quarantaine de mètres, sa façade dépasse 27 m en largeur. Le nom de l'édifice vient directement de la croyance locale selon laquelle son édicule frontal supérieur, en forme d'urne décorée d'un relief d'Isis, aurait formé l'écrin du fabuleux trésor d'un pharaon égyptien ! Quelques pas encore, et le voyageur est entouré de tous côtés par d'innombrables constructions, temples, tombes royales, maisons, fontaines, bains, arcs, etc. Alignées au flanc d'une falaise qui domine la ville basse et la voie romaine principale, de magnifiques tombes princières ont profondément entaillé le roc, plusieurs d'entre elles ayant même, du fait de leur situation idéale, été transformées en églises byzantines avant la conquête musulmane. Le théâtre romain, les salles festives, les canaux et citernes attestent l'importance de la vie urbaine à l'aube de l'ère chrétienne. Le théâtre romain a été creusé dans une immense cavité rocheuse, selon les préceptes mis au point par les Grecs dès le IVe siècle av. J.-C. Sa *cavea* (enceinte des gradins) était suffisante pour accueillir plusieurs milliers de spectateurs. Sur l'*orchestra* (scène centrale curviligne), les acteurs se produisaient au profit des légionnaires de la garnison impériale et des marchands de passage, en quête de distraction. L'acoustique y est restée parfaite, le moindre bruit se répercutant jusqu'au sommet de l'hémicycle. Le voyageur curieux trouve également, ici et là, les vestiges de rues pavées, parfois en escalier, d'édifices religieux mal identifiés, de marchés et autres bâtiments publics dont les façades sculptées proposent une panoplie d'ornements d'une incomparable virtuosité.

El Khazneh. L'admirable façade hellénistique du Khazneh (le Trésor) développe sur deux étages une grande leçon ornementale directement inspirée des fastes de la Grèce tardive. Soutenu par un portique hexastyle, un premier fronton supporte le compartiment supérieur caractérisé par la saillie centrale du corps en relief curviligne, en forme d'urne, entouré par les deux assises du fronton tronqué. La grande beauté de cette harmonieuse façade contraste singulièrement avec l'étonnante simplicité de l'aménagement intérieur du temple.

Intérieur de tombe royale. Connu sous le nom de Tombe à l'urne, cet édifice d'une hauteur maximale de 26 m est précédé d'une cour flanquée de deux portiques. La salle intérieure, sur laquelle ouvre la porte centrale, se signale par ses trois grandes arches creusées dans le mur du fond et les niches de sa paroi latérale.

Les Nabatéens

Vers 400-300 avant J.-C., les Nabatéens, l'un des plus anciens peuples ayant occupé l'Arabie du Nord-Ouest, chassent les Édomites de Pétra où ils installent leur capitale. Nomades vivant sous la tente, ils élèvent moutons, chèvres et dromadaires, acceptant progressivement une certaine forme de sédentarisation ; le symptôme le plus remarquable de cette mutation reste probablement la naissance d'un alphabet nabatéen vers 150 av. J.-C. Contrôlant, du fait de leur position stratégique, le commerce de l'encens et des épices entre les pays arabes et le Bassin méditerranéen, les Nabatéens acquièrent une puissance qui culmine à l'époque hellénistique, Pétra comptant alors environ 20 000 habitants. Mais ils devront s'incliner face à Trajan en l'an 106, perdant dès lors toute importance historique.

Palmyre FASTE IMPÉRIAL D'UNE CITÉ LÉGENDAIRE

Carrefour légendaire dont la première mention – sous le nom de Tadmor – remonte au IIe millénaire av. J.-C., Palmyre accueillit, des siècles durant, les riches caravanes qui, parties des rivages méditerranéens, s'enfonçaient à travers le désert de Syrie, pour livrer leurs marchandises aux cités de Mésopotamie, de Perse, d'Arabie, d'Inde ou d'Asie centrale. [SYRIE, CLASSÉ EN 1980]

Prospère, crainte, animée, cosmopolite, la grande cité, passée sous le contrôle de Rome dans la deuxième décennie du Ier siècle de notre ère (la Syrie était province romaine depuis 64 av. J.-C.), connaît son apogée au IIe siècle. Un peu plus tard, l'illustre reine Zénobie tente de lui redonner son autonomie, mais doit se soumettre à l'empereur Aurélien en 272. Devenue simple ville de garnison, ranimée par Justinien au VIe siècle, soumise en 634 par les musulmans, pillée par les cavaliers mongols de Tamerlan en 1401, Palmyre n'est plus, au XVIIe siècle, qu'un village dans l'enceinte du sanctuaire de Bel. En septembre 1691, ses ruines sollicitent l'attention de voyageurs européens, curieux de vérifier l'existence d'un site devenu mythique et pionniers fortuits d'une longue aventure archéologique.

Au premier regard jeté sur Palmyre, le cœur balance entre l'admiration provoquée par la splendeur des monuments admirablement remis en valeur et la nostalgie suscitée par le silence immobile de l'antique métropole. Pour jouir de la majesté du complexe, l'ascension de l'éminence qui, à l'ouest, porte le château syrien Qalat ibn Maan, est tout indiquée ; la vision des ruines inscrites dans l'immensité du cadre désertique est inoubliable, et saisissante la perspective de l'interminable colonnade qui en traverse l'espace.

Vue générale de Palmyre. Au premier plan, à droite le temple de Bel, dont on relève les quatre merlons triangulaires sur l'arête sommitale, fait face aux propylées qui donnent le départ au premier segment de la Grande Colonnade. Une fois franchi l'espace qui mène à l'arc monumental, cette dernière bifurque vers la gauche et mène jusqu'au tétrapyle, situé au centre de la photographie ; sur la gauche, les formes du théâtre et de l'agora sont alignées le long de l'axe transversal dont on distingue la claire trace linéaire sur la droite. À partir du tétrapyle, la Grande Colonnade diverge à nouveau pour entamer le troisième tronçon qui la conduit au complexe du sanctuaire d'Allat et du camp de Dioclétien. Sis sur la colline du fond, le château syrien domine le panorama.

Le temple de Bel

À l'extrémité orientale du site, le temple de Bel, dédié le 6 avril de l'an 32 apr. J.-C., transformé en mosquée au XIIe siècle, puis occupé par la population locale jusqu'en 1930, n'a pas de rival à Palmyre en matière de solennité glorieuse, bien que la Cité ait honoré une soixantaine de divinités. Au sein du parvis clos par les quatre murs à portiques du péribole de 200 m de côté, il se signale par un panel de détails décoratifs

L'arc monumental.
Érigé sous Septime Sévère (r. 193-211), l'arc assure la transition entre deux tronçons de la Grande Colonnade. S'il a perdu une part importante de sa décoration florale (glands, feuilles de chêne et de laurier, rinceaux), il garde grande allure avec ses deux façades unissant, par leur agencement en X, les deux sections de la voie principale de Palmyre. L'arche centrale ouvre sur la chaussée médiane, flanquée de deux portiques sur lesquels donnent les deux baies latérales, plus petites.

dénonçant un large éventail d'influences lointaines, Rome, la Grèce, le Proche-Orient… Son agencement exalte la largeur au détriment de la longueur, l'accès principal s'inscrivant sur la section longue du bâtiment. La visite de la Cella, bordée par deux chambres cultuelles aux parois splendidement ouvragées, laisse une trace profonde dans la mémoire.

La Grande Colonnade

Aucun axe urbain de l'Antiquité ne peut prétendre à la grandeur olympienne de la grande colonnade de Palmyre. Construite de 158 à 229, cette prodigieuse avenue bordée de hautes colonnes dont les consoles supportèrent, des siècles durant, les bustes des dignitaires locaux, déroule sur 1,2 km une voie d'une largeur de 23 m (11 m pour la chaussée centrale, 6 m pour chacun des portiques latéraux). Du temple de Bel au camp de Dioclétien, elle enchaîne trois tronçons non alignés, globalement axés de l'est à l'ouest. Le premier conduit du temple à l'arc colossal qui, décoratif et fonctionnel, unit par l'étrangeté de son dessin le complexe de formes ramassées de ce même temple à la perspective lointaine du tétrapyle, esplanade qui, bornée par quatre édicules eux-mêmes porteurs de quatre colonnes monolithes en granit rose, marque la fin du second segment, après le passage devant le théâtre.

À quelque distance au sud du tétrapyle, l'agora, vaste place de 71 m × 24 m, fut longtemps le cœur marchand et politique de la Cité ; sur ses côtés, les consoles portèrent jusqu'à deux cents bustes de notables, signes de consécration sociale. En s'y rendant, le visiteur vérifie que Palmyre déconcerte par l'imprévu de son tissu urbain autant que par les jeux d'ombre et de lumière qui animent les richesses sans nombre de son patrimoine ; revenu au tétrapyle et

Les deux musées de Palmyre

Si la préservation des ruines, tâche primordiale et ardue des archéologues, offre un spectacle qui comble le visiteur, les collections des musées ethnographique et archéologique de Palmyre complètent avec bonheur le visage de la cité perdue. Le musée ethnographique, sis dans les murs d'une ancienne bâtisse militaire proche du temple de Bel, abrite une collection de tissus précieux, joyaux décoratifs, parements vestimentaires et autres objets chargés d'embellir le quotidien. Réceptacle des fouilles, le musée archéologique, situé à la frontière du site, offre un tableau complet de l'art local, marqué par l'influence gréco-romaine et signalé par un hiératisme sévère dont l'effet se découvre dans nombre de portraits – individuels ou collectifs – à vocation sépulcrale.

poursuivant la remontée de la Colonnade jusqu'à la limite urbaine par son troisième tronçon, il parvient au temple d'Allat, divinité protectrice des nomades. Sur la gauche, le camp de Dioclétien, souvenir du séjour des légions romaines, offrit dès son aménagement une situation stratégique de premier ordre aux protecteurs de la ville. Romaine par sa conception et sa disposition, la cité de Palmyre marie de la sorte l'ordre impérial aux particularités régionales.

La nécropole de Palmyre

C'est alentour que se développent les vastes nécropoles de Palmyre qui regroupent trois catégories funéraires : temple, tour, hypogée. Réservé aux Palmyréniens aisés, le temple reçoit un appareil architectural et sculptural digne d'un édifice cultuel tandis que la tour répartit les dépouilles à ses divers étages en fonction d'une hiérarchie précise. Probablement le plus beau sépulcre, érigé en 103, reste-t-il celui de la tour d'Élahbel, à l'intérieur rehaussé d'un admirable décor de pilastres cannelés sous un plafond à caissons. Quant aux hypogées, conçus sous forme d'un couloir creusé dans le sol et bordé de niches destinées à accueillir les défunts, ils enchantent le regard par une décoration murale d'une émouvante quiétude ; de ce point de vue, aucun exemple n'est plus probant que celui du tombeau des Trois Frères (IIe s.)

Sarcophage familial
(musée national de Damas). Pour honorer la mémoire des défunts, les sculpteurs de Palmyre – dont l'esthétique renvoie à l'art des Parthes beaucoup plus qu'à celui des Grecs – les figeaient dans la représentation de la vie contingente, exaltant ainsi les vertus d'une immortalité familière.

Timgad LA « POMPÉI NUMIDE »

Fondée par l'empereur Trajan en l'an 100 comme résidence de la IIIe légion, Timgad reste le plus bel exemple africain d'urbanisme monumental romain. Son plan, son forum, son théâtre, ses autels, sa bibliothèque... attestent que le génie de l'Empire ne brilla jamais plus que dans un cadre apparemment peu propice à son éclosion : au sein d'une aire aride, la Cité favorisa ainsi la romanisation des Numides, moins captifs des armes que de commodités jusque-là ignorées par leur civilisation nomade. [ALGÉRIE, CLASSÉ EN 1982]

Capitale de la province de Numidie (globalement le territoire de l'actuelle Algérie), l'ancienne Thamagudi est située sur le versant septentrional du massif des Aurès, à 1 072 m d'altitude. L'errance matinale au cœur de ses ruines, de préférence à la saison froide lorsque la neige diapre les sommets voisins de sa lumière argentée, ne laisse jamais de puissamment frapper l'imagination. La Ville antique est morte, mais la plainte du vent qui ulule entre ses ruines donne l'illusion d'en prolonger quelque très ancien écho, propice à une restitution fugace de la «Rome africaine». Née sous l'Empire à son apogée, enrichie de basiliques avec l'avènement du christianisme, la Cité tomba une première fois au ve siècle, sous les coups des guerriers berbères descendus des Aurès. Restaurée et renforcée au vi^e siècle par Salomon, général de l'empereur Justinien, Timgad devait disparaître à nouveau au viie siècle, progressivement submergée par le sable du désert... dont l'archéologie la dégagera, de 1881 à 1959. Les principaux reliefs (arc de Trajan, forum, théâtre, bibliothèque, habitations privées, etc.) datent pour l'essentiel du iie siècle apr. J.-C. Depuis le classement du site au Patrimoine mondial de l'Unesco en 1982, les fouilles sont menées avec une rigueur accrue.

L'arc de Trajan se signale non seulement par sa solennelle beauté, mais aussi par son parfait état de conservation. De part et d'autre de la grande arche, ayant jadis pour charge d'ouvrir la voie aux véhicules, les deux baies réservées aux piétons sont surmontées d'une niche qui crée un effet de double symétrie, verticale et horizontale. Le tout est surmonté par un puissant entablement sommital et quatre colonnes corinthiennes unissent la façade selon le principe de l'ordre colossal.

Quartiers et monuments

Le voyageur qui, pour entrer, passe sous le magnifique arc de Trajan, porte occidentale de la ville, puis s'engage sur la chaussée ouest du *decumanus* (voie axiale est-ouest de la cité) dont les lourds pavés ont conservé l'empreinte des chars antiques, arrive à la grande esplanade du forum, encadré de hauts portiques. Limité à l'ouest par les deux bâtiments annexes du temple et de la curie, bordé à l'est par la basilique chré-

Vénus chevauchant un centaure marin. (Timgad, IIe s., musée archéologique).

tienne du VIIe siècle, le forum jouxte le théâtre qui, érigé dans le quartier méridional de Timgad, offre de remarquables perspectives sur l'ensemble des ruines. Derrière lui, deux petits temples, probablement dédiés à Cérès et à Mercure, sont longés par la chaussée sud du *cardo* (voie axiale nord-sud de la cité) qui permet de revenir au centre urbain et de reprendre le *decumanus* jusqu'à l'extrémité orientale de la ville, en découvrant au passage le marché et les thermes de ce quartier.

Si la moitié nord de l'agglomération semble moins riche, on y trouve néanmoins la célèbre bibliothèque qui, érigée sur un plan en hémicycle, a conservé la trace des niches au sein desquelles étaient classés et répartis les volumes.

Un foyer commerçant et culturel

Au-delà des limites de Timgad, nombre d'édifices civils et religieux transmettent le souvenir d'une activité incessante jusqu'à l'époque chrétienne. Non loin de l'arc de Trajan, ce sont ainsi les foyers d'un faubourg commerçant qui côtoient la voie descendante, à partir du temple du génie de la Colonie, dressé tout juste face au marché de Sertius (du nom du dignitaire local qui en fit don à la ville au début du IIIe siècle apr. J.-C.). À l'angle sud-ouest de

Le musée archéologique de Timgad

Les mosaïques du musée de Timgad font apparaître – à l'image de Vénus – des divinités, des personnages, des animaux, des scènes de vie : ainsi le dallage de l'auberge multiplia-t-il aux temps antiques les visions de gibier, de paniers de fruits, de plateaux de coquillages, d'assortiments de friandises… De cet art de vivre, nombre d'autres témoignages demeurent, exposés au gré des salles suivantes : vases et amphores, statuettes de bronze, nécessaires de maquillage, jeux d'enfants taillés dans l'os, etc. Signes de distinction sociale, divers heurtoirs de porte très travaillés ont également été réunis ici. Enfin, quelques outils rappellent l'activité industrieuse d'une cité qui sut très vite dépasser son statut de simple caserne.

Le Théâtre.
Le théâtre de Timgad est parfaitement intégré à son socle naturel, les lignes circulaires des gradins et l'alignement des bâtiments de scène œuvrant à l'harmonieuse intégration de ses éléments dans une structure unitaire fondée sur l'ellipse, le cercle, le principe concentrique et la triangulation.

Timgad, derrière le marché de Sertius, l'édifice sacré du Capitole possède encore deux colonnes corinthiennes qui conjuguent élégance et force.
Alentour, on trouve les reliefs de nombreuses constructions dont l'origine et la fonction restent parfois mystérieuses, à l'image du palais épiscopal que les archéologues pensent avoir identifié ; c'est ici l'occasion d'évoquer le culte donatiste qui, rétif à l'autorité religieuse de l'empereur, se développa en Afrique du Nord au IVe siècle, provoquant une répression qui ne fit qu'approfondir son enracinement populaire. À Timgad, le baptistère à cuve hexagonale couverte de mosaïque atteste la puissance de cette église dissidente qui devait provoquer la fureur de saint Augustin. Ailleurs encore, les nécropoles, les latrines publiques, les égouts etc., rappellent le génie romain de l'organisation urbaine, dont rien, peut-être, ne témoigne mieux que l'ensemble des 14 thermes (pour 20 000 habitants !) dont le fonctionnement était directement tributaire de l'alimentation en eau courante. Particulièrement appréciés des citoyens, les thermes alternaient chambres chaudes et froides, salles de massage et vestiaires, le tout dans un décor de somptueuses mosaïques, d'une grande virtuosité de facture, parfaitement conservées et aujourd'hui abritées par le musée archéologique de Timgad. Les plus belles d'entre elles présentent un appareil ornemental complexe, disposé sur un fond géométrique dont la rigueur formelle favorise le déploiement lyrique de motifs floraux. D'autres perpétuent la mémoire des habitants de la Cité, restituant leur émouvant reflet sur diverses stèles votives ornées de figures aux gestes et aux attitudes étonnamment naturels.

Ancienne ville de Ghadamès LA CITÉ-OASIS DU DÉSERT

Oasis et carrefour commercial entre la Méditerranée et le Sahara, Ghadamès, «la Perle du désert», fut l'une des premières villes fortifiées du Sahara, ses portes en bois de palmier étant fermées à la tombée du jour. La Cité a conservé un exceptionnel habitat traditionnel, au cœur d'un réseau de rues presque souterraines, à l'abri du soleil. C'est à l'extérieur des fortifications et à l'ombre des palmiers que se trouvaient les jardins potagers, petites pièces entourées de murets et donc favorables à la garde des moutons. Le tout irrigué par des canaux dont certains ont subsisté jusqu'à nos jours.

[LIBYE, CLASSÉ EN 1986]

Occupé à la fin du paléolithique (10 000 ans av. J.-C.), dominé un temps par Carthage, le site de Ghadamès a connu au moins deux naissances historiques. La première est romaine, l'Empire créant la colonie de Cidamus, dans laquelle il entretient une garnison importante, en l'an 19 av. J.-C. La seconde remonte à l'an 667, c'est-à-dire à la conquête arabe du lieu. Ce qui reste certain, c'est d'une part que le site fut très anciennement occupé, d'autre part que sa situation géographique, au carrefour des actuelles Libye, Tunisie et Algérie, ne put que lui conférer une importance considérable. Dès la première expansion musulmane, Ghadamès est appelée à jouer un rôle crucial, étant située à mi-chemin entre le foyer initial de l'Arabie et la frontière occidentale extrême, l'Atlantique. Foyer commercial sans rival dans la région, la ville s'organise autour d'une place centrale dominée par deux grandes mosquées : Jami al-Atiq et Yunus. Cependant, quelle que soit la beauté de ces deux édifices, elle pèse d'un faible poids au regard de la splendeur étrange du tissu urbain de la Ville.

Les rues de Ghadamès

La ville ancienne est divisée en sept quartiers reliés l'un à l'autre par de belles portes de bois ornées de motifs géométriques parfois prolongés sur les murs. Bien que difficile à immédiatement repérer par le flâneur insouciant, un treillis de quatre rues principales assure la logique des déplacements ; ces voies, qui bénéficient le plus souvent d'une bienfaisante pénombre, conduisent à des placettes propices

Les toits de Ghadamès. Pour peu qu'il lui soit donné d'embrasser la partie supérieure de la Cité, l'œil vagabonde sur l'étincelante étendue des toits hérissés de cornes qui, placées en sentinelles aux coins des terrasses, assurent la protection de la maison contre les mauvais esprits qu'effraie leur surgissement. Au loin, dressés face à l'étendue désertique, les palmiers rappellent que Ghadamès fut à l'origine une simple oasis, l'approvisionnement en eau étant la première condition de l'installation des hommes.

à la tenue du marché et à l'exercice de la conversation. Un singulier lacis de ruelles forme une voirie particulièrement enchevêtrée entre les maisons qui constituent elles-mêmes un agrégat inextricable aux yeux du visiteur, pour qui le plus déroutant est peut-être l'étroite imbrication de ces rues et de ces maisons, construites en pisé et brique crue et soutenues par des charpentes de palmier. L'ensemble forme un labyrinthe conçu pour favoriser les pérégrinations et le séjour dans une ville qui vit toute l'année des conditions climatiques extrêmes. La séduction des ruelles de Ghadamès – dont la largeur ne dépasse que rarement 3 m – vient aussi des petits arcs décoratifs qui les franchissent avec élégance.

Pièce principale d'une maison. Dans presque chaque maison, les murs peints de la pièce du séjour stupéfient par leur proliférante décoration peinte, rehaussée par les tapis et les coussins couvrant le sol, par les miroirs, les vanneries et les bibelots de cuivre placés dans les niches ou sur les étagères.

Les maisons de Ghadamès

Faisant appel au limon et à l'argile, les habitations superposent trois niveaux fonctionnels, dont celui des pièces de service au rez-de-chaussée et celui des cuisines occupées par les femmes au niveau supérieur, lui-même dominé par les terrasses ; entre les deux, l'étage accueille le *tamanat*, pièce principale qui reçoit la lumière d'une ouverture sommitale et constitue le cadre de toutes les réceptions. À l'intérieur, une ventilation permanente est assurée par les petites baies ouvertes au niveau du toit, dispensant la lumière mais aussi l'air frais des baies ombragées.

L'entrée est matérialisée par une porte en bois de palmier qui ouvre sur un corridor dont les parois reçoivent une décoration monumentale dominée par la couleur rouge, censée éloigner les esprits maléfiques… et conjurer la tentation de l'adultère ! C'est à la fiancée du maître des lieux qu'il revient traditionnellement de peindre ces motifs prophylactiques, juste avant son mariage. À l'étage des chambres, l'intimité des époux est ordinairement assurée par un rideau décoré qui isole l'alcôve de l'espace commun. Une longue tradition exige des époux qu'ils désertent cette alcôve après leur première semaine de vie commune ; seule la mort du conjoint autorisera la veuve à s'y réinstaller. L'étage supérieur, domaine réservé aux femmes à qui toute sortie diurne était jadis prohibée, donne sur un étonnant univers de terrasses transformées à l'occasion en lieux de troc ou en forums de discussions féminines, sous le soleil de plomb du grand désert. Ce qui est presque miraculeux à Ghadamès, c'est l'état de parfaite conservation de ces logis, en dépit des conflits ayant menacé leur intégrité en ce XXe siècle qui vit les Libyens et les Italiens réclamer tour à tour le contrôle de l'oasis, jusqu'à l'intervention de la France, en 1940, qui la restitua à la Tunisie… laquelle acceptera, dans un geste d'apaisement, de la céder à la Libye, en 1951. Depuis son classement au Patrimoine mondial de l'Unesco en 1986, la Cité est devenue une sorte de ville-musée grandeur nature, propice à l'étude sociétale aussi bien qu'à la flânerie émerveillée.

Rue couverte de Ghadamès. Rien de plus efficace contre la malédiction de la fournaise que ce lacis de ruelles où la lumière ne filtre que par quelques ouvertures dont la disposition, par ailleurs, est telle que l'aération est assurée sans défaut dans ces couloirs d'une fraîcheur surprenante… quoique relative ! Le charme du labyrinthe n'agit pas sur le seul épiderme attiédi, les yeux y captent toutes sortes d'étranges reflets – voûtes complexes, corridors mystérieux, silhouettes fugitives… – et les oreilles y perçoivent les échos affaiblis d'un monde exotique – cris lointains des marchés, blatèrement des chameaux…

Sanaa UNE CITÉ À L'ASSAUT DU CIEL

L'inscription du site de Sanaa au Patrimoine mondial de l'Unesco, en 1986, a permis la diffusion, dans le monde entier, d'images saisissantes de ce joyau monumental. Témoignage d'une forme singulière de l'universel génie bâtisseur des hommes, cette cité aux édifices jaillissant spectaculairement vers le ciel jouissait jusque-là d'une réputation à peu près confidentielle, fondée pour l'essentiel sur les surprenants récits de voyageurs curieux et enthousiastes.

[YÉMEN, CLASSÉ EN 1986]

Les notions d'histoire et de style, fluctuantes au hasard des continents et inopérantes pour nombre de grands foyers de civilisation, ne permettent pas de restituer le passé de Sanaa selon les méthodes dont l'archéologie européenne use pour ses propres cités. L'occupation de ce site prodigieux, édifié sur de hauts plateaux dépassant 2 000 m d'altitude, est attestée depuis plus de vingt siècles, mais c'est seulement aux temps de l'islamisation – dont elle devient aussitôt un foyer majeur – que Sanaa entre dans l'histoire.

Du mythe à la réalité

Les origines mythiques du Yémen, d'où serait notamment originaire la reine de Saba, ne donnent que de faibles indications sur sa genèse. Les querelles de datation sont loin d'être closes, les écarts entre diverses hypothèses variant parfois d'un millénaire ! Sanaa compte ainsi un nombre impressionnant d'édifices religieux et civils – plus de cent mosquées, une douzaine de hammams, des milliers de maisons – qu'il est rare de pouvoir dater avec certitude. Son ancienne citadelle, al-Qasr, a elle-même succédé à un site fortifié du royaume sabéen – établi dans le sud de l'Arabie du Xe au IIe siècle avant J.-C. – dont la capitale occupait l'actuel emplacement de Marib, à l'est de Sanaa.

Ce que nous savons de l'histoire locale est étroitement lié à la trame religieuse. C'est au VIe siècle que la région aurait été christianisée par les Éthiopiens ; mais, dès 628, l'Islam progresse rapidement dans tout le sud de la péninsule Arabique, Sanaa étant l'un de ses premiers foyers de diffusion, à mi-chemin entre Afrique septentrionale et Moyen-Orient. Subissant les tutelles successives des Abbassides (VIIIe-IXe s.),

Dar al-Hajar, édifice yéménite.
Cet édifice, qui stupéfie aussi bien par sa position, qu'il enchante par sa beauté, se dresse sur une énorme roche de la vallée fertile du Wadi Dhahr, à faible distance de Sanaa. Conçu initialement en tant que résidence estivale pour l'imam Yahya, de la théocratie zaydite, il est de fondation toute récente, ayant été érigé dans les années 1930, époque où cette branche monarchique commandait le nord du pays. Mais il se conforme si scrupuleusement aux très anciennes traditions architecturales du Yémen qu'il fait désormais figure d'emblème de la nation réunifiée.

des Ayyubides (XIIe-XIIIe s.), qui ceignent la cité de remparts, puis des Zaydites (XVIe s.), qui édifient la grande mosquée, la population locale conserve cependant l'usage très ancien de construire en hauteur ; la décoration profuse des façades puise elle aussi à d'antiques sources, ainsi que le principe de regroupement familial qui définit pour l'essentiel la structure sociale yéménite.

Logique et complexité de la trame urbaine

Pour le voyageur néophyte qui s'engage dans l'entrelacs des rues de Sanaa, la logique de l'agencement urbain relève de l'incompréhensible, tant la complexité de ce singulier réseau semble défier toute logique. Mais quelques jours suffisent pour se familiariser avec un ordre fondé en premier lieu sur la hiérarchie qui commande la répartition des espaces publics, puis sur la nécessité des déplacements de porte à porte, enfin sur la judicieuse répartition des lieux d'activité économique (marchés, souks…) assurant la prospérité de la ville. Rares sont les sites dont l'Unesco a autant tenu à souligner l'homogénéité et la capacité à refléter une civilisation, Sanaa constituant, à l'intérieur de ses murailles en partie conservées, l'exemple éminent d'un ensemble architectural dont la conception traduit une organisation de l'espace caractéristique des premiers siècles de l'Islam, et dont les maisons, devenues vulnérables sous l'effet de mutations sociales récentes, restent les témoins d'un habitat original. Partout, la pierre, la brique, le plâtre, l'albâtre et les vitraux créent un fascinant complexe de décorations agrémentées d'étranges jeux de lumières colorées, au service d'une harmonie supérieure dont l'esprit pénètre progressivement l'intelligence.

La maison yéménite

Les «gratte-ciel» dont les Yéménites ont inventé le principe bien avant l'Occident ne sont pas le seul fait de Sanaa – dont la population est passée de 50 000 habitants à plus d'un million en un demi-siècle – ni même des autres villes importantes du pays. Dans les plus modestes villages, ce principe de construction en hauteur permet de protéger le niveau du sol contre la fournaise diurne, mais aussi de répartir les niveaux d'occupation de l'habitat. Au rez-de-chaussée, le bétail,

Vue générale de Sanaa.
Créée au cœur d'une cuvette élevée, Sanaa occupe un point stratégique sur l'une des plus importantes voies de communication traversant le Yémen. Sur fond de décor montagneux, elle occupe, au point de rencontre de la mer Rouge et de l'océan Indien, la pointe sud de la péninsule Arabique face à la Corne de l'Afrique. Vivier ancestral de la civilisation arabe, comptoir commercial et capitale religieuse, elle offre au regard une mosaïque de hauts édifices dominés par les silhouettes élancées des minarets.

Fenêtre yéménite.
Hors leur variété formelle et leur cachet ornemental, les baies yéménites se signalent par la présence de vitraux colorés dans leur compartiment supérieur ; ainsi la douce lumière jadis dispensée par de simples carreaux d'albâtre prend-elle, à l'intérieur des maisons, toutes les nuances de l'arc-en-ciel.

au-dessus les réserves de vivres ; puis viennent l'étage des réceptions publiques et ceux des pièces familiales, la terrasse sommitale étant d'usage strictement privé. L'appareillage en façade des pierres et des briques constitue en soi le premier travail décoratif ; les oppositions entre clarté des calcaires et noirceur des laves, les chaînages de briques, la variété des ouvertures aux parements de bois ouvragé, la mouvance des éclairages traversant le vitrail ou l'albâtre et le surlignage des structures par le plâtre ou le *qadad* (enduit imperméable presque inaltérable) complètent ce prodigieux effort ornemental qui confère un cachet unique à l'architecture yéménite.

Le Caire historique MILLE ANS D'UNE VIE CONVULSIVE

Le Caire, que ses habitants nomment volontiers *Oum ed dounia* (« Mère du monde »), ou *al-Qahira* (« la Victorieuse »), c'est tout à la fois le Nil, les pyramides, les mosquées aux « mille minarets », et une population de presque 18 millions d'habitants qui en fait la ville la plus peuplée du continent africain. Mais c'est aussi, et peut-être par-dessus tout, la capitale religieuse du monde musulman et l'écrin du tout premier foyer de la chrétienté copte, particularité qui lui vaut de posséder un patrimoine religieux d'une captivante richesse.

[ÉGYPTE, CLASSÉ EN 1979]

Même si le site du Caire a été occupé depuis des millénaires, la fondation officielle de la ville ne remonte qu'à la fin du premier millénaire, lorsque Memphis, ancienne capitale, est dépassée par une énorme bourgade, Fustat, agglomération périphérique que le sultan Salah Ed Din – le légendaire Saladin – transformera un peu plus tard en première cité de son pays.

L'héritage religieux

Le Caire regroupe un total d'environ 400 mosquées qui rivalisent de splendeur. Remontant à l'an 870, celle d'Ibn Touloun est un chef-d'œuvre de décoration monumentale, dans le même temps que la Grande Mosquée al-Azhar et l'Université coranique, qui lui est adjacente, demeurent un centre capital de diffusion de la pensée musulmane à travers le monde. Quant à la Grande Mosquée, édifiée au Xᵉ siècle, c'est à Fatima, la fille du Prophète, qu'elle est dédiée. Enfin, très différente par ses formes mais figurant parmi les fleurons de l'architecture islamique, la mosquée du Sultan Hassan, construite au XIVᵉ siècle, se signale par une exceptionnelle cohérence stylistique ; son élégant minaret, le plus élevé de la ville, culmine à 82 m.

En marge des mosquées, Le Caire abrite bien d'autres grands édifices religieux, dont le mausolée de l'Iman Ash Shafi, le plus vaste tombeau islamique du pays, digne par son ampleur de ses lointaines aînées pyramidales – ces mêmes pyramides auxquelles Saladin arracha de nombreuses pierres pour bâtir la Citadelle aux murs hauts de 10 m. Le palais royal y est abrité, ainsi que d'immenses écuries propres à recevoir des milliers de

La cité islamique. Le Caire constitue un gigantesque agrégat de constructions civiles, religieuses et militaires dont la répartition chronologique dépasse le millénaire. Parmi les plus anciens édifices, on relève la mosquée Ibn Toulon, érigée entre 876 et 879, non loin de la mosquée du sultan Hasan et de la citadelle de Saladin. À l'arrière-plan, le foisonnement des terrasses et des façades rappelle que la capitale égyptienne est désormais la ville la plus peuplée d'Afrique.

chevaux, l'alimentation en eau étant assurée par une citerne dont la profondeur atteint 87 m. Au sein du vieux Caire, le quartier des Coptes, riche d'un admirable musée (icônes, manuscrits, tissus, peintures, poteries), abrite l'église « suspendue » et la forteresse de Babylone dont la tour dominait déjà les rives du Nil en 98 avant J.-C. ! Bien d'autres bâtiments religieux (églises Saint-Georges, Sainte-Barbara, Saint-Serge) rappellent la conversion précoce de l'Égypte au christianisme, origine d'une forte communauté chrétienne qui a toujours pris une part active à la vie du pays.

Le visage moderne du Caire

Si les centres spirituels du Caire demeurent la Grande Mosquée pour les musulmans et la cité copte pour les chrétiens, la ville voit de plus en plus l'acier et le verre des tours d'hôtels et de bureaux se mêler aux flèches sacrées des édifices religieux. Étirée en longueur sur les deux rives du fleuve, elle s'élargit vers le nord-est, nœud de toutes les communications, puis vers le canal de Suez et la partie orientale du Delta. Les activités des divers quartiers sont si nettement différenciées que le voyageur éprouve souvent le sentiment de passer d'une ville à une autre en changeant de rue. Les classes les plus aisées habitent l'île de Zamalek, Maadi ou Héliopolis, les quartiers populaires se développant sur les zones inondables, au nord et en périphérie ; la population la plus misérable, enfin, trouve refuge dans les cimetières situés au pied de la citadelle, logeant dans ces édicules qui forment l'immense « cité des morts ».

Masque royal de Toutankhamon. Le célèbre masque du jeune pharaon, qui serait mort vers 1327 av. J.-C., a été retrouvé par l'archéologue Howard Carter, le 4 novembre 1922, lors de l'ouverture de la tombe du souverain. Il ne pèse pas moins de 11 kg et a été entièrement réalisé avec de l'or et du lapis-lazuli (une pierre fine de couleur bleue).

UNE HISTOIRE MILLÉNAIRE

Située sur les rives du Nil, à 180 km de la Méditerranée, la ville du Caire est bordée à l'est par le plateau désertique qui porte la citadelle et la mosquée de Méhémet Ali, édifices majeurs de son histoire. Jusqu'au XIe siècle, elle est précédée par la bourgade de Fustat, qui grandit à l'ombre de Memphis, capitale de l'Ancien Empire, elle-même concurrencée par Alexandrie. Au XIIe siècle, Fustat compte quelque 250 000 habitants, ce qui en fait déjà la plus grande ville musulmane du monde. Le sultan Saladin Ier (1138-1193) fait alors édifier la citadelle, siège du gouvernement jusqu'en 1869. C'est au XIVe siècle que Le Caire, plaque tournante du commerce méditerranéen et rivale de Venise, connaît son apogée. La découverte de la route des Indes par le Cap de Bonne-Espérance provoque son déclin, mais le percement du Canal de Suez, en 1869, sous le règne d'Ismail Pacha, lui redonne une impulsion décisive.

Mosquée du sultan Hasan, le mihrab principal.
C'est en 1356 que le sultan An-Nâsir al-Hasan ordonne la construction de cet édifice, qui doit abriter la mosquée elle-même, mais aussi plusieurs écoles coraniques. Dans ses premières années, le chantier est marqué par l'effondrement d'un minaret, catastrophe qui provoque la mort de plusieurs centaines de fidèles. Le plan de la mosquée s'articule de façon classique autour de la cour intérieure pavée, aux flancs ouverts par de grandes arcades. Éclairé par de nombreux luminaires, l'intérieur se signale par la splendeur de sa décoration (inscriptions du Coran, marbres polychromes, stuc et marqueterie, etc.). Au cœur de l'énorme édifice, qui atteint une longueur de 155 m, le cénotaphe du sultan est vide, Hasan ayant été assassiné en 1361 sans que son corps soit jamais retrouvé.

À G : ***Vue intérieure du Musée égyptien.***
Au Caire, il ne faut pas manquer la visite du Musée égyptien, fondé par Auguste Mariette en 1858. Cent mille objets, souvent de grande taille, y forment la plus fabuleuse collection du genre. La seule vision des galeries de Toutankhamon ou de la salle des momies royales atteste la toute-puissance de la religion antique et du génie de ceux qui la servirent.

Le Caire est aussi l'une des principales destinations touristiques du monde du fait de sa proximité avec les pyramides de Gizeh, de la richesse de son patrimoine religieux et de sa position de départ pour Louxor, Karnak, Thèbes et autres hauts lieux d'une antiquité glorieuse. Les hôtels de haut de gamme se sont multipliés dans la ville, essentiellement sur les rives du Nil. Grand centre industriel avec des activités de pointe (aéronautique, électronique), c'est aussi un foyer pour l'édition et le cinéma et un pôle universitaire réputé. Dans cette agglomération toute en longueur, scindée par un fleuve qu'enjambent des ponts en nombre insuffisant, la circulation est infernale dans la moitié sud de la ville, sur la place du Tahrir, principal complexe routier, par exemple, ainsi que sur l'axe Le Caire-Héliopolis. La voirie est totalement saturée et les véhicules y vont de la Rolls-royce... à l'âne ! Ce n'est pas un hasard si la grande cité a été, tout récemment, le théâtre populaire des plus grandes manifestations d'un « printemps arabe » dont l'écho a retenti dans le monde entier.

Krak des Chevaliers SENTINELLE DES CROISÉS

Situé dans la partie occidentale de la Syrie sur les contreforts du djebel Ansariyya, le Krak des Chevaliers, pièce majeure du réseau défensif assurant la sécurité des anciens États latins d'Orient, domine la plaine d'el-Bukeia. Érigé par les Francs, il constitue un modèle achevé de forteresse médiévale, au même titre que Château-Gaillard, construit peu après lui en France. [SYRIE, CLASSÉ EN 2006]

Le Krak (terme dérivant du syriaque *karak*, «forteresse») a toujours puissamment frappé l'imagination des voyageurs appelés à le découvrir *in situ*. Ainsi de T. E. Lawrence, (Lawrence d'Arabie) émerveillé par son apparition en 1909 et reconnaissant en lui «le mieux préservé et le plus admirable de tous les châteaux du monde».

Une très longue histoire

Sans remonter jusqu'à la campagne de Ramsès II contre les Hittites en 1274 av. J.-C. (les reliefs de Louxor conservent le souvenir d'une forteresse proche de l'actuel emplacement du Krak), ni même aux Romains, les Byzantins ont dressé, dans la région, nombre de forteresses destinées à contenir la pression persane. Après l'envahissement arabo-musulman de 634-639, ces fortifications sont remaniées et transformées en somptueuses résidences. Dès le Xᵉ siècle, les persécutions dirigées contre les chrétiens créent les conditions du déclenchement des croisades ; un peu plus tard, les Seldjoukides s'emparent de Bagdad (1055) et aménagent un fort qui succède à d'antiques constructions militaires. En janvier 1099, Raymond de Saint-Gilles s'en empare avant de l'abandonner, laissant au roi chrétien Tancrède le soin de le reprendre en 1110 pour y installer une garnison franque sous l'autorité du comte de Tripoli. Faute de pouvoir l'entretenir, Raymond II le cédera aux Hospitaliers de Saint-Jean de Jérusalem en 1142. Ébranlé par le séisme de 1157, le château est profondément remanié aux XIIᵉ et XIIIᵉ siècles, défiant les assauts, décourageant même Saladin ; c'est seulement le 8 avril 1271 que les moines-soldats, abusés par une fausse missive du grand maître des Templiers, rendent le fort («os en travers de la gorge des musulmans» selon

Vue aérienne.
Le Krak occupe le sommet d'une petite colline (750 m d'altitude), aux flancs abrupts, position décourageant toute velléité de le réduire par la force. Du fait de sa situation entre royaumes latins et terres islamisées, le Krak constitua longtemps, indépendamment de sa capacité défensive, la base idéale de raids lancés contre les forces musulmanes par les 2 000 cavaliers en armes qu'il pouvait abriter. Ultime atout, assez paradoxal : le Krak ayant été érigé à l'écart des routes principales de la région, un assaut de grande envergure eût nécessité un considérable effort d'aménagement de ses accès.

La cour de la forteresse. Vue depuis le sud, la cour du Krak apparaît comme une curieuse juxtaposition de volumes aux fonctions multiples. Les deux pièces les plus remarquables en demeurent la chapelle (au fond à droite) et la salle des Chevaliers, dont on repère, à gauche, la longue terrasse couvrante au pied des tours occidentales. Transformée en mosquée, la chapelle vaut surtout par sa voûte en berceau, tandis que la salle des Chevaliers forme, avec sa galerie, un édifice gothique d'une exceptionnelle qualité.

Ibn al-Athir). Tombé dans l'oubli, ignoré de Tamerlan et des Ottomans, le Krak sera remis à l'honneur par Guillaume Rey en 1859, restauré au XXe siècle du temps du mandat français, et restitué à la Syrie en 1945.

Genèse et évolution de la forteresse

Formé d'un corps de bâtiments protégés par une double ligne de remparts, eux-mêmes affermis par diverses tours rondes et carrées, le Krak reste un modèle d'architecture militaire du Moyen Âge. On sait peu de choses de sa disposition avant la reconstruction complète entamée en 1170 par les Frères hospitaliers, lesquels dressent une galerie triangulaire de 270 m de long et de près de 9 m de large, puissamment fortifiée, voûtée d'ogives et flanquée de cinq tours carrées. Une première chapelle, érigée en 1170 dans la tour nord-est, est remplacée au même endroit par un édifice plus grand, dès 1180. La totalité de la cour centrale repose sur un énorme grenier voûté abritant jusqu'à cinq ans de vivres et de fourrage ; quant à l'eau, plus nécessaire que jamais en cas de siège, elle est tirée d'un puits, acheminée par un aqueduc ou drainée depuis les parties hautes du monument et stockée dans des citernes.

Les États latins d'Orient

Dès leur première incursion en Terre sainte, nombre de chefs croisés se taillèrent des fiefs, dont le royaume latin de Jérusalem, créé en 1099 et démantelé en 1291 ; Godefroy de Bouillon en fut le premier souverain sous le titre d'avoué du Saint-Sépulcre. La principauté d'Antioche, gouvernée dès 1098 par Bohémond Ier, ne disparaîtra, pour sa part, qu'en 1258. Deux autres fiefs joueront un rôle décisif dans le destin des croisades, du XIe au XIIIe siècle, le comté d'Édesse, dirigé par Baudouin Ier de Boulogne en 1098, démembré en 1146, et le comté de Tripoli qui, gouverné par Raymond Ier de Saint-Gilles en 1102, résistera à la Reconquête jusqu'en 1289. D'autres entités princières (royaumes de Chypre, de Thessalonique, principauté d'Achaïe, etc.) perpétueront cette volonté de domination européenne en Orient.

À DR EN HAUT : ***Bataille près du Krak des Chevaliers.*** Sur cette enluminure flamande du XVe siècle conservée à la British Library de Londres, les armées croisées de Bohémond d'Antioche, Hugues de Lusignan et Constantin Calamanos infligent une grave défaite au sultan Nour al-Din en 1163, au pied de la grande forteresse qui domine un paysage insolitement bucolique.

Les étapes suivantes sont marquées par la construction d'une sixième tour vers 1190, puis d'un second mur d'enceinte quelques années plus tard. En 1202, un nouveau tremblement de terre provoque une campagne de travaux destinés à renforcer le Krak ; un glacis voit ainsi le jour sur les flancs sud et ouest, chargé de consolider le mur intérieur contre les séismes et de protéger une galerie percée d'archères. Au sud, les tours carrées sont remplacées par deux corps circulaires, la courtine recevant en son milieu une tour neuve, en fer à cheval. Même opération sur le flanc ouest, lui aussi renforcé en son milieu par une tour ronde. Quant au flanc est, il reçoit l'appui intérieur d'un bâtiment complétant l'ordonnance de la cour. Écuries, étables, celliers et silos complètent ce formidable ensemble.

Le génie militaire des croisés

Au beau milieu du XIIIe siècle, Louis IX (Saint Louis) prend la tête de la septième croisade et se fait accompagner par les meilleurs architectes militaires de son temps, lesquels décident l'érection d'un nouveau rempart d'une hauteur de 9 m. Situé à une distance de 17 à 25 m des courtines de la forteresse centrale, il est défendu par un collier de tours rondes, donc moins sensibles aux projectiles, dispositif qui s'était récemment imposé en Europe, particulièrement en France. Ce mur, placé en contrebas du noyau central, offre ainsi aux défenseurs un second angle de feu sur les assaillants éventuels. Il possède une seule porte qui, à l'est, débouche sur une rampe menant après des virages serrés à l'entrée de la muraille intérieure, disposition interdisant l'usage du bélier. De la même époque date la merveilleuse galerie assurant le passage de la salle des Chevaliers à la cour, hommage des hommes de guerre au génie gothique contemporain des constructeurs religieux d'Île-de-France.

Grand Zimbabwe GÉANT PÉTRIFIÉ D'AFRIQUE AUSTRALE

Au cœur d'une sauvage étendue boisée, la découverte du Grand Zimbabwe (de *dzimba dza mabwe*, «demeures de pierre» en langue locale) ne manque jamais de bouleverser le voyageur. Si extraordinaire reste le spectacle de ce site monumental, sans rival dans l'Afrique subsaharienne, qu'il explique pour une large part la perplexité des premiers archéologues quant à son origine. [ZIMBABWE, CLASSÉ EN 1986]

Rassemblant depuis son inscription au Patrimoine mondial de l'Unesco, en 1986, plus de 200 positions fortifiées, le site, d'une superficie totale proche de 80 hectares, est formé de deux unités dominées par les ruines d'une acropole. Témoignage de la civilisation bantoue des Shona entre le XIe et le XVe siècle, la seule Grande Enceinte, rempart constitué d'une énorme masse de blocs de pierre précisément distribués, atteint une longueur de 90 m pour une largeur de 65 m. L'ensemble monumental est sis sur un plateau granitique d'une altitude d'environ 1 000 m, garante d'une certaine salubrité.

De l'hypothèse archéologique à l'assise historique

En marge de toute préoccupation archéologique, la querelle quant à l'origine africaine du site est révélatrice de l'état d'esprit des colons anglais qui, œuvrant dans le cadre de la Rhodésie, proposèrent, faute de supposer un foyer africain capable d'une telle réalisation, les plus hardies hypothèses, de la capitale mythique de la reine de Saba au sanctuaire hindi, en passant par le comptoir phénicien, le fort arabe ou le foyer hébraïque !

C'est au cours de l'hiver 1871-1872 qu'un certain Karl Mauch se consacre à l'étude des ruines : ses descriptions, ses relevés et ses observations sur les cérémonies encore célébrées sur l'Acropole restent une référence. Vingt ans plus tard, l'amateur d'antiquités Theodore Bent, relayé en 1892 par John Wolloughby, fouille à son tour le site, déçu de n'y pas trouver l'or qui a commencé à faire travailler les imaginations à la suite du rapport de Mauch. En conséquence des ravages exercés par cette frénésie aurifère et dénoncés par l'érudit allemand Heinrich Schlichter en 1899, le journaliste Richard Hall se fait nommer conservateur du lieu. Mais ses bévues embrouillent encore l'écheveau des hypothèses fantastiques permet-

Vue générale du site. Éponyme d'une nation fière d'en avoir été le berceau, le Grand Zimbabwe atteste un fort principe de hiérarchisation, l'enceinte protectrice à usage aristocratique marquant la frontière, aussi symbolique par sa forme qu'infranchissable par sa conception, entre l'aire de la cour et l'espace adjacent réservé au peuple. Quant à savoir comment était réglée la vie sociale du temps, les historiens doivent y renoncer, sauf à tirer de l'étude des mœurs actuelles un éclairage hypothétique sur le lointain passé.

tant aux «experts» de refuser la conception et la construction du Grand Zimbabwe au peuple local, vérité que la datation au ^{14}C finira pourtant par établir, sans possible contestation. Le dernier mot reste ainsi à la science, les objets excavés renvoyant d'ailleurs toujours à l'ère shona et les indices relevés au mode de vie africain. L'histoire du site a ainsi été reconstituée, de sa naissance au XIe siècle sous forme de huttes en terre, jusqu'au déclin du XVe siècle, après la prospère période des XIVe et XVe siècles, marquée par le commerce avec les négociants musulmans de la côte orientale.

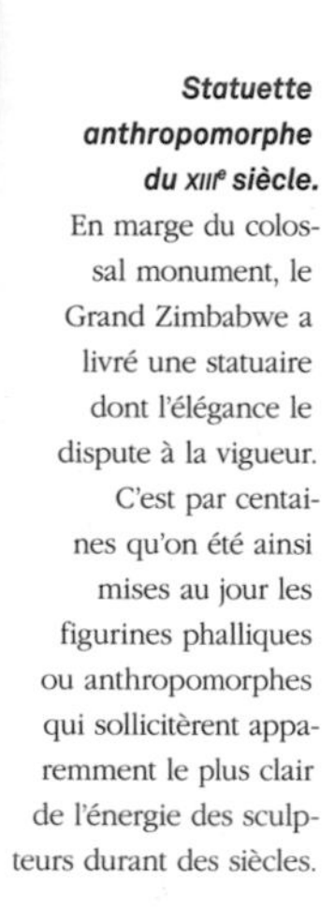

Statuette anthropomorphe du XIIIe siècle. En marge du colossal monument, le Grand Zimbabwe a livré une statuaire dont l'élégance le dispute à la vigueur. C'est par centaines qu'on été ainsi mises au jour les figurines phalliques ou anthropomorphes qui sollicitèrent apparemment le plus clair de l'énergie des sculpteurs durant des siècles.

La Grande Enceinte de granit et l'Acropole

Au Grand Zimbabwe, le matériau de construction fondamental n'est autre que la pierre taillée, caractéristique rarissime dans l'Afrique subsaharienne. Merveilleusement agencées de façon à se passer de mortier pour leur assemblage, les constructions remontent pour l'essentiel au XVe siècle.
Un point intrigue précisément les archéologues, à ce sujet : ce qui nous est parvenu du XIVe siècle illustre un état encore assez grossier de l'appareil, alors que l'art du XVe siècle se signale non seulement par la précision de la découpe et de la taille des pierres, mais aussi par l'ingéniosité des fondations chargées d'assurer l'immuable solidité de l'ensemble. Comment expliquer un tel progrès en un laps de temps aussi bref ?
Exploitant habilement les particularités du socle naturel, les bâtisseurs ont aménagé un complexe de terrasses, de salles, de couloirs et de murailles qui comblent adroitement les interstices naturels de la table rocheuse. Au pinacle du tertre granitique, on accède par un étroit sentier à d'anciennes constructions, dont la fonction religieuse ne fait pas de doute pour les archéologues, aux yeux desquels l'un des plus troublants mystères du lieu reste la présence d'une tombe que sa nature lapidaire réserve à une divinité ou à un roi. L'hypothèse qui prévaut reste celle du culte au dieu de la Pluie, la sécheresse s'inscrivant au premier rang des malédictions frappant la région.

Tour conique et traces d'habitat. Épaisse de 6 m à la base, de 4 m en son faîte, la Grande Enceinte eut pour fonction de protéger l'habitat du roi et de sa cour. Ouverte par trois accès, une longue allée intérieure mène à la mystérieuse tour conique qui domine le sanctuaire, et dont on ne sait si elle servit au guet, au culte ou à l'observation du ciel et des horizons. La muraille obéit à une légère inclinaison d'environ 13,5°, du fait de la disposition des rangées de pierres en retrait successif. Plus rare, l'appareillage en chevrons, en dentelle, en damier ou en épis permet de varier l'aspect des bâtiments et de mieux s'adapter aux réalités du socle naturel.

Une mémoire écrite dans la pierre

L'exceptionnelle valeur du Grand Zimbabwe ne tient pas seulement à l'habileté de son agencement ou à la splendeur de son cadre naturel. En l'absence de sources écrites, il offre un témoignage irremplaçable du lointain passé de la civilisation shona, ethnie qui constitue encore la majorité de la population. Très en amont de l'ère shona, le site fut occupé aux premiers siècles de notre ère par des peuples connaissant l'usage du fer, avant de devenir un foyer dont les fouilles ont restitué un remarquable ensemble de figurines à longues cornes. C'est ensuite, avec l'arrivée des Shona, qu'ont été dressés les premiers murs ; mais l'essentiel de ce que nous distinguons aujourd'hui a été aménagé, sous l'impulsion du peuple des Rozwi, au XVe siècle, ultime étape de cette grande épopée africaine.

Bandiagara LES HOMMES DE LA GRANDE FALAISE

Masse colossale de grès développant sa course sur une distance de 200 km, la falaise de Bandiagara est surtout, depuis des temps immémoriaux, le théâtre d'une activité humaine intense, mystérieuse du fait de l'absence de sources écrites, mais de mieux en mieux documentée grâce aux progrès de l'archéologie africaine. [MALI, CLASSÉ EN 1989]

Tout au long de cette immense chaîne de pierre rouge, prolongée par le massif de la Grandamia dominé par le mont Hombori (1 155 m), point culminant du Mali, innombrables sont les points d'habitation, villages développés ou simples hameaux, voire demeures isolées, qui valent autant par leur extraordinaire environnement naturel que par le témoignage qu'ils perpétuent, *de facto*, d'un très lointain passé. Pour le voyageur fraîchement arrivé en pays dogon, rien de plus attrayant que cette guirlande sobrement animée de foyers de vie aux noms évocateurs : Banani, Bongo, Dourou, Enndé, Kani-Bonzon, Kani-Kembolé, Nombori, Sanga, Tirelli, Yayé... Et tout autour, à l'ombre tutélaire des rudes escarpements de Bandiagara, les horizons de la vaste plaine où les hommes cultivent le mil, le sorgho et divers autres légumes... quand la sécheresse ne ruine pas leurs efforts.

Une mémoire vivante, donc fragile

La falaise de Bandiagara est entaillée d'innombrables cavités, le plus souvent accessibles au moyen de longues cordes en fibre de baobab, d'une étonnante résistance. Occupées très anciennement par les Tellem, fréquemment aménagées en tant que sépultures par les Dogon, elles restent théoriquement interdites aux étrangers. Dans le cadre grandiose de cette puissante muraille qui marque la frontière entre la zone désolée du Sahel et les étendues fertiles du Niger, Bandiagara perpétue un total d'us et de traditions plusieurs fois séculaires mais toujours d'actualité, au premier rang desquels les fêtes rituelles – dont le clou demeure la parade de masques – et les âpres cérémonies cultuelles, témoignage d'une profonde et obscure spiritualité. Ce qui explique en partie qu'aux yeux

Village dogon au pied de Bandiagara. Le sentiment de désordre, voire d'anarchie, ressenti par le voyageur qui découvre pour la première fois un village dogon n'est justifié que par sa méconnaissance des us et coutumes en vigueur. Épousant ingénieusement toutes les irrégularités du socle naturel, l'habitat est avant tout conçu en fonction de son usage quotidien et des conditions climatiques locales. Sans présenter de caractère architectural remarquable, la maison dogon est toujours conçue pour loger une abondante famille. Réalisée dans la plupart des cas avec un mélange de paille et d'argile, elle est plus spacieuse que son apparence extérieure le laisse supposer et reçoit fréquemment, en façade, une ornementation zoomorphe ou anthropomorphe. Disposés autour des habitations, les greniers conservent la réserve en grains qui correspond aux besoins alimentaires de la famille ; couverts d'un toit de paille, ils appartiennent aux femmes.

Les Tellem

Population ancienne du site de Bandiagara, les Tellem sont aujourd'hui assez bien situés dans l'histoire, à la suite de travaux archéologiques menés avec la plus grande rigueur. Leur arrivée en terre malienne remonte au plus tard au XIe siècle ; installés dans les anfractuosités protectrices de l'immense falaise, ils ont presque aussitôt développé une activité importante dans les domaines du textile, de la vannerie et de la poterie, tout en assurant leur subsistance grâce à la cueillette des fruits, à la chasse et à la pêche. De petite taille, craintifs, mal armés, ils ne furent pas en mesure, au XVe siècle, de résister à l'invasion des Dogon, eux-mêmes chassés par les Peul. Réfugiés au Burkina-Faso, les Tellem y furent victimes de conflits locaux, de la sécheresse et d'épidémies dévastatrices.

des Occidentaux, le site pose de nombreux problèmes. Celui de sa chronologie, en premier lieu : il est impossible de l'établir avec certitude, mais il est avéré que les Dogon, qui se sont établis à cet endroit à partir du XVe siècle, ont succédé aux Tellem, sur place depuis le XIe siècle. Et les Tellem avaient eux-mêmes succédé à des occupants antérieurs, dont la présence est attestée dès le IIIe siècle av. J.-C. et qui surent manier le fer dès les Ier et IIe siècles de notre ère. Par ailleurs, qui l'emporte ici, de l'homme ou de la nature ? Le site relève-t-il de la catégorie monumentale ou de la merveille naturelle ? Les deux, ont répondu à juste titre les experts de l'Unesco à l'occasion du classement de Bandiagara en 1989, en raison directe de l'osmose réalisée entre l'habitat local et son cadre. La détermination géographique, enfin, n'est pas des plus claires puisque, le long du colosse de pierre, ce ne sont pas moins de 300 000 habitants qui occupent une constellation de foyers éparpillés.

Statuette dogon. Symbolisme et ésotérisme restent les maîtres mots pour définir le caractère singulier de la sculpture dogon. Chargées de valeurs spirituelles, exprimant des sentiments d'une profonde humanité, les statuettes dogon sont pliées à des canons simplificateurs : la tête est ovoïde, les épaules sont carrées, et les membres effilés, alignés en plans parallèles. Dans la discrétion du sanctuaire, elles donnent à l'initié les clés de la genèse du monde, clés dont la transmission est exclusivement orale.

Le principe villageois

De ce conglomérat villageois se détachent les deux bourgs de Bandiagara et de Sanga, situés au sommet de la falaise et accessibles par la route. Ils sont paradoxalement les moins intéressants pour l'amateur de traditions authentiques, du fait d'une relative contagion de la modernité. En revanche, tous les autres villages ont conservé, jusque dans leur plan général (celui d'un corps humain), les us et pratiques hérités d'un passé séculaire. Le cœur en demeure le *togu-na*, ou maison des palabres, un espace compris entre huit piliers totémiques qui figurent les divinités de la cosmogonie dogon. Comme il est d'usage en Afrique noire, c'est toujours au conseil des anciens qu'il revient de régler la vie du village dogon. Ce conseil est lui-même dominé par l'énigmatique personnalité du *hogon*, chef religieux chargé d'entretenir le culte du *Lébé*, serpent originel aux origines mythiques. Responsable des échanges et du commerce, le *hogon* est assigné à résidence dans sa propre demeure et ne prend jamais part aux travaux des champs, bien qu'il préside, assisté du forgeron du village, aux cérémonies agraires. À l'intérieur de chaque village, cependant, le maître mot de la vie sociale

Maison tellem du village de Youg Piri. Utilisant les cavités naturelles de la falaise de Bandiagara, les Tellem s'étaient appliqués à faire de leur maison un abri contre les intempéries – d'une violence parfois surprenante dans cette région – et un refuge contre les agresseurs éventuels. La faiblesse des ouvertures et la fusion du matériau avec le socle rocheux naturel assurèrent la sécurité de ce peuple jusqu'à l'arrivée des Dogon. Sur ce document, la silhouette de la jeune fille donne l'échelle – respectable – de cette résidence.

CI-DESSUS : ***La falaise de Bandiagara.*** Très nombreux, mais faiblement peuplés, les villages de Bandiagara se répartissent de façon équitable sur le plateau sommital, dans les excavations naturelles de la falaise, ou – ce qui est ici le cas – à son pied. La protection offerte par l'énorme muraille rocheuse compensa longtemps les inconvénients d'une telle situation, au premier rang desquels les risques d'éboulement. Aujourd'hui, le tourisme constitue une manne inespérée pour ce site dont les autres activités économiques ne sont plus d'actualité.

reste celui de solidarité. Une solidarité qui joue en premier lieu entre les membres d'une même classe d'âge, lesquels se doivent une aide mutuelle jusqu'à leur mort. L'échelle sociale locale est pliée au principe des clans, eux-mêmes subdivisés en lignages que dirige un patriarche. En marge de cette grille hiérarchique au sein de laquelle les liens de parenté sont déterminants, nombreuses sont les associations réunissant, d'un côté les hommes, de l'autre les femmes, et ayant en charge les rites d'initiation réservés à chaque génération. La circoncision et l'excision en demeurent les manifestations les plus remarquables et les plus significatives, bien que ces pratiques ancestrales posent maintenant problème, en partie sous l'influence de l'humanisme européen – surtout chez les femmes, plus rétives que jadis à la pratique de l'excision, vécue comme une mutilation.

L'initiation des garçons, qui débute après la circoncision, est fondée sur l'enseignement des mythes, transmis oralement mais illustrés par des figures peintes qui situent l'homme au cœur de la nature et induisent la nécessité d'une vie sociale comprise comme une réplique des desseins cosmiques régissant la marche de l'univers. D'une complexité qui déroute régulièrement les ethnologues, la mythologie dogon reste la première source d'une imagerie sacrée travaillée dans le métal ou dans le bois par les forgerons et les sculpteurs, castes bien particulières, respectées et craintes par le reste de la communauté. En revanche, c'est aux femmes que revient le travail de la poterie, d'un usage plus prosaïque et d'une utilité plus quotidienne.

Masque dogon.
Symbolisme et ésotérisme restent les maîtres mots pour définir le caractère singulier de la sculpture dogon. Chargés de valeurs spirituelles, exprimant des sentiments d'une profonde humanité, les masques locaux sont pliés à des canons fréquemment zoomorphiques ; ici, c'est une tête d'antilope qui est figurée. Indéchiffrable pour le profane, le masque donne à l'initié les clefs de la genèse du monde, clefs dont la transmission est exclusivement orale.

Un vivier artistique toujours fécond

À Bandiagara, le caractère le plus remarquable de la vie locale reste peut-être l'attention extrême portée à cette production artistique placée au service du spirituel. La région elle-même est singulière de ce point de vue, par sa nature intermédiaire entre le Maghreb et l'Afrique noire subsaharienne, occasion de rappeler que le Mali a connu son apogée au XIIIe siècle, sous forme d'un véritable empire dont le dernier grand souverain, Kankan Moussa (1312-1337), fit un foyer musulman, tout en respectant l'animisme ambiant. C'est ainsi que la religion des Dogon relève d'un syncrétisme subtil entre un animisme qui remonte à la nuit des temps et l'islam dont l'importance est attestée, ailleurs dans le pays, par de nombreuses mosquées. Cette particularité explique pour une large part la pérennité et la qualité de l'expression artistique des autels et autres appuie-nuque en bois très dur qui remontent au XIIe siècle, jusqu'aux statuettes contemporaines, effilées, stylisées, d'une admirable économie esthétique. De cette exigence plastique, le visiteur trouvera trace partout à Bandiagara, dans la décoration des objets usuels notamment, portes, tabourets, bols rituels, calebasses, mortiers, pilons, etc.

Les Dogon

Au nombre d'environ 300 000, les Dogon occupent la contrée qui s'étend de la falaise de Bandiagara au sud-ouest de la boucle du fleuve Niger, jusqu'à la partie septentrionale du Burkina-Faso. Réputés pour la richesse et la complexité de leur cosmogonie, ils pratiquent la culture du mil ; artistiquement, leur génie particulier brille avant tout dans le domaine de la sculpture sur bois. Probablement les Dogon sont-ils originaires du Mandé, région du sud-ouest du Mali qu'ils ont quittée au XIVe siècle pour échapper à une islamisation forcée ; c'est à cette époque que nombre d'entre eux se sont installés à Bandiagara, prenant la place des Tellem dont ils ont transformé les maisons, sises en hauteur dans les creux de la falaise, en tombeaux dans lesquels les corps étaient hissés à l'aide de cordes.

Koutammakou L'AFRIQUE IMMÉMORIALE

Terre des Batammariba dont les célèbres maisons à tourelles en terre sont devenues l'emblème du Togo, le paysage du Koutammakou occupe la région de la Kara, au nord-est du pays, jusqu'à sa frontière béninoise dont il déborde la ligne. Sur place, il ne faut que quelques heures à l'étranger pour pressentir qu'un lien complexe et indestructible unit les forces les plus obscures de la nature environnante aux manifestations rituelles des plus anciennes croyances. [TOGO, CLASSÉ EN 2004]

Sur ce territoire, dont la superficie (500 km²) dépasse à peine celle de l'Andorre, le regard est constamment sollicité par les multiples manifestations d'un habitat dispersé au gré des vallons et des clairières. Partout, les *takienta* – ces fameuses maisons à tourelles – se regroupent en petits villages bâtis préférentiellement près de sources ; la proximité voulue de la forêt et des massifs rocheux, le dégagement d'amples espaces cérémoniels réservés aux rites d'initiation, les divers matériaux mis en œuvre sur les chantiers de construction, tout en ces lieux témoigne de la parfaite osmose associant les hommes à leur environnement, aux champs qu'ils cultivent sans les saturer d'engrais comme aux forêts qu'ils entretiennent sans les piller. Miroir de la hiérarchie sociétale, ces édifices familiers superposent ordinairement deux niveaux principaux, fréquemment dominés par le grenier, dont la présence est dénoncée par une couverture en coupole, conçue pour résister efficacement à l'assaut des intempéries. Au hasard des villages et des hameaux, par ailleurs, les hauts toits coniques de chaume alternent avec les toitures plates, particularité visuelle qui écarte tout risque de monotonie et favorise la variété décorative de ces résidences champêtres.

Une histoire africaine

La vaste contrée africaine au sein de laquelle s'est modelé le vivant paysage culturel du Koutammakou a connu nombre de troubles importants au cours des derniers siècles. En un sens, c'est ce qui explique la volonté farouche, exprimée par toutes les populations locales, de conserver leurs traits culturels distinctifs. Car, aussi loin que remonte la mémoire orale de l'histoire de cette région du Sahel, les différents

Maison à tourelles. N'ayant rien perdu de son dynamisme ni de son attachement aux traditions ancestrales, le Koutammakou constitue un exemple sans équivalent de système d'habitat traditionnel au sein d'une nature dont il semble former, dans sa dimension humaine, le reflet spirituel. Rien ne rend mieux compte de cette particularité que les maisons à tourelles des Batammariba, dont le plan et les principes d'élévation n'ont guère varié depuis des siècles, tant leur conception s'adapte de façon pénétrante aux impératifs climatiques, géologiques et topographiques de leur écrin naturel.

groupes ethniques y ont toujours témoigné d'un esprit d'indépendance et d'un goût pour la liberté leur ayant permis de résister victorieusement à l'asservissement programmé par les royaumes qui, jusqu'à la colonisation européenne, avaient tenté d'imposer leur hégémonie sur cette partie du continent. Sur place, les ethnologues se sont ainsi attachés à déterminer les apports respectifs de groupes répartis sur les territoires plus ou moins accidentés qui relient la Côte d'Ivoire au Cameroun : les Lobi, les Gourounsi, les Rukuba…
Ainsi les maisons à tourelles, si caractéristiques du paysage du Koutammakou, sont-elles immuablement conçues et élaborées par les Batammariba lesquels, au nombre d'environ 30 000, en conservent jalousement le secret, un secret transmis oralement de génération en génération, depuis des âges qui échappent à l'histoire. Cette actualité d'une si longue tradition permet de comprendre la nature vigoureuse et contemporaine d'un modèle culturel qui ne cesse d'adapter ses recettes et ses formules aux nécessités contingentes. Bien au-delà du seul village, ce sont aussi les rivières et les champs, les collines et les clairières, les sanctuaires et les greniers, les autels et les enclos, les sentiers et les forêts qui construisent ensemble la mystérieuse unité du Koutammakou, au sein d'une sphère cosmique animée par des forces invisibles.

Nature et architecture.
Nulle césure, dans cet extraordinaire paysage culturel de quelque 50 000 ha, entre ce que propose la nature et ce que produit l'homme. Les architectures de terre, de bois et de paille y renvoient – notamment dans le principe des *takienta*, harmonieuses maisons à étage surmontées d'un grenier – aux forces naturelles puissamment imagées par les troncs noueux, sinon monstrueux, de la forêt environnante. Les techniques de construction à main nue symbolisent cette alliance de l'homme et de la nature.

Précarité et sauvegarde

En classant le paysage du Koutammakou au Patrimoine mondial en 2004, l'Unesco a établi d'une part la valeur unique de ce site, mais aussi la nécessité de le protéger contre les risques d'altération, voire de disparition. Cette inscription a été l'aboutissement d'un long projet mûri sur une période de six années, durant lesquelles le Togo travailla en relation étroite avec la direction du Patrimoine de l'Unesco, assimilant progressivement les principes de gestion d'un site mondial à valoriser. Ainsi se vérifie une nouvelle orientation culturelle planétaire, fondée tout autant sur la reconnaissance de l'universalité du patrimoine humain que sur l'émergence d'une politique de préservation adaptée à toutes les particularités locales. Pour le Togo, dont c'était la première inscription sur la liste du Patrimoine mondial, cela s'est aussitôt traduit par les formes nouvelles d'une coopération multiforme avec des institutions internationales, notamment dans le domaine de la formation. C'est ainsi que l'on a fait appel à des jeunes gens qui, formés sur place, bénéficient tout à la fois de l'apprentissage des techniques les plus contemporaines en matière de politique patrimoniale, et d'une intelligence immédiate du site dont ils doivent assurer la survie, voire le développement. Au-delà du cas particulier du Togo, c'est toute l'Afrique subsaharienne qui voit de la sorte son patrimoine revalorisé aux yeux des principaux décideurs de la planète culturelle.

Un foyer vivant.
Au Koutammakou, tout participe de la synergie, plus spirituelle que mystique, avec la nature : la construction, le vêtement, la coiffure, la musique, la danse… Qu'un ensemble si complexe soit inscrit en tant que site universel au Patrimoine mondial de l'Unesco indique une mutation en profondeur de la conception même du fait culturel.

Nature et culture : la fusion africaine

À l'inverse de ce qui s'est produit en Europe, le patrimoine monumental africain ne s'est constitué ni contre la nature ni à son côté ; spontanément, il a fusionné avec elle depuis les temps plus reculés. Loin de déroger à cette règle, surtout à l'écart des zones urbaines, la société africaine actuelle continue de solliciter la grande leçon de la nature pour conférer à ses entreprises le caractère d'une traduction spirituelle du monde. Culture et nature opèrent ainsi par osmose, si profondément intriquées qu'il est impossible de relever ce qui revient à l'une ou à l'autre au sein du paysage africain, cette nouvelle détermination du complexe culturel dont l'Unesco reste le promoteur et qui ouvre à l'Afrique des perspectives nouvelles en matière de reconnaissance de son patrimoine.

Amériques

INTRODUCTION

Des quatre grandes aires patrimoniales déterminées par le classement de l'Unesco, celle des Amériques est la seule à n'avoir posé aucun problème d'ordre géographique. Bordé par les deux plus grands océans du monde, touchant par ses extrémités aux deux pôles, le continent américain semble jouir d'une autonomie physique inconnue ailleurs. Rien de plus illusoire cependant que l'idée d'une *terra americana* déterminée par un socle commun et un développement historique harmonieux de toutes ses composantes.

La première difficulté à définir l'unité américaine – non la moindre – tient au mode de peuplement de cet immense ensemble. Sans entrer dans le détail des vagues successives de migrants, sujet toujours très polémique, force est de constater qu'elles s'inscrivent presque toutes sous le signe de la violence. L'occupation initiale est le fait probable de populations asiatiques qui, ayant franchi à sec le détroit gelé de Béring (quelques millénaires avant qu'il ne soit ainsi nommé!), formeraient ainsi la souche des civilisations que l'Europe des Temps modernes croirait «indiennes», croyance fondée sur un enchaînement d'erreurs augurant mal de l'inévitable choc provoqué par l'ambition expansionniste et vénale de cette même Europe.

Une mémoire muette et parfois indéchiffrable

De ces populations autochtones, vieilles de plus de cent siècles, nous savons peu pour cette raison majeure que, même en leur crépuscule, elles pratiquèrent très rarement l'écriture. Parmi les terres les plus riches de souvenirs patrimoniaux, le Mexique et le Pérou occupent un rang privilégié. C'est ainsi que sur les hauts plateaux mexicains, la cité de Teotihuacán forme un ensemble monumental dont la chronologie initiale, incertaine, aurait coïncidé peu ou prou avec l'aurore de l'ère chrétienne, et qui aurait été mené à terme au VIIe siècle. Que nous apprennent en l'occurrence les colossales pyramides du Soleil (ou de la Pluie?) et de la Lune, sinon que la «barbarie» de civilisations (en l'occurrence zapotèque en dépit de son nom aztèque) capables de tels exploits architecturaux ne fut qu'un mythe soigneusement entretenu sous les latitudes européennes pour justifier tous les massacres et toutes les spoliations des conquérants mandatés par leurs souverains, à l'occasion par Dieu? Une observation parente vaudrait pour le centre rituel de Tikal, haut lieu du monde maya, civilisation parmi les plus élaborées et les plus secrètes de toute l'histoire des hommes. De la même façon, un autre site très ancien, Chichén Itzá, centre religieux à partir du Xe siècle d'une brillante civilisation maya-toltèque, au centre de la péninsule mexicaine du Yucatán, atteste le haut degré de civilisation dont le déferlement belliqueux des conquistadores ne devait rien laisser.

Aussi, en l'absence de toute mémoire écrite, le patrimoine des terres américaines constitue-t-il un héritage dont l'inestimable valeur vient précisément de ce qu'il est privé du secours des mots. Partout, notre époque l'a bien compris, qui s'efforce de préserver et de faire connaître ce qui a failli disparaître à jamais. L'un des plus probants exemples de cette politique de sauvegarde est fourni par l'étonnante entreprise de protection du site de Chan Chan, ancienne capi-

DOUBLE PAGE PRÉCÉDENTE : détail de hiéroglyphes mayas d'un calendrier, daté de 644, sur le site de Palenque (Mexique).

tale du royaume chimu qui se développa, après l'an Mil, sur la côte du Pacifique au nord du Pérou. Sans sources écrites, sans repères iconographiques fiables, les archéologues, soutenus par l'Unesco, y consolident les fragiles reliefs de terre cuite de la grande cité disparue, n'hésitant pas, à l'occasion, à en reconstituer les parties manquantes. Peut-être le plus démonstratif, en la matière revient-il à l'îlot de Rapa Nui – mieux connu sous sa dénomination européenne d'île de Pâques – dont la célébrité mondiale, due à ses mystérieuses statues monumentales, s'accompagne désormais d'une véritable exigence historique, au fur et à mesure que les spécialistes locaux, décryptant ses plus anciens secrets, en civilisent profondément l'histoire.

Science et conscience

Que l'archéologie n'ait cessé, au cours des dernières décennies, de s'enrichir d'une dimension prioritairement humaniste, tous les grands sites patrimoniaux en témoignent aussi régulièrement qu'éloquemment. Au cœur des actuels États-Unis, théâtre du plus précoce, méthodique et effrayant génocide de l'époque moderne, celui des «Peaux-rouges», ce sont les descendants des massacreurs qui travaillent à exhumer ce que la barbarie avait cru effacer à jamais de la surface du monde. À Mesa Verde, par exemple, est désormais ouverte à tous les publics une remarquable concentration d'habitats ancestraux, taillés à même le grès des falaises par des hommes dont la civilisation brilla au temps où la France lançait ses premières cathédrales gothiques à l'assaut du ciel. De la même façon, dans l'aire andine, c'est avec l'appui de tous les cercles du pouvoir (pour une fois réconciliés) que les sites particulièrement émouvants de Machu Picchu, d'une déconcertante et sauvage splendeur, ou de Cuzco, ancienne capitale inca fondée vers 1200, sont désormais assurés d'une sauvegarde durable. L'esprit devant toujours conserver ses droits, il serait cependant absurde de ne lire l'histoire des Amériques qu'en termes de massacres et de destructions qui pèseraient sur la (mauvaise) conscience européenne. Les rencontres les plus brutales ont parfois d'inattendues conséquences, dont la fécondité est la première marque. Les visiteurs de La Havane savent ainsi quel charme peut dégager l'étonnant assemblage de monuments aussi hétéroclites par la fonction que par le style, des somptueux palais coloniaux aux belles villas tropicales de style art déco. Beaucoup plus au nord, le prestigieux passé historique de la ville de Québec lui a légué nombre d'ouvrages rappelant son statut de foyer initial d'une nouvelle forme de civilisation dont l'actuel Canada présente le plus harmonieux visage.

Les Amériques, enfin, c'est aussi et peut-être surtout le visage d'une certaine modernité, dont Manhattan aura longtemps été le symbole, par l'image emblématique de ses fronts de mer, élégantes et formidables murailles de gratte-ciel. Le fait que cette modernité même relève depuis peu de la notion patrimoniale montre assez que l'homme d'aujourd'hui sait, en rupture avec un passé récent, inscrire son destin du moment dans l'étendue de l'histoire. Ce n'est pas un hasard si c'est aussi sur ce continent américain qu'est née la plus belle ville du XXe siècle, Brasília qui, déployant ses merveilles au cœur des horizons semi-désertiques du Mato Grosso, a su parvenir, en moins d'un demi-siècle d'existence, au rang de symbole d'une humanité conquérante mais pacifique, audacieuse mais rationnelle.

Teotihuacán HOMMES ET DIEUX EN LEUR CITÉ

À une quarantaine de kilomètres de Mexico, la cité sacrée de Teotihuacán («Cité où les hommes deviennent des dieux») a été l'objet d'un très long chantier, probablement ouvert à l'aube de l'ère chrétienne et mené à terme au VIIe siècle. Le site se caractérise par les impressionnantes dimensions de ses édifices : les plus remarquables en sont les pyramides du Soleil et de la Lune et le temple de Quetzalcóatl. [MEXIQUE, CLASSÉ EN 1987]

En dépit des zones d'ombre qui s'étendent sur son histoire (son nom originel même n'est pas connu, «Teotihuacán» étant sa dénomination aztèque), la grandiose cité préhispanique fut évidemment l'un des plus riches foyers culturels méso-américains avant l'arrivée des Européens. Jusqu'à la moitié du premier millénaire avant J.-C., la vallée homonyme était occupée par quelques villages qui n'ont laissé que de très faibles traces. Cependant, peu à peu, une population se groupe autour d'édifices publics au sol de terre battue abrités par des murs en pierre; c'est ainsi une véritable ville de quelque 30 000 habitants qui occupe les lieux au début de l'ère chrétienne. Déjà existe le grand axe de l'avenue des Morts, qui atteint une longueur presque égale à 5 km. La construction des deux grandes pyramides, celles du Soleil et de la Lune, remonte probablement à l'aube du IIIe siècle, ce qui correspond à l'arrivée supposée des Zapotèques au Mexique. Il faudra encore attendre deux siècles pour que Teotihuacán parvienne à son apogée, vers 450; la population montera alors au chiffre étonnant de 180 000 habitants, au sein d'un cadre urbain qui répartit harmonieusement les édifices religieux, les maisons résidentielles, les places et les avenues. L'une des raisons expliquant la fortune de Teotihuacán tient à la richesse de ses gisements d'obsidienne; important lieu d'échanges avec les autres entités politiques de Méso-Amérique, la grande cité se livra notamment au florissant commerce du jade, du copal, de l'onyx, de la résine aromatique de la côte du golfe du Mexique, ou des plumes caudales du quetzal

La pyramide du Soleil.
Atteignant une hauteur d'environ 65 m – sans compter le temple, aujourd'hui disparu, qui couronnait son faîte –, la pyramide du Soleil est composée de quatre corps principaux échelonnés, tous inclinés en simple talus; un cinquième niveau, très exigu, forme son dernier étage. Le matériau intérieur, un mélange d'argile et de pierre, est couvert par un énorme appareil de pierre. L'escalier central, décoré de rampes, est rythmé par un palier à chaque étage. Le léger décalage de son axe est-ouest est justifié par sa position dans l'axe du lever et du coucher du soleil aux jours de zénith. Cette masse colossale, de plus d'un million de mètres cubes pour une surface au sol de cinq hectares, a probablement exigé le travail de plusieurs milliers d'hommes durant plusieurs décennies, ce qui suppose une organisation sociale du travail extraordinairement évoluée pour son temps.

venues du Pays maya. S'ensuit un inéluctable déclin dont la plus tragique étape sera celle d'un grand incendie qui semble avoir surtout frappé les principaux monuments religieux. C'est dans le courant du Xe siècle que les Toltèques s'installent à leur tour sur le territoire d'une cité dont ils reprennent, pour l'essentiel, les traits de civilisation.

L'axe des constructions monumentales

À Teotihuacán, la grande esplanade centrale d'environ 400 m de côté, dite aussi – mais improprement puisqu'elle n'eut jamais de fonction militaire – Citadelle, constitue la scène cérémonielle primordiale du site. Elle donne sur la grande avenue axiale par une plate-forme haute de 3 m et rythmée par des escaliers d'une seule volée. Sur les trois autres côtés alternent les petits temples dont la décoration ne manque jamais de solliciter l'imagination du visiteur : serpents et escargots de mer y ondulent au gré des mouvements d'une houle traduite par les sinuosités de motifs

Les Toltèques

Venus du nord et implantés dès le IXe siècle sur le sol de l'actuel Mexique, les Toltèques, peuple plutôt soumis à la hiérarchie militaire qu'au pouvoir religieux, recueillirent l'héritage culturel de Teotihuacán, fondant à leur tour une brillante civilisation dont la capitale fut la ville de Tula, conquise par les Chichimèques en 1168. La narration des mythes et légendes relatifs à la culture toltèque laisse supposer que le système théocratique de Teotihuacán fut repris par les immigrants qui s'en inspirèrent pour créer, entre autres, le mythe du Serpent à plumes, le dieu Quetzalcóatl; leurs magnifiques céramiques en conservent de brillants témoignages. Aux Toltèques, précurseurs supposés de l'histoire mexicaine, succédèrent les Aztèques, dernière grande civilisation locale avant l'arrivée des Espagnols.

CI-DESSOUS : ***Masque du dieu Xochipilli*** (Musée anthropologique, Mexico). Dieu des fleurs, des papillons, de l'amour, de la joie, de la beauté, de la musique, de la poésie et de la danse, Xochipilli est toujours représenté selon un code décoratif qui privilégie l'arabesque florale.

La place de la Lune. Du haut de la pyramide de la Lune (l'édifice culmine à 46 m, mais sa position sur une éminence le hisse au niveau de la pyramide du Soleil), le regard s'évade vers les horizons montagneux qui renvoient curieusement aux grandes constructions humaines. Au pied de la pyramide, la place de la Lune forme un rectangle – 207 m de largeur pour 135 m de profondeur – fermant la perspective de l'immense allée centrale, voie colossale et sacrée qui crée l'unité physique et religieuse de cet énorme complexe.

aquatiques ; des têtes saillantes de monstres laissent jaillir de redoutables crocs blancs, pendant que les yeux d'obsidienne brillent d'une troublante intensité. L'esplanade se trouve dans l'axe de la longue « voie des Morts » (Miccaohtli en nahuatl) qui traverse la ville, sur une distance de 4 km pour une largeur de 45 m, dans le sens nord-sud à partir de la pyramide de la Lune. De nos jours encore, cette prodigieuse avenue reste bordée par un ensemble architectural impressionnant, comprenant la pyramide du Soleil, la pyramide de la Lune, le temple de Quetzalcóatl et de nombreux palais et temples, parfois anonymes, de moindre importance. C'est tout au long de cette artère que s'organise, de façon tout à la fois rationnelle et solennelle, l'ensemble monumental. Les temples, notamment, obéissent à de rigoureux principes d'orientation. Ils se signalent par leur sévère grandeur et par la richesse de leurs sculptures ornementales, mais il est probable que leur aspect farouche fut considérablement adouci au temps de leur fonctionnement par les stucs peints – dont nombre de traces ont été découvertes au hasard des fouilles. Les murs étaient recouverts de chaux, ce qui permettait de les orner de grandes peintures, parfois intérieures ; ainsi cet immense ensemble pétrifié resplendissait-il de couleurs aussi éclatantes que variées. Enfin, la représentation majestueuse de nombreuses divi-

nités provoqua, dans le même temps, un essor sans précédent de la grande sculpture. Certaines sources rappellent notamment la présence d'un énorme monolithe sculpté au sommet de la pyramide du Soleil ; détruit au XVIe siècle, il figurait probablement l'une des divinités suprêmes de la Cité.

Les monuments majeurs de Teotihuacán

La pyramide du Soleil, qui repose sur un socle de 350 m de côté, est orientée de telle sorte que sa façade principale est située en face du point de l'horizon où disparaît le soleil lors de son passage par le zénith. On accède à son sommet par un colossal escalier, reconstitué en 1905-1910 par des archéologues peut-être trop zélés. Elle doit son nom aux Aztèques, qui la baptisèrent de la sorte en fonction de leurs propres croyances, mais il s'agit en fait d'un énorme sanctuaire dédié au dieu Tlaloc et érigé sur une grotte sacrée, dont le contenu avait été dérobé avant même l'arrivée des Espagnols. La pyramide de la Lune, presque aussi imposante avec ses quatre étages disposés en retrait, fut pour sa part dédiée à l'épouse de Tlaloc,

Quetzalcóatl, le « Serpent à plumes »

Quetzalcóatl, l'une des principales divinités du panthéon mexicain, fut vénéré par les Olmèques, les Mixtèques, les Toltèques, les Aztèques... Selon les sources toltèques, il avait été exilé par son rival Tezcatlipoca et, acceptant cette infortune, était parti de son plein gré sur un radeau de serpents en promettant son retour prochain. C'est ainsi que, lors du débarquement de Cortés en 1519, l'empereur aztèque Moctezuma II crut au retour de Quetzalcóatl, illusion que le conquistador entretint le plus longtemps possible et qui finit par assurer son triomphe sur des forces pourtant infiniment supérieures aux siennes. Inventeur des livres et du calendrier, donateur du maïs à l'humanité, symbole de mort et de résurrection, Quetzalcóatl fut associé à l'étoile du matin dans le même temps que son jumeau, Xolotl, l'était à celle du soir (dans les deux cas, il s'agissait de la planète Vénus).

Le temple de Quetzalcóatl.
Il reste quatre étages de ce haut sanctuaire pyramidal. Débarrassé, par les archéologues, d'édifices postérieurs d'un moindre intérêt, il est célèbre pour ses extraordinaires sculptures : serpents emplumés aux têtes jaillissant de la paroi, masques du dieu de la Pluie, motifs de coquillages et d'escargots. Les irrégularités de la pierre sont masquées par une fine couche de stuc et il reste, rares mais nettes, quelques traces de couleur : rouge pour les gueules, vert pour les plumes, etc.

À G : ***Jaguars en procession.***
L'une des plus belles décorations du palais des Jaguars est formée par une procession de ces redoutables prédateurs, coiffés de grands cimiers de plumes : l'objet qui sort de leur gueule – ici, un cœur battant – évoque le principe des sacrifices humains, mais il peut aussi constituer le signe de la parole.

Chalchihuitlicue, et servit de nécropole pour certains personnages considérables de la Cité. C'est dans le palais des Jaguars que l'on trouve les peintures murales les plus intéressantes qui, parfaitement conservées, représentent des jaguars à plumes jouant d'un instrument de musique ; intégrés à l'architecture, ces motifs peints se diffuseront dans l'ensemble de l'aire méso-américaine. La lecture attentive de ces peintures murales locales (dont la richesse est sans équivalent dans le reste de l'Amérique préhispanique) reste le plus sûr vecteur de connaissance et de compréhension des différentes civilisations ayant occupé les lieux.
À partir du XIXe siècle, différentes équipes archéologiques commencèrent à se succéder sur le site, dans le double souci d'en expliquer les fonctions et d'en préserver les reliefs. C'est en 1905, principalement sous l'impulsion de Léopold Batres, que ces projets prirent une ampleur impressionnante, au point de susciter parfois une certaine défiance de la part des tenants de l'authenticité ; ainsi, en 1910, la restauration de la pyramide du Soleil, en l'honneur du centenaire de l'indépendance du Mexique, s'apparenta-t-elle à une véritable reconstruction. Depuis, il faut saluer l'effort des hommes de science qui ne cessent d'apporter de nouvelles lumières sur cette cité légendaire, ouverte désormais à un afflux touristique parfaitement contrôlé, surtout depuis son inscription au Patrimoine mondial de l'Unesco.

Copán LA MYSTÉRIEUSE « CITÉ DES OISEAUX »

Découvert par l'explorateur Diego García de Palacio en 1570, le site de Copán, foyer majeur de la civilisation maya, n'a guère retenu l'attention des érudits avant 1839, date des premières fouilles scientifiques dignes de ce nom. Abandonnée dès le Xe siècle, cette magnifique cité maya a laissé nombre de traces monumentales et artistiques, révélant les grandes étapes de sa destinée glorieuse et tragique.

[HONDURAS, CLASSÉ EN 1980]

Située dans le nord-ouest de l'État du Honduras, à une douzaine de kilomètres seulement de la frontière guatémaltèque, Copán – dont le nom maya, *Xukpi*, signifie « ville des oiseaux », une interprétation aujourd'hui contestée – figure parmi les plus probants témoignages du haut degré de civilisation des Mayas, guerriers, mathématiciens et astronomes, mais aussi constructeurs parmi les plus émérites de l'histoire universelle.

Une gloire plusieurs fois séculaire

Si le déchiffrement de l'écriture maya n'est pas encore exhaustif, de récentes découvertes archéologiques ont permis, par l'étude du grand escalier hiéroglyphique et des tombes de souverains locaux, de retracer la dynastie complète des seize monarques qui se sont succédé ici, depuis le fondateur Kinich Yax Kuk Mo (en maya, « Bleu Quetzal Ara »), qui gouverna à partir de 426, jusqu'à Ukit-Took, dont le règne, attesté en 822, coïncida avec le début du déclin de la grande cité. Après l'apogée du VIIe siècle, Copán s'engage sur le versant d'un inéluctable affaiblissement. Les guerres, bien sûr, les conflits de pouvoir, les tensions entre le monarque absolu et une aristocratie ambitieuse, tout cela a joué dans ce processus de désagrégation. Mais le facteur décisif reste probablement la déforestation, liée à l'intensité de la pratique agricole, elle-même provoquée par un accroissement spectaculaire de la population. De moins en moins bien nourrie, de plus en plus fragile, celle-ci décroît progressivement, jusqu'à complètement disparaître au XIIe siècle.

L'Acropole. En 763, le dernier souverain de Copán fait reconstruire l'Acropole, sise au sud de la Grande Place et du terrain de jeu de balle. Il ordonne l'édification de ce temple au soubassement formé d'une pyramide colossale et aux murs intérieurs porteurs d'inscriptions en relief qui font souvent appel à la figure du serpent – dont on ne sait pas toujours s'il fait sortir les hommes de sa bouche ou s'il les engloutit. Un long texte rappelle la gloire du souverain et la date de son avènement. La salle centrale, surélevée, fut sans doute le lieu le plus sacré de cette antique cité. L'ensemble renvoie à la cosmogonie maya, le temple pyramidal symbolisant la montagne qui domine l'océan primitif – représenté par la surface plane de la cour – sur lequel flotte la terre.

LE MYSTÈRE MAYA

Bien qu'encore énigmatique en nombre de ses aspects, la civilisation maya a toujours été fondée sur le principe de cités-états autonomes et distinctes, source d'une réelle communauté de mœurs, de rites et de langues, sans qu'il soit possible de parler d'une vraie entité politique. Au chapitre des inventions des Mayas, scientifiques d'une qualité exceptionnelle pour leur temps, on relève une écriture complexe, dont le décryptage a posé de redoutables problèmes. D'origine imprécise, mais assurément très ancienne, parvenant à son crépuscule au temps où Charlemagne régnait sur l'Europe chrétienne, la civilisation maya s'éteint progressivement autour de l'an Mil, ne survivant un temps qu'au Yucatan mexicain. Le mystère de cette disparition a excité bien des imaginations, aucune hypothèse n'étant exclue, de la famine à l'épidémie, de la catastrophe naturelle au débarquement d'armées extra-terrestres !

Tunnel menant au temple Rosalila.
Enterré sous l'Acropole, exhumé en 1991, le temple Rosalila, ainsi nommé pour sa couleur, comporte deux étages ornés de masques de stuc (enduit imitant le marbre). Indépendamment de sa beauté, il est remarquable par sa préservation et le déchiffrement d'une inscription permet de le dater de l'an 571, sous le règne du roi Lune-Jaguar.
Toujours sous l'Acropole, ce ne sont pas moins de cinq niveaux de tunnels qui permettent de retrouver des édifices enfouis jusqu'à une profondeur dépassant 15 m.

L'épanouissement de Copán, la plus méridionale des grandes cités mayas, concorde donc avec la période « classique » des civilisations méso-américaines, du Ve au IXe siècle. Au VIIe siècle, son aire s'étendait ainsi sur plus de 20 km^2 et comptait assurément plusieurs dizaines de milliers d'habitants. Le visiteur, qui découvre la Grande Place – dont la surface dépasse trois hectares – depuis l'Acropole, ne peut qu'être saisi par l'harmonieuse répartition des édifices dans cet immense espace et, surtout, par la subtilité des rapports proportionnels les unissant. Le terrain de jeu de balle, en forme de gigantesque I majuscule, en constitue l'axe central. À l'une de ses extrémités, de larges gradins ont été prévus pour les spectateurs ; les règles des joutes qui s'y déroulaient restent obscures, mais il est assuré que leur cruauté ne le cédait en rien à celle des civilisations voisines et contemporaines. Plus cultuels que sportifs, ces affrontements étaient placés sous la protection et l'autorité des divinités locales, comme l'atteste, un peu plus loin, une petite pyramide dont les quatre escaliers convergent vers un autel sommital.

Partout, la signalétique du pouvoir

Sur toute la surface du site archéologique, lui-même placé au cœur d'une nature généreuse, les édifices cultuels et princiers alternent avec de vastes espaces découverts ; ainsi les cours ouvrent-elles sur des temples accessibles par des escaliers décorés de multiples inscriptions et reliefs. La structure générale de l'ensemble est traditionnelle : au centre, la Grande Place et l'Acropole sont reliées aux secteurs d'habitation par quatre larges chaussées dont la course est axée sur les points cardinaux. Le plus spectaculaire édifice local est peut-être le grand

Terrain de jeu de balle devant la Grande Place.
Remarquablement conservé et d'une taille inhabituelle, le terrain de jeu de Copán est situé en avant de la Grande Place. Entre les gradins s'y déroulaient des exercices proches de notre jeu de pelote, un rituel animé symbolisant le combat de la vie contre la mort.

escalier hiéroglyphique, qui ne comportait pas moins de 63 marches, mais qui a malheureusement été l'objet d'une restauration maladroite en 1935. La très longue inscription qui l'ornemente demeure la source écrite la plus fiable de toute l'histoire maya.

Les plus marquants des autres édifices restent les grandes stèles funéraires sculptées : sur une face est figuré un personnage, tandis que sur les trois autres côtés, des inscriptions gravées en tracent la légende. Nombre de ces stèles reproduisent des animaux fantastiques, si singuliers que certains archéologues ont même cru y reconnaître des éléphants ! La paroi principale montre le souverain vu de face, tenant dans ses bras une barre cérémonielle ; la grosseur excessive de sa tête et la corpulence de ses jambes constituent autant de signes distinctifs. L'orientation est directement tributaire de la course du soleil, les moments privilégiés de leur éclairage étant l'aube et le crépuscule. Une chambre cruciforme, réservée au recueil des offrandes, a été creusée sous chaque stèle. Reste à préciser que le décor naturel de Copán, en pleine forêt, est d'autant plus agréable et suggestif que son altitude (600 m) y adoucit considérablement les rigueurs du climat tropical.

Tête de divinité.
À l'angle nord-est du socle de l'Acropole, cette tête colossale est l'effigie de Pauahtun, l'une des quatre divinités du vent associées aux points cardinaux. Comme toujours chez les Mayas, l'aspect terrifiant du visage tourmenté rappelle la dureté d'une loi religieuse fondée sur la coercition bien plus que sur la communion.

Chan Chan TESTAMENT D'UNE PUISSANCE ÉPHÉMÈRE

Devancier de l'Empire inca, le royaume chimu s'est développé, après l'an mil de notre ère, sur l'étroite bande côtière qui longe l'océan Pacifique au nord de l'actuel territoire du Pérou. De cette vaste entité économico-politique, nous ne savons à peu près rien, faute de documents écrits; aussi n'est-il pas de plus sûre source de documentation à son endroit que l'ensemble des vestiges de sa capitale ruinée, Chan Chan. [PÉROU, CLASSÉ EN 1986]

Aucun complexe archéologique de la zone andine n'est plus vaste que celui de cette cité légendaire, capitale religieuse et administrative qui, sise à 33 m d'altitude, a développé son tissu urbain de palais, d'esplanades, d'avenues et de murailles décorées sur quelque 24,5 km².

Un immense damier

Inutile de se le dissimuler, le premier contact avec Chan Chan («Soleil Soleil», selon les sources du XVIIIe siècle, mais l'ancien nom de la ville nous est inconnu) est fréquemment source d'une certaine déception, le voyageur se trouvant confronté à une immensité monotone de murs ruinés, uniformément ternes, immuablement rongés par les siècles. C'est qu'ici la patience est de rigueur; qui en accepte la leçon sera amplement dédommagé de son effort par l'envahissement progressif d'une délectable rêverie, qui semble sourdre des fondations mêmes de la capitale figée dans un silence plusieurs fois séculaire.

Au chapitre des illusions à dissiper, celle de l'accessibilité du site : elle est des plus réduites, tant de récentes et nécessaires mesures de préservation ont interdit la déambulation de promeneurs périlleusement distraits au sein de presque toutes ses parties constitutives. Par ailleurs, l'étonnant travail de restauration entrepris dans l'enthousiasme il y a quelques décennies s'est considérablement assagi au profit d'une consolidation des éléments préservés par le temps. Enfin, un survol aérien est nécessaire pour comprendre la prodigieuse organisation de cet immense damier dont le seul noyau central groupe, sur 6 km²,

La citadelle Tschudi (du nom de l'archéologue suisse qui la mit au jour) est protégée, sur un pourtour d'environ 1 km, par une muraille à section tronco-pyramidale dont la hauteur peut osciller de 7 à 10 m et qui ne possède qu'une seule et étroite ouverture. Partout, le regard est sollicité par les parois à claies en brique crue délimitant rues et édifices. Le périmètre des places cérémonielles est constitué de murs décorés de frises animales ou de motifs figurant un mouvement de houle; les affinités avec l'art textile, spécialité de plusieurs foyers des civilisations andines, semblent relever de l'évidence, d'autant plus que la brique crue offre toutes facilités de modelage ornemental. Le problème se pose ici avec acuité d'une restauration peut-être trop zélée.

Pendentif chimu. Orfèvres de grand talent, les Chimu ont souvent réussi d'heureuses alliances de couleurs et de matériaux, à l'image de ce qu'offre ce magnifique pendentif de collier qui, conservé au musée de l'Or à Lima et datant probablement des XIVe-XVe siècles, conjugue les fastes de l'or et de la turquoise.

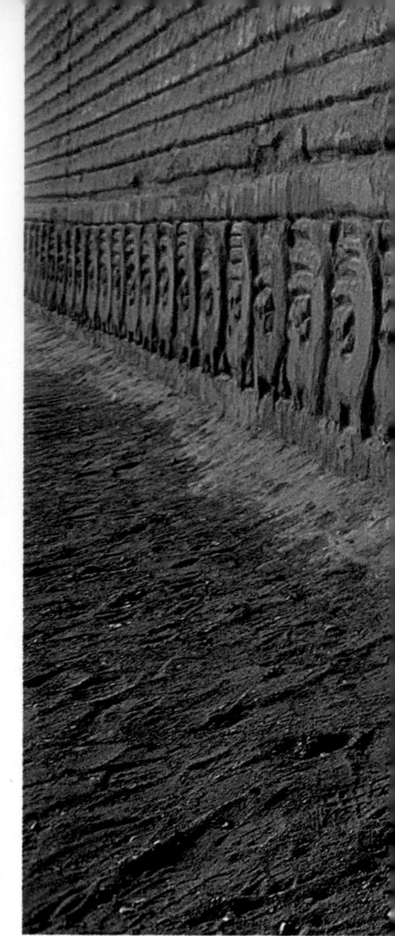

une dizaine de vastes complexes placés sous le label de palais ou de citadelles, tous baptisés du nom de l'archéologue ayant le mieux contribué à leur découverte ou à leur préservation. Autour de ces ensembles imposants, on trouve des dizaines de blocs d'architecture nobiliaire, ainsi que des zones mal définies de bâtiments irréguliers et de petits temples sur monticules ou plates-formes, les *huaca*. Mais innombrables sont les édifices dont la fonction n'est pas clairement établie : logements? prisons? sépultures? silos? entrepôts?

Dans ces conditions, les archéologues ne peuvent que spéculer sur le mode d'organisation de la grande cité, l'hypothèse la plus généralement admise étant que ces palais-citadelles, dirigés par un souverain particulier, abritaient des groupes distincts (prêtres, guerriers, administratifs, etc.) selon une disposition égalitaire ruinant toute tentative de subordination de l'un à l'autre.

S'il est attentif, le visiteur de la citadelle Tschudi (la plus accessible, la mieux restaurée) relèvera une organisation spatiale nord-sud très claire : d'abord, un secteur nord riche de cours et d'édifices en *tapia* (terre compressée mêlée de pierre et de paille) desservis par des couloirs aux murs à claies; puis, un espace central agencé de façon plus complexe et dont l'architecture ne présente pas de trait remarquable; et, une zone méridionale caractérisée par la présence d'une haute plate-forme funéraire entourée de bâtiments domestiques.

Les Chimu

Au cours des cinq siècles de son existence (de l'an 1000 à 1460 environ), la civilisation chimu s'est signalée par son organisation rationnelle et par son art raffiné. Dans la riche capitale de leur empire, Chan Chan, l'une des plus vastes cités de toute l'aire pré-colombienne, les Chimu vivaient dans un décor luxueux de céramiques décorées et de précieux objets de métal, dont le *tumi*, couteau rituel en or d'une longueur d'un mètre pour 30 cm de largeur, qui était d'usage courant pour les sacrifices. Ayant considérablement amélioré le réseau d'irrigation tramé par leurs prédécesseurs les Mochica, les Chimu parvinrent à une grande prospérité économique, mais leur ambition de s'étendre à l'est leur fut fatale, l'Inca Tupac Yupanqui anéantissant leurs forces un demi-siècle avant l'arrivée des Espagnols.

Mur de la citadelle Tschudi. Au pied du mur qui protège la citadelle, une frise de petits animaux fantastiques, mi-quadrupèdes mi-oiseaux, rappelle que l'argile se prête admirablement à la répétition du motif par application d'un moule. Là encore, l'effet de tapisserie saute d'autant mieux aux yeux que l'exemple en est partout suivi, le dessin zoomorphique connaissant ici une fortune rare. Si la restauration de l'ensemble chagrine les tenants de l'authenticité, il est à observer que ces figures sont conformes au modèle initial.

Un site en grave danger

Point n'est besoin d'être archéologue pour mesurer, au hasard d'une pérégrination dans ses ruines précaires, la poignante fragilité du site de Chan Chan. Si son inscription sur la liste du Patrimoine mondial assure probablement sa survie à moyen terme, la vraie sauvegarde de l'ensemble suppose un plan complexe et coûteux de restauration et d'entretien. Ce n'est d'ailleurs pas un hasard si ce classement a été tout autant justifié par la valeur historique de Chan Chan que par le grave risque de disparition pesant sur ses ruines. Les irréversibles dommages causés par l'érosion naturelle et aggravés par les dégâts d'El Niño (courant chaud du Pacifique qui perturbe puissamment le climat andin) sur des constructions en *tapia* que plus rien ne protège des intempéries ont conduit les autorités à prendre des mesures radicales pour la gestion du site, surtout depuis 1993 : plus aucune fouille n'est tolérée si elle n'est pas accompagnée de mesures de conservation draconiennes ; la loi s'est faite beaucoup plus sévère à l'endroit des pillards ; grâce à un appui conséquent du fonds du Patrimoine mondial, le personnel local reçoit une formation spécialisée (la première session consacrée à la conservation et à la gestion du patrimoine en terre, manifestation réunissant les autorités locales et internationales, s'est tenue à Chan Chan, en 1996). C'est à ce prix que l'antique cité chimu offrira longtemps encore ses horizons désolés à la curiosité de voyageurs saisis par la sombre grandeur de ses ruines mélancoliques tout autant que par leur émouvante vulnérabilité.

Tikal LA GRANDE CITÉ MAYA DE LA JUNGLE

Surgie au cœur d'une forêt luxuriante qui menace tous ses bâtiments après en avoir assuré la survie millénaire, le centre rituel de Tikal demeure un haut lieu du monde maya, l'une des plus puissantes et des plus ingénieuses, mais aussi des plus mystérieuses civilisations de toute l'histoire. [GUATEMALA, CLASSÉ EN 1979]

C'est en 1877 que l'explorateur suisse Gustav Bernouilli découvrit les premiers restes de l'antique capitale, sous un linceul inextricable de verdure, et les fit connaître à l'Europe. Pourtant, dès 1665, un religieux, le père Avendano, s'était aventuré sur les lieux, presque deux siècles avant une première prospection locale, due à un militaire, le colonel Modesto Méndez (1848). Depuis, innombrables sont les équipes d'archéologues qui ont travaillé au dégagement et à la restauration d'une cité que son classement sur la liste du Patrimoine mondial de l'Unesco a probablement sauvée à titre définitif des assauts meurtriers de la jungle environnante.

La première capitale de l'apogée maya

La naissance de Tikal remonte à des temps très anciens, les archéologues estimant que le premier établissement se situe au IXe siècle avant J.-C., mais que son architecture monumentale ne commence à voir le jour que cinq siècles plus tard. Le nom même de la Cité prête à discussion : «Lieu des voix» ou «Lieu des échos» l'emportent, même si la plus ancienne dénomination du lieu, Yax Mutal, «Paquet vert», renvoie à une occurrence plus spécifiquement religieuse, la proche traduction métaphorique en étant «Première Prophétie». Son occupation par une nombreuse population de prêtres, d'artisans, de fonctionnaires, d'agriculteurs, de commerçants, etc., est attestée sur une très longue durée, avec une période d'apogée, du IVe au IXe siècle ; il est difficile d'en estimer la population (entre 10 000 et 45 000 habitants) car Tikal n'a peut-être jamais été un véritable centre urbain, organisé en quartiers desservis par des avenues. Après le Xe siècle, plus aucun édifice majeur ne sera édifié ; c'est même le temps des catastrophes qui semble s'ouvrir, attesté par des traces d'incendie, un déclin démographique considérable, et finale-

Vue générale de la place centrale. Rien de plus impressionnant à Tikal que la surpuissante confrontation des deux colosses de pierre désignés sous les noms de «temple I» et «temple II». Déblayée et restaurée à partir de 1956, la place centrale est riche d'autels et de stèles qui attestent l'importance religieuse du site. Les archéologues, intrigués par certains détails figurant sur le linteau de la deuxième porte du temple II, ont conclu que l'édifice était probablement dédié à une femme, peut-être l'épouse du souverain auquel est dédié le temple I. Ce qui expliquerait aussi les moindres dimensions de ce temple II, qui n'est formé que de trois corps supportant un temple à trois pièces dont la crête a mal enduré le passage des siècles.

VIE ET MORT D'UNE GRANDE CIVILISATION

La civilisation maya s'étend sur quatre millénaires, approximativement ponctués par les ères préclassique (2600 av. J.-C. -250 apr. J.-C.), classique (250-900) et postclassique (900-1521), Tikal dominant l'âge classique jusqu'à sa défaite, au VIe siècle, face à la cité rivale, Calakmul. L'apogée maya, à l'aube du Xe siècle, précède son étrange effondrement : l'hypothèse d'une mutation climatique ou d'un séisme n'explique pas plus les traces d'abandon brutal de toute activité que la panique provoquée par de sinistres prophéties ne justifie la chute de la démographie... Alors... guerre, famine, épidémie? Plus probablement, une combinaison de tous ces facteurs défavorables. Le plus surprenant reste peut-être la survie de quelques foyers de cette grande civilisation au temps de la conquête espagnole, le dernier, Itzá, ne tombant qu'en 1697.

ment l'abandon total du site. Il faudra ensuite attendre l'ère des Temps modernes pour que le grand centre maya, occulté par la jungle, revienne dans l'actualité; explorée, dégagée, cartographiée, photographiée, filmée, Tikal est accessible par avion depuis 1951, ce qui en autorise la découverte à une foule touristique chaque année plus nombreuse.

Grande pyramide, dite «temple I».
Le temple I se signale par sa formidable verticalité, rythmée par les neuf paliers des corps en retrait successif qui forment sa pyramide. D'une hauteur de 45 m, il est dominé par un temple, lui-même surmonté d'une haute crête, accessible par un escalier saillant d'une seule volée et sans rampe. Ce temple supérieur comprend trois pièces dont la curieuse étroitesse est soulignée par la hauteur des voûtes; il est posé sur un podium et sa crête fut jadis décorée de stuc modelé et peint.

Autour de la place centrale

Au total, la zone de Tikal ne couvre pas moins de 60 km², dont la plus grande partie n'a pas encore été fouillée. Sur les 16 km² dégagés par les archéologues, on relève le total effarant de quelque 3 000 édifices de toute nature, pyramides, temples, maisons, bains, terrains de jeu de balle... à quoi doit être ajouté un total de 200 stèles et autels. Face à ce puzzle colossal, le visiteur dérouté a tout intérêt à se diriger vers la place centrale, cœur admirablement restauré et remis en valeur de la cité antique. De part et d'autre de cette esplanade, les deux pyramides dites «Temple I» et «Temple II» se font face, d'est en ouest. La première, dite aussi «temple du grand Jaguar», érigée vers 695, domine d'une dizaine de mètres la seconde, dite «temple des Masques»; les deux proposent une escalade de leur grand escalier jusqu'au temple sommital, petite aventure qui donne régulièrement le tournis à quelques audacieux, malencontreusement sujets au vertige!

Au nord de la place, une énorme plate-forme qui a reçu le nom d'«acropole» supporte un ensemble de seize temples, eux-mêmes érigés sur de plus anciennes constructions. Au sud, une autre plate-forme accueille un complexe de bâtiments et de cours, dont la fonction n'a pu encore être exactement déterminée : habitat royal, logement sacerdotal, espace administratif? D'ici, le voyageur aura tout loisir de découvrir bien d'autres structures monumentales; à l'ouest, un sentier mène au temple III, dressé en 810 et haut de 55 m. Quelques pas encore

Masque maya (Tikal).
Datant du VIe siècle, conservé au musée national d'Archéologie et d'Ethnologie du Guatemala, ce masque, d'une hauteur de 37 cm, est constitué de plaquettes de jade, autrefois fixées sur un support de bois ; les yeux font appel à la coquille blanche et à la pyrite pour la pupille, les lèvres à la coquille rouge.

et l'on parvient au pied du temple IV, érigé en 741, la plus haute structure de Tikal avec ses 72 m de hauteur. De son sommet, on jouit d'une vue confondante sur la couverture sylvestre du Petén, d'où émergent les sommets d'autres sanctuaires, dont les temples V et VI, tous deux construits dans la seconde moitié du VIIIe siècle.

Le patrimoine de Tikal semble d'autant plus inépuisable que les archéologues prévoient encore d'innombrables découvertes. Ainsi la Cité ancienne révèle-t-elle chaque année de nouveaux vestiges de palais royaux, de nouvelles petites pyramides et une quantité toujours croissante de structures résidentielles et monumentales. Parmi les curiosités, on note un étrange bâtiment dont les ouvertures furent barrées en leur temps par des grilles de bois : probablement une prison où les ennemis captifs attendaient leur exécution publique à l'occasion d'une cérémonie rituelle. Occasion de rappeler que cette grande civilisation fut particulièrement sanglante, ce qui jette peut-être une lumière inédite sur son inexplicable disparition.

Rapa Nui ANCÊTRES DE L'ÎLE PERDUE

Isolée dans le sud-est de l'océan Pacifique, Rapa Nui – rebaptisée île de Pâques par les explorateurs européens – jouit d'une célébrité mondiale, due pour l'essentiel à ses statues monumentales, les *moai* ; au nombre d'environ un millier, ces têtes et bustes colossaux sont souvent dressés sur de hautes terrasses de pierre, les *ahu*, mais on en trouve également une quantité considérable dans un surprenant état d'abandon et d'inachèvement.

[CHILI, CLASSÉ EN 1995]

À 3 700 km du rivage chilien, à 4 000 km de Tahiti, à plus de 2 000 km de l'archipel de Pitcairn, son plus proche voisin habité, Rapa Nui, dont la superficie (117 km²) dépasse à peine celle de Paris *intra muros*, compte aujourd'hui plus de 3 000 habitants, majoritairement regroupés à Hanga Roa, chef-lieu du territoire. Sur la date de sa première occupation, les avis restent partagés, mais un certain consensus s'est récemment fait jour autour du seuil de notre deuxième millénaire, nombreux étant les spécialistes qui spéculent désormais sur une arrivée de colons polynésiens, lesquels, sous la conduite du roi Hotu Matua, auraient quitté les îles Marquises sur des catamarans pour échapper à une hypothétique catastrophe.

De Rapa Nui à l'île de Pâques

L'arrivée des premiers Européens est bien plus tardive, l'Île étant repérée par Edward Davis en 1687 et explorée par le navigateur néerlandais Jacob Roggeveen le 5 avril 1722, jour de Pâques (ce qui lui vaut sa dénomination de Paasch-Eyland). Annexée par l'Espagne le 15 novembre 1770, visitée par Cook en mars 1774, étudiée par La Pérouse en 1786, l'Île connaît son plus grand désastre en 1862, lorsque des esclavagistes péruviens capturent un millier de Pascuans, dont une quinzaine seulement réussiront à revenir sur leur terre natale, mais hélas vecteurs d'une épidémie de variole qui fauche la population. En 1878, dix ans avant son annexion par le Chili, Rapa Nui ne compte plus que 111 habitants.

Une histoire active mais obscure

Sur ce petit triangle de roches volcaniques aux pointes dominées par de hauts cratères et cerné de côtes déchiquetées et battues par une houle

Moai restauré.
Remis en place sur son site d'origine au prix d'une restauration coûteuse et complexe, financée en partie par des mécènes japonais, ce *moai*, l'un des plus imposants de toute l'Île, dresse sa puissante silhouette sur un socle de pierre d'une faible hauteur. La remise en place de son lourd couvre-chef et de ses yeux de cornaline lui confère une étrange familiarité majestueuse. Pierre tutélaire d'un rempart millénaire, il protège la terre vers laquelle il a été tourné et rassure les hommes confrontés à la double immensité du ciel et de l'océan.

Opération de restauration.
Sur le site d'Anakena, les archéologues redonnent leur regard aux statues; c'est en avril 1978 que Sergio Rapu comprit enfin que les petites coupelles en corail trouvées sur place n'étaient pas des récipients rituels, mais ces yeux qui, dans l'ancienne tradition, «regardaient vers le ciel».

Plage d'Anakena, Ahu Nau Nau (rivage nord-est).
Dressé devant la plage d'Anakena (l'une des deux seules de l'Île avec Ovahe), l'Ahu Nau Nau marque le point de débarquement mythique des premiers Polynésiens, conduits par le roi Hotu Matu'a. Ajoutant au charme du lieu, la cocoteraie rappelle l'antique couverture sylvestre de l'Île. Les statues de l'Ahu Nau Nau ont été épargnées par les ravages du temps, du fait de leur chute dans le sable. À proximité immédiate, se trouve l'Ahu Ature Huke, dont Thor Heyerdahl fit redresser l'unique *moai* en 1956.

L'Ahu Akivi (flanc du massif occidental).
Restaurées de façon quelque peu hasardeuse dans les années 1960, les sept statues de l'Ahu Akivi étaient censées représenter les premiers colons polynésiens de l'Île et regarder vers leurs îles d'origine. Les archéologues ont fait litière de cette interprétation, établissant que le regard des statues propitiatoires n'était pas, à l'origine, dirigé vers de lointains horizons, mais vers les proches terres habitées, étendues jusqu'au rivage et dont ils assuraient la bienveillante protection.

puissante, des milliers d'habitants ont pourtant vécu, travaillé, érigé des centaines de colosses de pierre. Initialement privée de ressources, c'est à ses différents colons que l'Île doit ses végétaux comestibles (igname, taro, banane, patate douce, etc.) et sa population animale (lézard, chien, porc, poule, rat, etc.). Le point le plus discuté de l'histoire locale reste celui de la déforestation, désastre qui daterait du début du XVIIIe siècle et non, comme on l'a longtemps cru, d'une époque très antérieure. Folie des hommes ou sécheresse fatale? Les spécialistes penchent pour la seconde hypothèse, dont les effets se seraient combinés avec l'action destructrice de petits rongeurs arrivés avec les premières embarcations. Si ce point est tellement discuté, c'est que la présence – attestée par les premiers témoignages – d'une forêt susceptible d'être exploitée dénouerait le mystère du transport et du levage des plus lourdes statues, même si l'on sait aujourd'hui qu'il est possible de procéder à ces deux opérations sans l'aide de troncs ou de rondins. Hormis son extraordinaire patrimoine sculptural, la civilisation pascuane a légué à la postérité intriguée nombre de tablettes porteuses d'une écriture singulière, de sculptures de bois et de pétroglyphes dont l'interprétation est à la source de nouvelles interrogations.

L'énigme des statues monumentales

Si tout, dans l'île de Pâques, semble s'inscrire sous le signe de l'énigme, c'est que la science elle-même y découvre ses limites : déchiffrage incertain des rarissimes traces écrites, chronologie mouvante du fait de la faible fiabilité locale des méthodes de datation, isolement presque total de la civilisation pascuane… Cependant, c'est avant tout à l'étrangeté de ses statues monumentales, les *moai*, que le récif solitaire doit la mystérieuse aura qui caractérise son histoire.

Qui a érigé ces statues? Au nom et au profit de qui? Dans quel but? Patiemment et méthodiquement, les archéologues œuvrent à reconstituer la mosaïque d'une tradition

dont les origines sont perdues dans la nuit du mythe. Le processus de la taille semble désormais pouvoir être correctement restitué : c'est avec des outils de pierre que les premiers occupants de l'Île ont découpé des blocs énormes dans le socle du volcan éteint, Rano Raraku, avant de les transporter sur des distances parfois conséquentes (plusieurs kilomètres) et de les installer, seules ou alignées par rangées, sur des plates-formes, les *ahu*. Les flancs du volcan ne constituent cependant pas une carrière, dans l'acception usuelle : sacrés, ils recèlent une énergie primitive dont les statues sont chargées d'assurer la diffusion sur toute l'Île. Si la pierre volcanique se soumet malaisément au test du carbone 14, elle conserve admirablement les traces d'érosion qui permettent de proposer une chronologie cohérente. Or, les résultats de cette étude n'ont pas manqué de surprendre les spécialistes, puisque, pour l'essentiel, la création des monumentales figures pétrifiées aurait eu les XVIIe et XVIIIe siècles pour cadre temporel ! C'est à cette époque que la production s'en interrompt, probablement de façon assez brutale. Les archéologues ont acquis cette conviction en relevant, autour du principal chantier de l'Île, sur les flancs du volcan Rano Raraku, nombre d'outils et d'éclats de tuf attestant la soudaineté de la fin de cette industrie. À quelle catastrophe, humaine ou naturelle, l'attribuer ? Là encore, le défaut de sources écrites est d'autant plus cruel qu'il favorise toutes sortes de querelles, parfois nuancées de singulières préventions idéologiques.

Héros de l'épopée du *Kon Tiki*, Thor Heyerdahl s'est attaché à démontrer, avec l'aide d'une douzaine d'autochtones, qu'il était possible, en usant de moyens rudimentaires, de déplacer les grandes statues et de les installer sur un socle préparé à cet effet. C'est même l'un de ses compagnons, Juan Atan, qui retrouva la meilleure façon de procéder, en soulevant, centimètre par centimètre, la statue couchée grâce à des leviers, et en glissant sous elle de petites pierres pour l'empêcher de reprendre sa position initiale. Enfin, en 1978, une découverte presque fortuite a donné un sens tout nouveau à la genèse et à l'installation de ces géants, un œil taillé en coupelle s'ajustant idéalement à l'orbite de la grande figure au pied de laquelle il venait d'être trouvé. Ainsi, les statues, loin de fixer mystérieusement l'infini du ciel ou du firmament, étaient-elles pourvues d'un mode de captation visuelle propre à assurer la sécurité du territoire couvert par leur regard, ce qui explique qu'elles tournent le dos à la mer.

Depuis son inscription au Patrimoine mondial de l'Unesco, l'Île est protégée et placée sous la surveillance étroite de la communauté scientifique qui soutient le combat de la population pour la préservation de son histoire millénaire et de ses exceptionnels vestiges.

L'escale de La Pérouse à Rapa Nui

Dans l'histoire moderne de Rapa Nui, l'expédition menée en 1786 par Jean François de La Pérouse se signale par un humanisme directement puisé à la source des Lumières. Accueilli par des centaines d'indigènes dont il note la pacifique allégresse, le marin, qui a interdit tout acte de violence, relève scientifiquement les particularités naturelles et monumentales de l'Île. Par la même occasion, il offre aux habitants de nouvelles races animales destinées à l'élevage ainsi que de nouvelles semences. Esprit curieux, il est aussi le premier à relever les désastres de la déforestation, qu'il attribue cependant à une malencontreuse ignorance. Dans le même temps, il salue une organisation sociale telle que, croit-il, « trois jours de travail suffisent à chaque Indien pour se procurer la subsistance d'une année ».

Têtes géantes de Rano Raraku (pointe orientale).
Sur les flancs du volcan Rano Raraku, gisent quelque 400 statues qui, achevées ou non, appartiennent à cette ultime génération distinguée par l'allongement presque démesuré de la tête, la finesse des lèvres maussades, l'étirement des oreilles et la forte saillie du menton et des arcades sourcilières.

Chichén Itzá LE DERNIER GRAND SITE MAYA

Dans la péninsule mexicaine du Yucatán, Chichén Itzá, très ancien site maya, doit son nom aux sources du lieu, *chi* signifiant «bouche», *chén*, «puits» et *Itzá* étant le nom du peuple fondateur de la Cité en 534 après J.-C. Centre religieux, à partir du xe siècle, d'une brillante civilisation maya-toltèque, Chichén Itzá est le seul foyer du Yucatán à avoir conservé sa population au temps du déclin maya.

[MEXIQUE, CLASSÉ EN 1988]

Le métissage culturel et religieux ressortit ici à l'évidence, l'architecture maya imposant ses modèles (pyramide, jeu de balle, observatoire, etc.), à un centre marqué par de nouveaux impératifs rituels et spatiaux hérités de l'aire toltèque, laquelle place la vertu guerrière au-dessus de la dévotion sacerdotale. Dédié à Quetzalcóatl, le centre est aussi célèbre pour son cénote, un puits naturel de 60 m de diamètre et 20 m de profondeur dont l'usage et la fonction conservent une part de mystère.

Les monuments de Chichén Itzá

Au cœur du site, la pyramide aux neuf étages qui symbolisent les neuf régions du Monde souterrain est dressée sur un carré de 55 m de côté. Ayant conservé le nom de Castillo donné par les Espagnols, elle offre, de sa terrasse sommitale, une vue panoramique sur les édifices voisins. Son orientation a été conçue de telle sorte qu'aux équinoxes de printemps et d'automne, le soleil produit, venue des arêtes de la pyramide, une ombre qui donne aux rampes des escaliers l'apparence illusoire d'un énorme corps de serpent. La rude déclivité des pentes pose parfois problème aux visiteurs, d'où l'installation d'une corde bien utile pour la descente (les anciens habitants du lieu étaient-ils donc insensibles au vertige?). Un étroit tunnel ouvert sous l'escalier donne accès à une crypte qui abrite un trône de pierre en forme de jaguar dardant ses yeux de jade sur une figure de pierre préposée aux offrandes. De retour à l'air libre, le visiteur tourne ordinairement ses pas vers l'étrange observatoire que sa rotondité a conduit les Espagnols à baptiser Caracol (Escargot); là était étudiée et transcrite la course des étoiles à travers le firmament.

Le Chac Mool.
Sur la plate forme du temple des Guerriers, l'extraordinaire portique se signale avant tout par le surgissement – au pied de piliers figurant leurs corps – de deux formidables têtes de serpents encadrant la statue du Chac Mool, image d'un homme assis, accoudé au sol et le dos légèrement penché vers l'arrière, les jambes repliées, posture qui assure l'unité formelle du personnage. Posé sur son abdomen, un plateau recevait les offrandes sacrées des officiants, Chac Mool étant l'intercesseur des hommes auprès des dieux.

Joueur de balle.
Haute de 15 cm, cette figurine de terre cuite, conservée au musée national d'anthropologie de Mexico, est d'un saisissant réalisme. La restitution du mouvement, notamment, y est exceptionnelle, le joueur étant représenté à l'instant où il se jette à terre, calé sur son genou gauche, pour recevoir la balle.

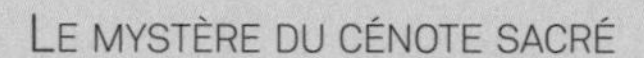

Le mystère du cénote sacré

Quelle fut la véritable fonction du cénote sacré, que l'imagination collective s'est hâtée de transformer en énorme puits sacrificiel ? Diverses équipes de plongeurs y ont trouvé de nombreux objets d'or et de jade ainsi que des ossements appartenant surtout à de jeunes enfants. Faut-il conclure à la barbarie sanguinaire d'une civilisation pratiquant le sacrifice humain pour tenter de se concilier les bonnes grâces du dieu Chac, en cas de sécheresse ? De jeunes vierges chargées de précieux ornements auraient de la sorte été précipitées au fond du puits au cours d'une solennelle cérémonie matinale ; mais il est aussi possible que ces restes soient ceux de malheureux enfants trop tôt décédés et symboliquement jetés dans cette cuve sacrée pour y recevoir une ultime purification.

Quelques pas encore, et l'on se trouve devant le temple des Guerriers qui possède des fresques retraçant la conquête de la péninsule par les Toltèques. Le seuil du temple posé sur un haut socle est encadré par deux piliers prolongés à la base par deux effrayantes têtes de serpents, sentinelles menaçantes du Chac Mool, figure pétrifiée et impassible dont le plateau ventral reçut, des siècles durant, les cœurs encore palpitants des prisonniers sacrifiés. Au flanc de l'édifice, le temple des Mille Colonnes rassemble une monstrueuse forêt de piliers taillés en autant de figures du Serpent à plumes.

Le jeu de balle « à qui perd meurt »

C'est à Chichén Itzá que l'on trouve le plus vaste « terrain de sport » de l'aire maya : encadré par deux murs verticaux de 8 m de haut dans lesquels sont scellés deux grands anneaux de pierre, il se développe sur une longueur de 160 m, l'aire sportive proprement dite étant délimitée par un périmètre de 95 m × 35 m qui se termine par deux extrémités en forme de « T ». Nous connaissons assez bien les règles du jeu de balle grâce aux chroniqueurs espagnols. Il s'agissait de faire passer une balle de caoutchouc d'un poids respectable (2 à

Le Castillo.
Cette magnifique pyramide dédiée à Kukulcán (nom maya du légendaire Serpent à plumes, Quetzalcóatl) recouvre un édifice maya-toltèque plus petit. D'une hauteur de 24 m, elle est formée de neuf degrés gravis, sur chaque façade, par un escalier d'une seule volée qui mène au temple sommital constitué de deux pièces voûtées selon le principe maya. Chacune des deux rampes de l'escalier nord représente le corps d'un serpent colossal dont la tête jaillit au pied de l'édifice; l'orientation de la pyramide est telle que l'illumination illusoire de l'énorme reptile par le soleil est saisissante les jours d'équinoxe. Le total des marches de l'édifice est égal à celui des jours de l'année (365).

3 kg) à l'intérieur des anneaux scellés aux murs; interdiction étant faite de la frapper avec les mains ou avec les pieds, il convenait donc de la propulser avec les épaules, les genoux ou les hanches, sans jamais la laisser toucher terre. Ce jeu d'adresse, très physique, avait toute l'apparence d'une grande cérémonie rituelle, le nombreux public saluant la victoire d'une des équipes en lice comme la marque d'une faveur divine. Ce public devait d'ailleurs se montrer aussi patient que passionné, les parties dépassant parfois la durée d'une journée. Quant au prix de la défaite, il était d'une singulière lourdeur, puisqu'il y allait tout simplement de la vie! Les bas-reliefs de la terrasse orientale le rappellent brutalement, qui nous montrent, par exemple, une balle contenant un crâne humain dont la mâchoire laisse échapper deux grandes volutes symbolisant le passage du vaincu vers une nouvelle vie; le premier joueur de l'équipe gagnante tient dans sa main la tête du premier joueur, agenouillé, de l'équipe perdante. Du cou du supplicié jaillissent sept serpents, chiffre symbolique dont on peut retrouver un étonnant effet sonore sur le terrain même; il suffit de claquer dans ses mains et de tendre l'oreille pour percevoir une série de sept échos! À se demander pourquoi les hommes aiment à se montrer si souvent aussi cruels qu'ingénieux!

Mesa Verde LA MÉMOIRE AMÉRINDIENNE

Inscrit sur la liste du Patrimoine mondial de l'Unesco, le parc national de Mesa Verde est situé dans le sud-ouest du Colorado, sur un haut plateau couvert d'une nappe sylvestre de cèdres, de yuccas et de pins qui lui a valu son nom espagnol de «Table verte». On y trouve une remarquable concentration d'habitats ancestraux nichés au creux d'excavations naturelles, parfois taillés à même le grès des falaises par des hommes dont la civilisation brilla d'un feu particulier aux XIIe et XIIIe siècles. [ÉTATS-UNIS, CLASSÉ EN 1978]

Créateurs de plus de 4 400 sites habités, villages du sommet de la Mesa ou abris aux pièces multiples aménagés dans les falaises, ces hommes, répartis en plusieurs groupes dans les États actuels du Colorado, de l'Utah, de l'Arizona et du Nouveau-Mexique, formèrent l'essentiel du peuple Anasazi. Ce peuple, aussi doué pour l'irrigation de la terre que pour l'observation du ciel, a laissé par ailleurs à la postérité, dans les domaines de la céramique décorée, du tissage et du dessin sur roche, nombre d'objets artistiques et autres vestiges cultuels et monumentaux.

Depuis la nuit des temps...

Il faut remonter 60 millions d'années pour comprendre la nature de l'habitat de Mesa Verde, la structure géologique si particulière du lieu résultant du retrait progressif de la mer qui le couvrait. Beaucoup plus tard, les abris naturels des falaises furent occupés par les premiers hommes, mi-nomades mi-cultivateurs; au VIe siècle apr. J.-C., ces hommes vivaient encore au sommet de la Mesa, dans des cavités semi-souterraines. C'est seulement vers l'an mil qu'ils mirent au point les techniques architecturales leur permettant d'aménager un nouveau type d'habitation à plusieurs pièces.

Le site de Cliff Palace.
Caractérisé par ses deux tours saillantes, l'une circulaire, l'autre à plan carré et constituée de quatre étages, le site de Cliff Palace s'inscrit dans une énorme cavité naturelle de 100 m de longueur pour une profondeur de 27 m et une hauteur de 18 m. C'est à la hache de pierre que les habitants réguliers (de 100 à 250 personnes selon les estimations) de ce colossal abri ont édifié leurs logements; les archéologues ont relevé sur place un total de 217 pièces, auxquelles il leur a fallu ajouter 23 *kiva*, cavités semi-souterraines creusées en cercle et très probablement destinées aux cultes rituels.

Au XIIe siècle, au moment même où l'Île-de-France lance ses cathédrales gothiques à l'assaut du ciel, les villageois du secteur de Mesa Verde se regroupent par unités plus importantes, peut-être pour se renforcer, et développent un art du quotidien qui embellit leurs objets les plus usuels. À l'aube du XIIIe siècle, changement brutal : pour une raison ignorée, mais probablement liée à leur sécurité, ces mêmes Indiens émigrent soudain de leurs villages vers les habitations, hâtivement construites, des falaises. Installation d'ailleurs temporaire : un siècle plus tard, à peine, tous les sites des canyons sont abandonnés : épidémie? sécheresse? épuisement des sols? Les archéologues se perdent en conjectures sur les causes de cet abandon dont aucune explication n'est pleinement convaincante.

Le palais de la Falaise

Si Mesa Verde doit son nom aux explorateurs espagnols du XVIIe siècle, c'est seulement vers la fin du XIXe siècle que des géologues intrigués prirent les premières photographies d'habitations taillées dans les nombreuses anfractuosités des gorges locales. La découverte du site principal revient à deux cow-boys qui, partis au cœur de l'hiver 1888 à la recherche de leur bétail égaré dans le blizzard, aperçurent soudain, au milieu des rafales de neige, l'extraordinaire ensemble aujourd'hui connu sous le nom de Cliff Palace (palais de la Falaise), découverte à laquelle la presse nationale donna instantanément un grand écho. Comme sur presque toute la surface du continent américain, ce fut l'appât du gain et non la curiosité culturelle qui précipita presque aussitôt, vers Mesa Verde, des foules de chasseurs de trésors et autres impudents pillards, manieurs de dynamite quand l'accélération du rythme de leurs brigandages l'exigeait.

Préserver ce qui peut encore l'être

Depuis quelques années, les envahisseurs du site sont beaucoup plus pacifiques et animés de bien meilleures intentions. Du monde entier, mais en premier lieu de tous les horizons des États-Unis, des foules se précipitent à la rencontre de ce patrimoine colossal et fragile. Cet engouement n'est pas neutre ; le sanglant génocide des populations autochtones par les colons européens a laissé des traces profondes dans la conscience de tous les hommes de bonne volonté qui, à défaut de pouvoir ressusciter les victimes, ont à cœur de préserver ce qui reste de cet émouvant héritage. Or, si la nature a depuis longtemps repris tous ses droits sur le plateau et ruiné à jamais les anciens villages, les habitations des falaises ont bénéficié, après sept siècles d'oubli, d'un surprenant état de conservation. Pour n'en rien altérer, les autorités locales réglementent sévèrement l'accès aux ruines : le nombre des visiteurs est réduit, leur cheminement strictement balisé. L'escalade d'échelles amovibles et le parcours d'étroites sentes dominant le vide ajoutent beaucoup à l'agrément de la visite : hivernale, cette dernière bénéficie de la tiède caresse des rayons que la course basse du soleil projette au fond de la cavité ; estivale, elle se déroule à l'ombre bienfaisante assurée par l'énorme surplomb rocheux qui masque l'astre du jour à son zénith.

Cliff Palace, la tour principale. Toutes les maisons sont collées les unes aux autres, ce qui ne facilite pas la tâche des historiens attachés à retrouver la fonction des divers édifices ; il est malaisé, par exemple, de connaître le rôle exact de la haute tour : siège du pouvoir? poste de guet? sanctuaire? Les accès ne descendent jamais jusqu'au sol, l'entrée nécessitant l'aide d'une petite échelle ; la rigueur du climat explique la petitesse des ouvertures, fermées par une pierre à la saison froide, par une natte en été.

Les pétroglyphes de Mesa Verde figurent souvent des animaux, ce qui atteste l'importance de la chasse, mais ils mettent aussi en scène, comme ici, des groupes humains, voire des familles, en plein exercice de danse rituelle sur fond sonore de musique percussive.

Peuples des canyons et des déserts

Au sud-ouest du territoire nord-américain, les grands peuples des canyons et des déserts furent les Pueblo, cultivateurs de maïs et de tabac, les Apaches, nomades et chasseurs, et les Navajo, éleveurs et artisans. Célèbre pour la qualité de sa vannerie, le peuple apache fut victime de l'avidité des colons à la fin du XIXe siècle, de l'or ayant été découvert en Arizona dès l'année 1863. Ni le courage au combat ni l'intelligence tactique d'un Cochise ou d'un Geronimo ne furent suffisants ; aujourd'hui, la population apache – environ 50 000 personnes – est répartie dans des réserves. Plus chanceuse, l'ethnie navajo rassemble quelque 220 000 individus, disséminés dans les États de l'Arizona, de l'Utah, du Colorado et du Nouveau-Mexique ; l'artisanat et le tourisme sont ses principales ressources.

Machu Picchu LE MYTHE DE LA CITÉ PERDUE

Montagneux, tropical, juxtaposant précipices insondables et vertigineuses falaises, cieux tourmentés et torrents impétueux, le site de Machu Picchu, inscrit au Patrimoine mondial de l'humanité par l'Unesco, ne manque jamais de déconcerter le voyageur par sa splendeur sauvage. Sa plus belle voie d'accès demeure le «chemin de l'Inca», qui part de la vallée sacrée et convie à une inoubliable excursion de plusieurs jours, par des cols de plus de 4 000 m, des versants abrupts, des forêts inextricables et par nombre de citadelles oubliées. [PÉROU, CLASSÉ EN 1983]

Dans la seconde moitié du XVIe siècle marquée par le triomphe définitif des Espagnols, les témoignages recueillis par les compagnons de Pizarro n'évoquent pas directement Machu Picchu, mais renvoient à des sanctuaires secrets dédiés au culte des morts; aussi est-il à peu près impossible de savoir si la citadelle est restée totalement isolée dans son écrin sauvage ou si certains de ses cruels vainqueurs en ont forcé le secret. D'une poignante sévérité, l'antique cité inca – plus de 250 monuments répartis sur 35 hectares – était encore habitée lors de sa redécouverte au début du XXe siècle.

Vue aérienne. À 2 360 m d'altitude, Machu Picchu s'inscrit dans l'un des plus beaux paysages du monde, le long d'un promontoire granitique protégé sur trois côtés par de vertigineux abîmes couverts de forêts impénétrables et dominant de plusieurs centaines de mètres le fleuve Urubamba. Nous ne savons presque rien de la vie dans cette citadelle antique que les Espagnols ne découvrirent peut-être jamais, tout restant ici sous le signe du mystère et de l'hypothèse, à commencer par l'abandon presque total de la Cité : famine, épidémie, conflit local? C'est l'une des plus captivantes énigmes de Machu Picchu que celle de la disparition de ses habitants après 1540, date de la campagne victorieuse menée par l'occupant contre les dernières forces de l'empire disloqué; les chroniques parlent alors d'une mystérieuse «Cité perdue», siège de la toute dernière résistance à l'envahisseur jusqu'à l'année fatidique de 1572, qui marque l'effondrement définitif du monde inca.

La découverte archéologique

Dans ce décor fantastique vivaient donc, à cette époque, deux familles indiennes, celles de Melquiades Richarte et d'Anacleto Alvarez. Cultivant quelques arpents pour leur propre subsistance et ayant aménagé leur habitat près d'une des nombreuses sources locales, c'est le 24 juillet 1911 qu'elles reçurent la visite de voisins accompagnés par un étranger, le professeur Hiram Bingham – lequel, stupéfait, contempla ainsi pour la première fois le site de Machu Picchu, qu'il devait soigneusement explorer jusqu'en 1915, en compagnie de nombreux archéologues et autres experts. Jusqu'à nos jours, la cité sacrée a été fouillée par un nombre incalculable d'archéologues, dont les plus éminents demeurent Jacobo Rauss, Manuel Chávez Ballón, José Luis Lorenzo, Alfredo Valencia, Arminda

Gibaja, José González, Marino Sanchez, Julinho Zapata ou Fidel Ramos Condori. Ces hommes, à qui reviennent l'entretien et la conservation de l'aire monumentale, se sont aussi attachés à en dévoiler tous les mystères.

Quartier agricole et porte du Guet. Le secteur agricole, par nature moins bâti, est compartimenté en deux zones : la partie supérieure agrège le total de cinq enceintes et d'une quarantaine d'*andenes* (terrasses artificielles); la partie inférieure compte sept enceintes pour environ quatre-vingt *andenes*. La distribution du secteur est assurée par les escaliers de pierre qui s'ouvrent en éventail ou suivent les murs de soutènement. Épousant la ligne des courbes de niveau, les *andenes* se fondent de la façon la plus naturelle dans leur cadre sauvage. Au sommet, le poste de guet, restauré, contrôlait deux grandes voies d'accès au site, le «chemin de l'Inca» et celui du Pont Levant.

Machu Picchu, cité laborieuse

La fouille des tombes de Machu Picchu n'a pas laissé de surprendre les historiens. Par exemple, la très forte proportion féminine (environ quatre femmes pour un homme) y ruine l'hypothèse d'une population exclusivement locale. Affectées à l'agriculture ou à l'artisanat, ces femmes, d'origine étrangère, étaient très probablement déplacées vers la haute cité pour y travailler au service de l'Inca. Autre surprise, les corps exhumés ne révèlent rien, ni par les armes ni par les traces de blessures, des désordres guerriers du temps. L'étude anatomique des restes des défunts, enfin, a donné aux scientifiques la certitude que les origines des personnes inhumées étaient très diverses, renvoyant à plusieurs régions de l'immense Empire inca. Par ailleurs, la mise au jour de la pierre du Condor, autel en forme de rapace, laisse supposer la pratique des sacrifices humains, le petit canal percé à hauteur de la tête permettant l'écoulement du sang. Les objets, domestiques ou ornementaux, trouvés dans les tombes locales sont modestes; l'absence de toute trace d'or ou de métaux précieux est peut-être la conséquence de pillages que nous ne pouvons que supposer. L'étude des aménagements de Machu Picchu révèle aussi que la science agricole des Incas reposait tout à la fois sur leur capacité à étager les terrasses (*andenes*), sur une technique de conservation ayant nécessité la construction d'entrepôts spécialement aménagés, et sur une parfaite connaissance des cycles astronomiques.

Intihuatana.
Probablement destiné à l'observation astronomique, l'Intihuatana, bloc de pierre taillée jailli de la terrasse supérieure, eut peut-être pour fonction de matérialiser la marche apparente du soleil, de façon à planifier les activités agricoles.

CI-DESSOUS : ***Vase anthropomorphe à gobelet communicant.***
Réalisée en or et en turquoise, cette statuette est révélatrice de la profonde influence de la statuaire chimu sur son homologue inca. L'ingéniosité de l'agencement et le soin apporté à l'équilibre des volumes touchent ici à une perfection dont on ne trouvera que peu d'exemples au sein des civilisations andines.

Le génie bâtisseur des Incas

Le voyageur ayant emprunté le «chemin de l'Inca» arrive à Machu Picchu par sa partie supérieure, le quartier des Agriculteurs, avant de gagner l'esplanade rectangulaire de l'Inti Pampa, centre nodal des douze quartiers abritant différentes catégories sociales et séparés par des remparts. C'est dans la partie haute de la ville que se trouvait le quartier sacré, dominé par l'Intihuatana («poteau d'ancrage du Soleil»), protégé par le Torréon, massive tour au contour circulaire. Alentour, les divers quartiers d'habitation regroupent des maisons rectangulaires, dont tout laisse supposer qu'elles furent aménagées en fonction directe du statut social de leurs occupants. À Machu Picchu, tous les édifices se plient au grand principe de la construction inca, à savoir le décroissement progressif des supports et des murs vers le haut et la forme trapézoïdale des ouvertures, disposition qui, des siècles durant, prouva son efficacité contre les ravages des séismes, fréquents en cette partie du monde. Les murs sont formés de blocs irréguliers mais étroitement intriqués, les terrasses sont garnies de terre, de gravier et de sable absorbant l'humidité; les toitures – toutes ont disparu, mais certaines ont été reconstituées – étaient en chaume. Machu Picchu abrite également un mausolée royal, des prisons et des temples – dont le célèbre temple des Trois Fenêtres qui ouvre sur la place centrale.

L'AIRE ANDINE AVANT L'ARRIVÉE DES ESPAGNOLS

Si les Incas restent le peuple emblématique de l'aire andine précolombienne avant l'arrivée catastrophique des Européens, ils avaient été précédés par de très brillantes civilisations. La première, celle de Chavín de Huántar, était née vers 1500 avant J.-C., d'autres s'étaient développées au temps de l'Empire romain : les Paracas, aux merveilleux tissus, en constituent le meilleur exemple, suivis par les Chinchas. Plus au sud et plus tard (du VIIIe au XIIe siècle), Tiahuanaco a rayonné, monumentale et sévère, à partir des rives du lac Titicaca; enfin, au XIIe siècle, l'Empire chimú est réduit par les Incas, désormais sans adversaires de force égale. La construction de Machu Picchu, au XVe siècle, coïncide donc avec l'affermissement de l'Empire inca, dont elle incarne la splendeur et illustre la puissance. Le soin apporté à sa conception et à sa réalisation ne manque jamais de susciter l'admiration non plus que d'aviver les regrets quant à l'anéantissement d'une civilisation aux si grandioses réalisations.

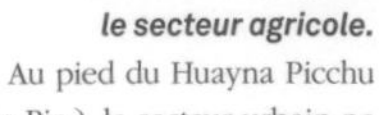

DOUBLE PAGE PRÉCÉDENTE : ***Vue sur la Cité depuis le secteur agricole.***

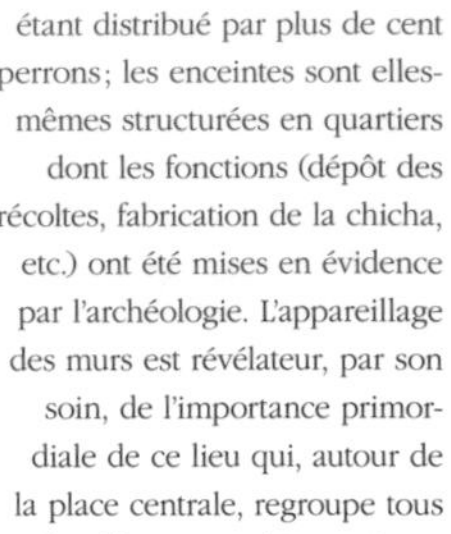

Au pied du Huayna Picchu («Jeune Pic»), le secteur urbain ne groupe pas moins de 172 enceintes aux formes variées, l'ensemble étant distribué par plus de cent perrons; les enceintes sont elles-mêmes structurées en quartiers dont les fonctions (dépôt des récoltes, fabrication de la chicha, etc.) ont été mises en évidence par l'archéologie. L'appareillage des murs est révélateur, par son soin, de l'importance primordiale de ce lieu qui, autour de la place centrale, regroupe tous les éléments architectoniques majeurs d'une véritable ville, temples, fontaines, escaliers, autels… presque toujours taillés dans la dure roche du granite.

Un mausolée géant

Presque un siècle après sa découverte, les archéologues ont, dans leur grande majorité, acquis la quasi-certitude que Machu Picchu (littéralement, «Vieille Montagne» ou «Vieux Pic») ne fut autre – du haut de sa crête sommitale et au fond de son sauvage écrin à peu près inaccessible – que le mausolée géant de l'Inca Pachacutec, fondateur de l'Empire inca vers 1430. Érigé selon les traditions locales sous la direction même de Pachacutec, le grand site sacré a conservé, à seulement quelques jours de marche (112 km) de la capitale Cuzco (littéralement, le « Nombril » du monde), nombre d'édifices initialement couverts d'or, dédiés à des cérémonies sacrificielles, mais aussi divers autels, places, jardins et autres fontaines qui ne manqueraient pas d'approfondir son mystère si l'on excluait précisément l'hypothèse du sanctuaire impérial. Ses habitants, de 200 à 300 selon les estimations, étaient d'un rang social élevé, voire directement inscrits dans la descendance de l'Inca.

À G : ***Vase représentant un homme portant une aryballe.*** Haute de 22 cm, cette statuette en céramique polychrome du musée ethnologique de Berlin a été trouvée sur le site de Pachacamac, non loin de Lima. Le poli parfait de la surface et le soin porté au décor géométrique laissent supposer une production industrielle, placée sous la surveillance de l'État.

Des quartiers bien définis

Par commodité, les archéologues divisent le sanctuaire en trois zones principales : secteur agricole, secteur urbain et pic de Huayna Picchu. De nombreux passages relient entre eux tous les édifices et toutes les places; la forte déclivité du terrain explique la présence de très nombreux escaliers dans cet ensemble, par exemple autour de la place centrale, qui est tout à la fois le cœur sacré de la cité et sa principale plate-forme de distribution. Au-dessus d'elle, le mausolée royal, le palais princier, le temple principal et l'Intihuatana semblent vouloir concentrer le siège de tous les pouvoirs organisant la marche immuable des acteurs du lieu. Quant à la vaste place centrale, elle est elle-même décomposée en un certain nombre de terrasses étagées sur un plan globalement rectangulaire.

Le visiteur soucieux de découvrir l'une des plus belles et des plus émouvantes apparitions du monde entreprendra enfin l'escalade, rude mais parfaitement balisée, du Huayna Picchu, jailli des tréfonds de la vallée lointaine du fleuve Urubamba pour dominer la citadelle. Gravissant l'escalier taillé à même le roc, il y rencontrera, au prix d'un détour dévoilant de vertigineuses perspectives, le temple de la Lune aux trois portes trapézoïdales, puis poursuivra jusqu'au sommet (2 720 m), mirador idéal d'un panorama sans rival.

Temple des Trois Fenêtres. Rectangulaire, le temple des Trois Fenêtres doit son nom aux grandes baies trapézoïdales qui semblent ouvrir sur l'inconnu. L'édifice, qui se dresse à une dizaine de mètres au nord de la place centrale est constitué de murs puissants aux pierres polygonales; il reste, pour seule trace de sa couverture, un pilier de pierre, soutien évident du toit. À l'ouest, une pierre taillée, qui a tôt attiré l'attention des archéologues, illustre les trois niveaux de l'univers inca : Hanan-Pacha (Ciel), Kay-Pacha (Terre) et Ukju-Pacha (Monde souterrain). La fonction du temple reste hypothétique, mais il est certain que l'édifice fut un haut lieu de la vie spirituelle locale.

Masque inca.
Saisissant par la fixité de son regard et le réalisme de ses traits, ce masque inca du XVe siècle (conservé au Völkermuseum de Berlin) appartenait peut-être à une momie partiellement détruite. Sollicitant équitablement le bois et le textile, il semble refléter tout à la fois la terreur et l'espérance liées, par-delà la mort physique, au concept d'éternité.

Cuzco NOMBRIL DU MONDE INCA

Située sur le versant ouest de la Cordillère orientale des Andes, à 3 400 m d'altitude, Cuzco, ancienne capitale inca fondée vers 1200, est aujourd'hui une ville de plus de 300 000 habitants, dont le centre historique a été inscrit sur la liste du Patrimoine mondial de l'Unesco. De l'antique cité, les conquistadores espagnols du XVIe siècle ont conservé la structure, mais en la couvrant d'églises et de palais directement dressés sur les soubassements des grands édifices ruinés. [PÉROU, CLASSÉ EN 1983]

Remarquable par la douceur de son climat, le site de Cuzco a depuis longtemps incité divers groupes d'hommes à s'y installer. Au début du XVe siècle, l'ethnie chanca, jusque-là localisée dans la région d'Ayacucho, se heurte à la farouche résistance de la population locale, animée et dirigée par l'Inca Viracocha ; durant plusieurs mois, les assaillants multiplient les assauts et il faudra, lors même qu'ils sont parvenus aux portes de la Cité, toute l'énergie du fils de Viracocha, l'Inca Yupanqui, pour en venir à bout vers 1438. Devenu souverain sous le nom de Pachacutec, ce même Inca entreprend une reconstruction complète de la cité de Cuzco. Au long d'un chantier d'une vingtaine d'années surgit ainsi, aménagée selon un plan en damier et parcourue de rues pavées et resserrées, une ville inédite ; son plan général – assez malaisé à reconstituer aujourd'hui – suit le schéma approximatif de la silhouette d'un puma. Juste avant l'arrivée des Espagnols, Cuzco aurait compté quelque 200 000 habitants, chiffre énorme pour le lieu et pour l'époque, mais dont on peut admettre la vraisemblance ; c'est sous la protection de la surpuissante fortification de Sacsahuamán, alors en mesure d'abriter une garnison de 5 000 soldats, que vivait et travaillait la grande capitale de l'Empire Inca.

Sacsahuamán, sentinelle monumentale

«Dans tout le pays, vous ne trouverez pas de murailles aussi magnifiques. Elles sont composées de pierres si grandes, que personne ne peut croire qu'elles y aient été amenées par des êtres humains. Ni l'aqueduc de Ségovie, ni aucune autre construction réalisée par Hercule ou par les Romains ne peut être comparée à celle-ci.» En 1533, c'est en ces termes enthousiastes que le chroniqueur espagnol Sancho Pedro de la Hoz manifeste son

Les murs de Sacsahuamán. Cette forteresse cyclopéenne, dressée sur les hauteurs de Cuzco, est composée de trois remparts parallèles, en dents de scie, longs de 600 m et constitués de blocs monolithiques dont le poids peut dépasser 300 tonnes. Ajustées au point qu'une lame de couteau ne peut être glissée dans leurs interstices, ces colossales enceintes sont reliées par des escaliers et des portes trapézoïdales qui ont résisté à tous les séismes. Devant la forteresse, autrefois garnie de trois tours, s'étend une place immense où a lieu, chaque 24 juin (début de l'année inca), la fête du Soleil, spectacle d'une émouvante grandeur.

admiration et sa stupéfaction face à la cyclopéenne forteresse dressée sur les hauteurs qui dominent la Cité; probablement érigée à l'initiative de l'Inca Pachacutec sur les plans de son architecte Huallpa Rimachi, l'énorme citadelle, poursuivie sous le règne de Tupac Inca Yupanqui et sans doute achevée sous celui de Huayna Capac, demanda une main-d'œuvre de 20 000 à 30 000 hommes sur un chantier d'environ six décennies. En usant de quels moyens techniques pour le transport et l'assemblage des pierres gigantesques qui forment ses remparts en zigzag? Sur ce point, les réponses les plus ingénieuses restent nuancées d'incompréhension et de perplexité.

Si les remparts ont supérieurement résisté aux destructions humaines et naturelles, il n'en va pas de même pour les trois tours principales, dont les seules traces se découvrent au niveau de leurs substructions. La plus imposante, la tour ronde de Muyomarca, avait pour fonction d'abriter l'Inca et son entourage durant certaines périodes rituelles; également circulaire, la tour de Paucamarca, vouée au culte du Soleil et reliée, selon la légende, au temple du Soleil (Corichanca) par des galeries souterraines, reposait sur un socle d'un diamètre de 12 m,

Une rue de Cuzco.
Pour le voyageur étranger, le premier trait de la population de Cuzco, toujours affairée et industrieuse, n'est autre que sa frappante ressemblance – traits, stature et costumes – avec le peuple inca tel que l'iconographie du XVIe siècle nous en a transmis le souvenir.

La Plaza de Armas.
Sous le nom de Huacaypata, cette vaste esplanade fut, jusqu'à la conquête espagnole, le cœur de la grande cité inca. Selon la légende, son périmètre aurait été tracé par Manco Capac en personne, dans le but d'en faire le socle de son empire. Les actuels édifices religieux – cathédrale à gauche, église de la Compagnie à droite – ont été érigés sous la direction des Jésuites au service de la couronne d'Espagne.

mais elle reste surtout remarquable par son étonnante structure en étoile. La tour de Sullamarca, enfin, faisait tout à la fois office de caserne pour la garnison et de dépôts pour la nourriture, les armes et les vêtements de la soldatesque.

À partir de la Plaza de Armas...

Il n'est pas de meilleur seuil à la découverte de cette extraordinaire agglomération que sa place centrale, le Huacaypata («lieu des Lamentations», en quechua), rebaptisée «Plaza de Armas» sous le magistère espagnol. L'atmosphère magique de ce haut lieu des civilisations andines doit autant à son histoire tourmentée qu'à son étonnante luminosité qui favorise la méditation et le détachement spirituel. L'Inca y présida de somptueuses cérémonies militaires, civiles et religieuses, de grandes fêtes liées au calendrier astronomique s'y déroulèrent, les peuples des hauts plateaux vinrent y admirer les démonstrations de force de leurs maîtres et seigneurs...
Aujourd'hui, il ne reste de tout cela qu'un mélancolique et incertain souvenir. Sur les ruines de l'ancien palais du Serpent (Amaru Cancha, du quechua *amaru*, «serpent», et *cancha*, «terrain», «enceinte»), se dresse désormais l'église de la Compagnie de Jésus qui constitue – bien mieux que la cathédrale voisine, qui ne vaut guère que par son admirable maître-autel d'argent – un bel exemple de l'architecture baroque hispano-andine.
À quelques pas de là, l'église de la Merced complète la mainmise de l'architecture catholique sur ce quartier; loin des sévères rigueurs de l'appareil inca, elle présente notamment un merveilleux cloître dont la voûte est l'une des plus parfaites réussites de l'art baroque d'outre-Atlantique.
À l'angle de la Plaza de Armas séparant la cathédrale de l'église de la Compagnie, la rue Loreto se coule entre les deux formidables murailles

Le temple du Soleil

Aucun édifice n'aura fait plus rêver les hommes que le temple du Soleil de l'Empire inca; aucun n'aura provoqué une telle fureur de carnage et de dévastation de la part des conquérants européens. De tous les édifices dédiés à l'astre du jour, le plus célèbre reste celui de Cuzco, le légendaire Coricancha («Cercle d'or», en quechua). D'une longueur de 140 m pour une largeur de 135 m, il brillait de toutes ses parois, corniches, autels, portes et statues, d'or et d'argent, souvent incrustés de pierres précieuses. Au dessus du grand autel, un disque d'or colossal reflétait les rayons du soleil levant. Ivres de cupidité, les Espagnols pillèrent et rasèrent le Temple dans sa totalité, n'en laissant subsister que les fondations sur lesquelles ils érigèrent l'église et le couvent Santo Domingo.

qui soutenaient des palais incas (à la mort de chaque souverain, son palais était muré, d'où la prolifération de ces édifices sur une faible surface); à son extrémité, le couvent de Santo Domingo prend appui sur les fondations de l'ancien temple du Soleil dont ne demeure que le mur curviligne de pierres taillées et jointes avec un soin miraculeux. De cet édifice mythique partaient plusieurs terrasses dont la course descendante vers la rivière Huatanay traversait le Jardin en or qui transforma la cupidité maladive des conquistadores en folie meurtrière. Là encore, le sentiment d'une inexpiable tragédie altère et assombrit la conscience du promeneur.

C'est exactement à l'autre extrémité de la ville que se trouve le célèbre musée archéologique qui entretient la mémoire de la civilisation inca par la présentation de collections exceptionnelles : les céramiques y voisinent avec les momies, les armes avec les tissus… pour une remontée dans le temps que complète la découverte du Palacio del Almirante, conservatoire exclusif de la peinture cuzquéenne. Sur le fond grandiose des hauts plateaux andins, riches d'émouvants sites ruinés, Cuzco se présente ainsi comme le théâtre d'une rencontre inscrite sous le signe d'un violent affrontement entre l'Ancien et le Nouveau Monde, mais dont les vestiges évoquent désormais plutôt la grandeur de l'homme bâtisseur que l'horreur de sa démence destructrice.

La Pierre aux douze angles.
Dans la rue Hatun Rumiyoc, la Pierre aux douze angles, ou «Grande Pierre», se présente comme un énorme bloc polygonal, dont ne on sait ce qui est le plus confondant, de sa formidable puissance ou de la perfection de son ajustement millimétrique à la muraille qui soutient le palais de l'Inca. Nombreux sont les commentateurs qui ont évoqué la coïncidence du nombre de ses angles avec celui des mois de l'année.

Détail d'un «kero» en bois peint.
Conservé au musée inca de l'université de Cuzco, ce *kero*, vase tronconique creusé dans une seule pièce de bois dur, représente un guerrier paré d'une coiffure de plumes, acteur tardif d'une civilisation admirablement organisée et hiérarchisée avant son anéantissement par les Espagnols.

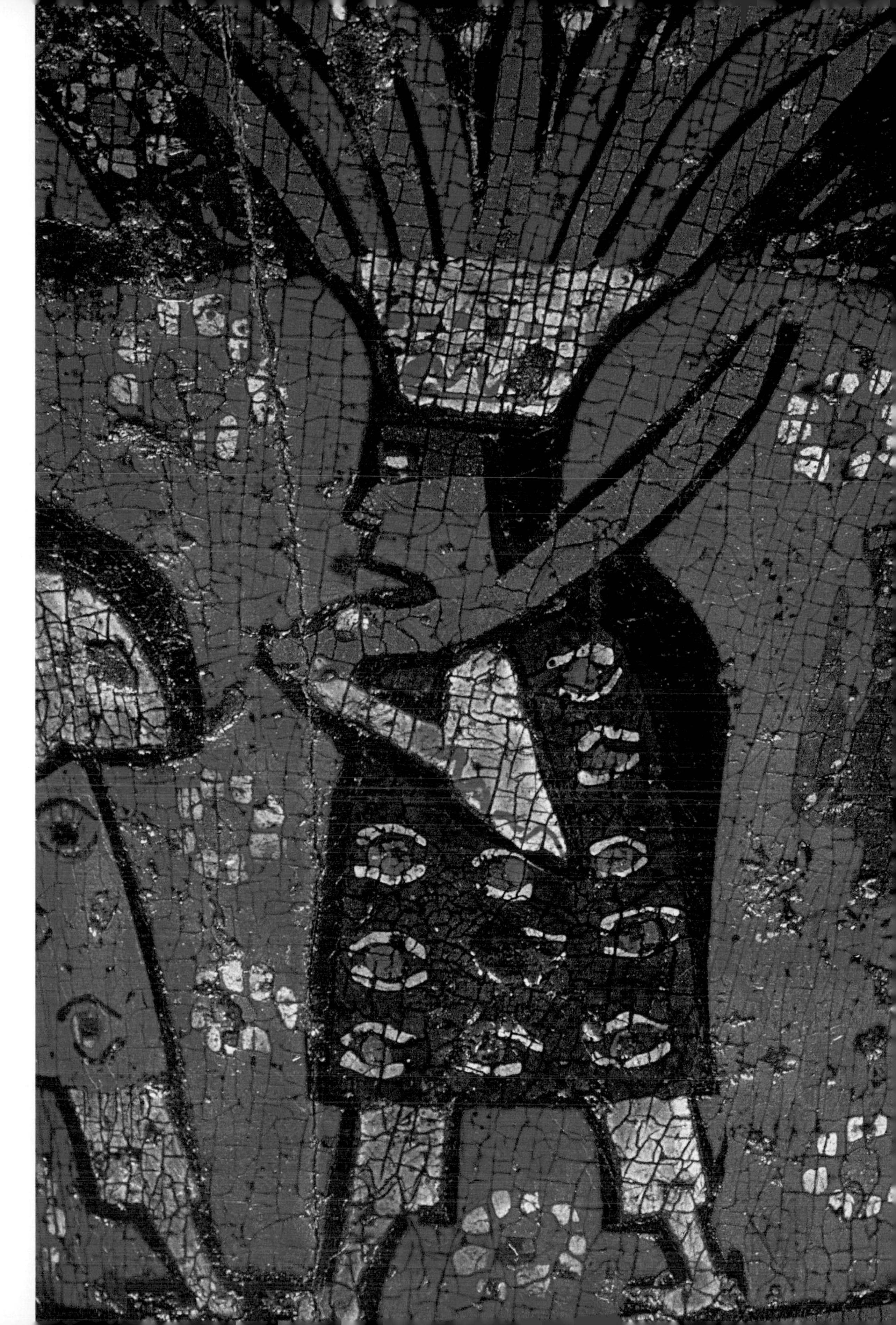

La Havane DU JOUG COLONIAL À LA RÉVOLUTION

À La Havane, l'amateur d'architecture ne doit pas trop spéculer sur l'homogénéité du style, la ville, inscrite sur la liste du Patrimoine mondial, offrant un étonnant assemblage de monuments hétéroclites par la fonction, les formes et la décoration. Des somptueux palais de seigneurs hispaniques aux belles villas tropicales de style Art déco, la cité cubaine présente ainsi, élaboré au fil des siècles, un ensemble irréductible à toute école, dans l'acception européenne du terme.

[CUBA, CLASSÉ EN 1982]

Riche d'un patrimoine considérable d'édifices publics ou privés signalés par leurs arcades, leurs cours intérieures et par les ferronneries de leurs balcons, la vieille cité s'étend autour de la Plaza de Armas, sa plus ancienne esplanade, vaste espace où il fait bon scruter, à l'ombre rafraîchissante des fromagers et des palmiers royaux, les façades baroques qui la ceinturent.

Les traces de l'histoire

Ici, l'histoire a laissé de nombreuses traces aisément déchiffrables, à commencer par le plaisant Templete, qui commémore la signature officielle de l'acte de fondation de la ville en 1519 par Panfilio de Narváez. Dans l'entourage immédiat, le palais baroque du Museo de la Ciudad, le Palacio del Conde de Santovenia, le Castillo de la Fuerza ou le Palacio del Segundo Cabo qui abrite un patio andalou dans la meilleure tradition du XVIIIe siècle, valent surtout par leurs façades à colonnes d'une captivante élégance. Au hasard de toutes les rues et ruelles qui quadrillent la zone centrale, ce sont, en fait, presque tous les édifices qui présentent de magnifiques motifs décoratifs; surtout, les patios et les fenêtres s'y colorent de *medio punto*, une création architectonique typiquement cubaine qui se présente sous la forme d'un vitrail coloré et fleuri posé au-dessus des persiennes, au centre d'arcades néoclassiques. C'est ainsi que le génie local a su transformer et dépasser les influences du vieux continent pour en nuancer ses propres réalisations.

La Vieille Havane

Dans le labyrinthe de placettes, de ruelles aux coudes imprévisibles et d'étroites façades agré-

Maisons sur le Paseo del Prado. Le Paseo del Prado est bordé de hautes maisons, dont certaines remontent à la fondation de la Ville. Le promeneur attentif y découvre diverses influences architecturales, particularité qui atteste la vie tumultueuse d'une cité ayant tôt aiguisé l'appétit des puissances coloniales. À l'inverse d'un archéologue trouvant sur un site les traces de monarques successifs, toujours plus vieux au fur et à mesure qu'il creuse, le visiteur scrupuleux distingue sur les somptueuses façades du Paseo la signature de styles de moins en moins anciens : hispano-mauresque, baroque, rococo, néoclassique, Art nouveau… jusqu'au fonctionnalisme du XXe siècle!

mentées de tours qui caractérisent la Vieille Havane, la prolifération de petites colonnes est telle que la capitale cubaine a parfois reçu le surnom de «cité des colonnes». C'est tout près de la Plaza de la Catedral, toujours animée et colorée, que se trouve, abrité dans une superbe maison coloniale, le Museo de Arte Colonial dont les collections retracent quatre siècles de création régionale. Construite en 1720 pour le gouverneur de Cuba Luis Chacón, cette demeure constitue en soi un magnifique exemple d'architecture coloniale à usage privé, avec ses délicates galeries et ses coquettes ouvertures, signe d'un train de vie fastueux. Présentant, pour sa part, l'une des plus belles façades baroques de toute l'Amérique latine, la cathédrale, érigée de 1748 à 1777, ne se reconnaît en matière d'architecture religieuse qu'un seul rival, le monastère franciscain de la Plaza San Francisco, plus ancien (son chantier a été ouvert en 1628) et témoignant d'une bien plus grande austérité décorative, qui ne fait que souligner son impeccable rigueur formelle.

Marché devant la cathédrale. Au cœur de La Havane, la cathédrale reste un prestigieux manifeste du prosélytisme catholique. Particulièrement mouvementée, selon les canons les plus audacieux du baroque colonial, sa splendide façade en calcaire corallien domine de ses deux étages l'un des parvis les plus joyeux, les plus animés, les plus colorés et les plus parfumés de toute l'Amérique latine, surtout les jours de marché.

Visages du métissage stylistique

Importé de France à la fin du XVIIIe siècle, le néoclassicisme n'a d'autre visage américain que celui de son esthétique Empire, toute de solennité pompeuse et de majesté emphatique; à La Havane, le meilleur exemple en est fourni par le «Capitolio», copie conforme du Capitole de Washington. Le grand bâtiment expose sa masse impressionnante de marbres blancs à deux pas du Gran Teatro, autre réalisation d'une réussite pour le moins discutable, l'abondance et l'épaisseur des colonnes, la majesté des frontons, le caractère immaculé du marbre et le gigantisme des perrons n'ayant jamais, en aucun pays, transformé un pastiche de l'Antiquité rêvée en chef-d'œuvre architectural!

Beaucoup plus séduisante, surgit, autour de la Plaza Vieja, une constellation de résidences baroques dont les façades, surchargées d'ornements sculptés et peints, semblent s'affronter dans un jeu expressif conçu à échelle monumentale. Des masques grimaçants et des monstres en culs-de-lampe s'y répartissent de part et d'autre des arabesques dessinées par les grandes lignes des édifices. En fait d'architecture historique, le versant maritime de La Havane ne le cède en rien au centre-ville. La merveille en demeure le massif Castillo de los Tres Santos Reyes Magos, construit à partir de 1589 pour protéger l'accès du port de La Havane. Il est dominé par un phare imposant qui, détruit par les Anglais en 1762, a été relevé en 1845; de l'autre côté du port, le Castillo de San Salvador de la Punta complète ce dispositif. En cas de danger – les corsaires ont longtemps été la malédiction de l'île cubaine –, une chaîne énorme était tendue entre les deux forts, empêchant l'entrée de tout bateau dans le bassin.

C'est là le plus agréable attribut de la mosaïque havanaise; source d'inépuisables surprises, elle enchante le regard tout en conférant une charge d'émotion et d'humanité à chacun de ses éléments distinctifs.

Maison coloniale sur le Malecón. Tout au long des six kilomètres du boulevard Malecón, grand axe de circulation et sorte de Croisette locale et exotique dessinant en bord de mer un arc de cercle presque parfait, d'admirables demeures coloniales remontant au XVIIIe siècle superposent arcades, balcons et balustrades.

Québec FOYER HISTORIQUE DU NOUVEAU MONDE

Sur le continent nord-américain, de toutes les villes situées au nord de Mexico, Québec est la seule à bénéficier d'un prestigieux passé historique, la seule, aussi, à avoir conservé sa ceinture de fortifications dont les superbes portes donnent accès aux bastions et autres ouvrages défensifs ayant longtemps assuré sa sécurité. L'Unesco ne s'y est pas trompée, inscrivant l'arrondissement historique de la Cité, foyer initial de la civilisation française, sur la liste du Patrimoine mondial de l'humanité en 1985. [CANADA, CLASSÉ EN 1985]

Fondée par l'explorateur français Samuel Champlain en 1608, la ville se signale au premier regard par sa situation, au sommet d'un colossal éperon rocheux dominant le fleuve Saint-Laurent d'une centaine de mètres : c'est là que se trouve la haute-ville, dite aussi «Vieux Québec», centre administratif et foyer religieux, qui abrite la redoute Dauphine, la Citadelle, le château Frontenac, des églises, des couvents, l'hôtel-Dieu, etc. Quant à la basse-ville, lieu d'établissement historique des colons venus de France, elle séduit par l'étonnante conservation et le parfait entretien de ses bâtiments utilitaires au cœur d'une très ancienne structure. Cette frappante césure entre les deux parties de la ville remonte à ses premiers âges ; en haut, les colons – pour l'essentiel des aventuriers, trappeurs et marchands, bientôt suivis par les inévitables missionnaires – avaient installé un fortin pour se protéger d'éventuelles agressions extérieures, en bas, ils avaient aménagé un complexe portuaire, nécessaire à leurs activités commerciales.

Un dynamisme urbain plusieurs fois séculaire

Le château Frontenac, probablement l'édifice le plus célèbre de Québec et du Canada, n'a rien d'un palais militaire ou d'une résidence aristocratique. C'est un immense hôtel, qui eut, dès son édification en 1892-1893, une vocation d'établissement d'accueil, comme si la belle cité canadienne tenait à se présenter, au premier abord, comme un havre ouvert à tous les voyageurs. Symbole de la métropole, le grand et altier édifice bénéficie d'une situation exceptionnelle, dressé sur sa haute terrasse, au-dessus des larges

Crépuscule hivernal à Québec. Surplombant l'estuaire du Saint-Laurent, l'arrondissement historique de Québec se distingue par l'ensemble monumental des édifices qui occupent l'illustre colline sur laquelle fut installé, par les colons français, le premier fort de la future Cité. Progressivement agrandi autour de la résidence du gouverneur et des bâtiments religieux le cernant, le quartier de Vieux-Québec, dominé depuis plus d'un siècle par le château Frontenac (à droite), n'est jamais plus fascinant qu'à l'heure crépusculaire, lorsque les neiges hivernales lui donnent un éclairage d'une surnaturelle séduction.

flots du fleuve Saint-Laurent qui arrosent un immense bassin bordé d'horizons sylvestres et champêtres.

Au hasard des rues étroites, des maisons anciennes, des boutiques de luxe et des édifices publics de la haute ville, le promeneur est toujours surpris par nombre de magnifiques façades attestant l'opulence et le dynamisme de la population depuis le XVIIe siècle. Parmi les plus beaux monuments du XVIIe siècle figurent les églises Notre-Dame de Québec (1633) et Notre-Dame-des-Victoires (1688), ainsi que le couvent des Ursulines (1686) et le Grand Séminaire (1694), qui abrita un temps l'université, fondée en 1852. Du XIXe siècle, on retiendra surtout la Forteresse (1832) et le Parlement (1878). Dans la partie basse, le port a, pour sa part, troqué les fourrures et l'huile de phoque contre le blé et le pétrole.

À L'ORIGINE DE QUÉBEC

C'est au nom de François Ier que Jacques Cartier, remontant en septembre 1535 une rivière qu'il baptise Sainte-Croix (aujourd'hui Saint-Charles), fait ériger un fort de pieux sur le site actuel du parc Cartier-Brébeuf, à faible distance d'un village iroquois, Stadaconé, qui s'adonne aux travaux agricoles. Décimés par le froid et le scorbut, les colons regagnent la France en mai 1536 mais, dès 1541, Cartier revient fonder une colonie, sur ordre de Roberval. Débarqué en août, il installe deux forts ; la rudesse du climat et l'hostilité des autochtones ruinent son projet, avant de provoquer le renoncement de Roberval : le rapatriement des colons, en juin 1543, met fin à la première tentative de peuplement français sur sol américain. Quant au village de Stadaconé, il aura mystérieusement disparu lors de l'arrivée de Champlain en 1608.

Pour qui aime à méditer sur les hasards de l'histoire, le parc voisin, dit les «Plaines d'Abraham», forme le cadre idéal d'une réflexion n'appelant aucune réponse. Car, sans l'incurie de Louis XV, que fût-il advenu du Canada français? Question épineuse si l'on rappelle que Montcalm commença sa campagne par les succès de Chouaguen (1756) et Fort William Henry (1757), avant de triompher des armées anglaises en 1758. Il lui fallait des renforts; Bougainville les demanda, Louis XV les refusa. En 1759, sur les plaines d'Abraham, aux portes de Québec, Montcalm tenta une attaque désespérée contre les armées de Wolfe, très supérieures en nombre, et y perdit la vie. La capitulation de Québec, le 18 septembre de la même année, inaugura pour les colons d'origine française un long cycle d'épreuves – à commencer par un sinistre processus de déportation dont le pouvoir anglais sut toujours prouver la consternante efficacité au sein de son immense empire colonial.

Le château Frontenac. Construit par l'architecte Bruce Price pour la compagnie ferroviaire Canadian Pacific, le château Frontenac (1892-1893) a été ainsi baptisé en l'honneur de Louis de Buade, comte de Frontenac et gouverneur de la Nouvelle-France au XVIIe siècle. L'énorme tour qui lui confère une si majestueuse silhouette date de 1926.

Dynamisme d'une cité à visage humain

Dans la seconde moitié du XXe siècle, Québec a fait preuve d'un surprenant dynamisme, érigeant nombre de nouveaux édifices destinés à l'administration, au commerce, à la banque, voire à la religion. Le meilleur exemple en est peut-être fourni par son ancienne et prestigieuse université Laval, pour laquelle la plus francophone des cités d'Amérique du Nord a installé, dans le quartier Sainte-Foy, au sud-ouest de la ville, un ensemble de bâtiments à faire pâlir d'envie nombre d'établissements européens d'enseignement supérieur. Dans le même temps, Québec a, depuis 1959, équipé son port pour y accueillir de grands pétroliers, qui alimentent la raffinerie de Saint-Romuald, et pour y procéder au transbordement des céréales issues des grandes plaines intérieures. Avec un trafic annuel de presque 20 millions de tonnes, le complexe se situe désormais parmi les plus grands ports canadiens. Ce qui n'a pas empêché la capitale de la «Belle Province» de conserver sa plaisante humanité, loin de cette frénésie industrielle et commerciale qui a, ces dernières décennies, défiguré tant de sites américains.

Jacques Cartier au Canada. Ce détail d'une carte – réalisée aux environs de 1540 par Pierre Descaliers et conservée à la British Library de Londres – célèbre l'aventure du navigateur Jacques Cartier (1491-1557) qui, remontant le fleuve Saint-Laurent en 1535-1536, fut le premier à révéler aux Européens les immensités encore totalement inconnues du grand nord américain.

R. des barques
CANADA.

New York LES GÉANTS DE MANHATTAN

À l'est de l'embouchure de l'Hudson, la ville de New York est implantée sur les trois îles principales de Manhattan, Staten Island et Long Island, ainsi que sur tout un archipel d'îlots, dont Ellis Island, Governors Island, Roosevelt Island ou Liberty Island, le Bronx, séparé de Manhattan par la Harlem River, étant le seul quartier continental d'une cité maritime qui, bien que située à la même latitude que Naples, passe chaque année de la fournaise estivale à la glacière hivernale.

Dès 1524, le navigateur florentin Giovanni da Verrazano découvrit les Indiens iroquois, premiers occupants attestés du site. Puis ce fut le voyage de l'Anglais Hudson en 1609 pour le compte de la Compagnie hollandaise des Indes orientales, l'implantation d'un comptoir de fourrures hollandais en 1613 sous le nom de Nouvelle-Amsterdam, en 1626 enfin, l'achat de l'île de Manhattan par Peter Minuit pour 60 florins. En 1664, les Anglais s'emparent de la ville, la rebaptisent New York et lui assurent une grande prospérité commerciale ; elle restera sous gouvernement britannique jusqu'à la reconnaissance de son indépendance par la Grande-Bretagne (Traité de Versailles du 3 septembre 1783).

Manhattan et son architecture

Cœur battant de l'agglomération new-yorkaise, Manhattan s'étire sur une île longue de 22 km pour une largeur maximale de 3,5 km, entre l'estuaire de l'Hudson, l'East River et la Harlem River, la liaison avec les autres quartiers étant assurée par une dizaine de ponts et quatre tunnels. Sur ses quelque 72 km^2, Manhattan présente un visage urbain caractérisé par de hauts édifices que son sol de gneiss et de grès dur supporte aisément. Géographiquement, son site est idéal : protégé des marées au sud par Long Island et largement échancré vers les terres intérieures, il constitue une voie de pénétration sans rivale vers l'intérieur du continent. Vivier culturel et foyer économique, véritable ville dans la ville, Manhattan reste avant tout le symbole de la mégapole appelée à recevoir une population immense au crépuscule de la civilisation agricole. Ses longues avenues, orientées du nord au sud, et ses rues transversales, qui suivent l'axe est-ouest, forment un damier strict, une grille

Le pont de Brooklyn. Construit de 1869 à 1883, le pont à haubans de Brooklyn, qui franchit l'East River sur une portée principale de 487 m, dispose d'une passerelle pour piétons qui offre d'admirables perspectives. Sa conception est due à John A. Rœbling, relayé après sa mort par son fils, Washington Rœbling qui, lui-même paralysé à vie à la suite d'un accident de plongée, confie l'ingénierie en chef de l'édifice à sa femme Emily. En 1952, le pont sera renforcé sans altération de son aspect initial par David B. Steinman.

orthogonale fidèle au plan établi en 1807-1811. Au centre, la célèbre 5e Avenue fait frontière entre les parties orientale (East Side) et occidentale (West Side) de la Cité ; seule, la populaire avenue de Broadway perturbe cette belle ordonnance par sa trajectoire diagonale. Aux yeux du monde entier, l'image emblématique de Manhattan reste avant tout celle d'une forêt de gratte-ciel, dont la hauteur vertigineuse relève de la prouesse architecturale pliée à la contrainte économique, le prix des terrains ayant très tôt atteint des sommets sur l'Île.

De la première palissade aux murailles des gratte-ciel

Simple comptoir protégé par une palissade de bois à l'aube du XVIIe siècle, Manhattan compte moins de 1 000 habitants en 1653. Mais sa croissance démographique est telle

Manhattan de nuit.
New York, fille américaine de la civilisation européenne, n'est pas seulement la plus illustre cité du continent nord-américain. Dans l'imaginaire collectif et universel, elle demeure ce qu'elle fut, un siècle durant, pour des millions d'immigrants venus d'Europe, le seuil du rêve, le creuset dans lequel devaient fusionner toutes les énergies et s'accomplir toutes

les destinées fondées sur l'esprit d'entreprise et sur l'amour de la liberté individuelle. Aujourd'hui le mirage a certes perdu de sa séduction, l'histoire de la mégapole de la côte Est s'étant aussi écrite sous le triple signe de la violence, de l'affrontement racial et de la disparité sociale. Mais la fascination demeure, et c'est peut-être de nuit qu'elle joue encore le plus aux yeux du visiteur.

Les musées new-yorkais

À New York, la gamme des musées semble illimitée. Le visiteur se pique-t-il d'art oriental? Les portes de la Japan House, de l'Asia House ou du Jacques Marchais Center of Tibetan Art lui sont ouvertes. Se pique-t-il d'art contemporain? Il a le choix entre le Museum of Modern Art et le Guggenheim Museum. D'art décoratif? L'American Craft Museum est là pour satisfaire sa passion. Les merveilles de l'art européen l'attendent au Metropolitan Museum, à la Frick Collection ou au site des Cloîtres. Rien ne semble échapper à ce champ d'investigation : communauté noire (Schomburg Center), botanique (New York Botanical Garden), population hispanique (Museo del Barrio), astronomie (Hayden Planetarium), photographie (International Center of Photography), art populaire (Museum of American Folk Art), etc.

(96 000 habitants en 1810) qu'il devient nécessaire d'organiser rationnellement la nouvelle ville. D'où son plan en damier et le dégagement d'un immense espace naturel, Central Park, rectangle de 4 km de long sur 800 m de large, soit une surface de 320 ha; ses plans, dessinés par Frederick Law Olmsted et Calvert Vaux sont réalisés de 1857 à 1873. Avec son jardin zoologique, ses lacs, son théâtre en plein air et ses installations destinées aux sportifs et aux familles, Central Park est resté jusqu'à nos jours, en dépit d'une délinquance préoccupante, un lieu idéal de sortie dominicale pour les habitants de Manhattan.

Dès 1820, New York devient la plus grande ville des États-Unis, les immigrants préférant fréquemment se fixer sur place plutôt que se diriger vers le mythique Far West; en 1898, la fusion de Manhattan avec les quatre agglomérations voisines (Bronx, Queens, Brooklyn, Richmond) donne officiellement naissance à New York City.

C'est à l'invention du béton armé par le Français Monnier et à l'utilisation nouvelle de matériaux connus (fer, verre...) que le gratte-ciel doit sa fortune au XXe siècle. Symbole de la nouvelle occupation du site urbain par le monde des affaires, qui exige un nombre considérable de bureaux, cet édifice est né de l'imagination des architectes de l'école de Chicago : en 1884-1885, le Home Insurance Building, construit par William Le Baron Jenney, en est considéré comme le premier exemple : structure portante métallique, murs-rideaux largement ouverts à la lumière, régularité immuable de l'étagement, silhouette géométrique élémentaire; néanmoins, l'importance des styles importés du Vieux Monde reste considérable dans l'agencement des immeubles jusque vers 1930. Ensuite, conséquence des travaux menés par les architectes européens, leur esthétique sera réglée par le souci fonctionnaliste. Tout au long du XXe siècle, les gratte-ciel ne cesseront de gagner en concentration et en hauteur, au point de former de gigantesques murailles le long des grandes avenues qu'ils bordent au niveau des trottoirs. En la matière, New York a perdu le record mondial de la hauteur, mais la ville reste sans rivale pour la variété des matériaux et l'invention des formes ; de Flatiron Building (87 m) au World Trade Center (410 m avant l'effondrement des Twin Towers) en passant par l'immeuble Woolworth (238 m), l'Empire State Building (381 m) ou la Trump Tower (202 m), innombrables sont les réussites qui ont fait de Manhattan le royaume du gratte-ciel, un royaume où le promeneur éprouve souvent un délicieux vertige au pied de ces colossales silhouettes.

La mémoire cosmopolite de Manhattan

Situé au nord de Central Park, Harlem (fondé par les Hollandais au XVIIe siècle) a vu, du fait de l'effondrement de l'immobilier, plus de 100 000 Noirs s'installer dans ses blocs avant le krach boursier de 1929, lequel pousse les classes moyennes à émigrer vers des banlieues plus paisibles ; immeubles et rues se dégradent alors, source de la révolte des années 1960 et du combat des Noirs pour les droits civiques. Si Harlem connaît, de nos jours, un vrai processus de rénovation, un tiers de sa population vit toujours sous le seuil de la pauvreté. À Little Italy, les Italiens d'origine ne sont plus majoritaires, mais la marque du pays reste

New York, Sixième avenue.
Moins centrale et moins illustre que la Cinquième avenue, cette artère est l'une des plus contrastées et des plus colorées de tout le tissu urbain de la grande métropole américaine. En marge des manifestations de la triomphante modernité new yorkaise, on y lit les symptômes d'une persistante vétusté : échelles de secours, réservoirs sommitaux, léprosités des murs aveugles, vétusté des installations électriques… Toutes les traces d'une robuste et plaisante humanité !

Empire State Building. À l'angle de la 34ᵉ Rue et de la 5ᵉ Avenue, l'Empire State Building fut jusqu'en 1971 le plus haut édifice du monde avec ses 381 m (prolongés jusqu'à 449 m par l'antenne sommitale) pour 102 étages. Inauguré en mai 1931, il a été conçu par l'agence Shreve, Lamb et Harmon pour abriter des bureaux. Percé de quelque 6 500 fenêtres et doté de 73 ascenseurs, il reprend les principes de décoration du Chrysler Building, achevé un an avant lui, avec ses marbres rose-gris et ses placages de cuivre et d'acier.

partout visible. Le long de Mulberry Street (ou «Via San Gennaro»), le flâneur peut ainsi savourer un espresso, un cappuccino, voire un plat de spaghettis, une pizza, dans une ambiance qui évoque encore l'Italie méridionale. De la même façon, et en dépit de son américanisation, Chinatown a conservé un vrai charme oriental avec ses restaurants et ses boutiques nuancés des couleurs du Céleste Empire. C'est à la fin du XIXᵉ siècle que les premiers Cantonnais, appelés pour la construction du chemin de fer, s'y sont établis, suivis par des dizaines de milliers de compatriotes.

Hors la communauté juive, répartie dans les quartiers prospères, il existe bien d'autres groupes d'origine étrangère, les Irlandais, les Russes, les Polonais… et les «chicanos», hispanophones originaires des Caraïbes ou d'Amérique latine. Indépendamment de cette détermination ethnique, les différents quartiers de Manhattan se distinguent par leur fonction : la finance occupe Downtown, l'art a élu domicile à Greenwich Village, le spectacle à Broadway, les médias autour du Rockefeller Center, le commerce de luxe étale ses vitrines le long de la 5ᵉ Avenue, la culture a établi ses temples autour de Central Park et les agences de publicité occupent Madison Avenue. Il n'aura ainsi fallu que quatre siècles à l'îlot iroquois pour se muer en mégapole, une mégapole désormais confrontée à d'autres défis et probablement parvenue au seuil d'un nouveau cycle de métamorphoses.

Brasília LA MODERNITÉ MONUMENTALE

Au sein des plateaux semi-désertiques du Mato Grosso, Brasília dévoile ses merveilles à plus de 1 000 km de Rio de Janeiro ou de São Paulo. Forte aujourd'hui d'environ deux millions d'habitants, cette toute jeune et visionnaire agglomération a été inaugurée le 21 avril 1960. [BRÉSIL, CLASSÉ EN 1987]

C'est avec la proclamation de la République, en 1889, que naît l'idée d'une ville neuve (le nom de Brasília sera acquis dès 1891), digne de succéder aux capitales antérieures du Brésil : Salvador, Recife et Rio de Janeiro, cette dernière étant fragilisée tout à la fois par la proximité de l'océan et, au cours du premier XXe siècle, par une vague d'émeutes sociales. En 1956, le président Juscelino Kubitschek de Oliveira (1956-1961) officialise cette résolution et lance l'ouverture de son chantier.

Une entreprise gigantesque

Pour mener à bien cette entreprise gigantesque, au cœur de régions à peu près inhabitées, il faut des hommes d'exception. Le Brésil les trouve dans les personnes du président Kubitschek, d'un urbaniste éclairé, Lúcio Costa, et d'un architecte de génie doublé d'un grand humaniste, Oscar Niemeyer, disciple de Le Corbusier. Le premier lance le projet, le second trace le plan de la ville, le troisième dessine les bâtiments. Édifiée en quatre ans, la Cité provoque une admiration unanime, restant, un demi-siècle après sa conception, le miroir des plus hautes ambitions de l'architecture de son siècle. D'autant plus que, contrairement à une assertion peu fondée, la ville, qui jouit souvent d'un climat idéal pour la promenade, peut se découvrir à pied, même si son exploration exige de longs déplacements. Répartie selon deux axes perpendiculaires qui lui confèrent la forme d'un grand oiseau aux ailes déployées, elle organise sa voirie autour de vastes centres de commerces et de loisirs, les *superquadras*.

À la gloire de l'homme

Dominée par la silhouette du palais du Congrès national et encadrée par celles des édifices abritant les instances exécutives et juridiques de la nation, la place des Trois Pouvoirs prélude

Le Congrès national. Chef-d'œuvre de l'architecture du XXe siècle dessiné par Oscar Niemeyer, ce complexe administratif «mis en eau», est formé d'un bâtiment principal et de ses deux annexes. La vaste salle destinée aux sessions plénières de la Chambre des députés occupe la majeure partie du bâtiment, qu'elle coiffe d'une coupole concave, symbole d'ouverture au monde ; à l'autre extrémité du long édifice, la salle du Sénat s'abrite sous une coupole convexe, symbole de réflexion et de sagesse. Entre ces deux entités, le grand immeuble en «H», signe d'humanité, complète cet ensemble d'une indicible beauté.

traditionnellement à la découverte de Brasília. Fondée sur des formes élémentaires (triangle, rectangle, cercle), elle propose l'une des plus harmonieuses réussites de l'urbanisme du siècle, tout en symbolisant la force, l'indépendance et l'égalité des trois pouvoirs (législatif, exécutif, judiciaire) formant le socle de la jeune démocratie brésilienne.
Le Congrès national accueille le Sénat sous sa coupole fermée et la Chambre des députés sous sa coupole ouverte, ensemble complété par le Parlement aux deux immeubles jumeaux en forme de «H» (comme Homem Honra Honestidade – homme, honneur, honnêteté). Aux côtés de ce prestigieux édifice, le Tribunal suprême et le palais du Planalto se signalent par la beauté de leurs façades à colonnes. Les Candangos de Bruno Giorgi et la Justiça d'Alfredo Ceschiatti, sculptures emblématiques de la Cité, sont aussi dressées sur l'esplanade qui couvre l'espace souterrain Lúcio Costa, lequel abrite une maquette de Brasília de 170 m², commandée en 1987. Le palais Itamaraty, enfin, siège du ministère des Relations extérieures, est l'une des plus parfaites réussites de Niemeyer, avec ses superbes arcades en béton armé et sa judicieuse «mise en eau» qui en multiplie les reflets à la surface du bassin situé à son pied.

Axe central de la ville. Du haut de la tour de télévision, l'Axe central de Brasília se hisse à la mesure des vastes horizons le cernant ; parmi les plus beaux édifices dus au génie de Niemeyer, on relève, à son extrémité, le Congrès et la place des Trois Pouvoirs, un peu plus près et à droite, la cathédrale métropolitaine ; au fond à gauche enfin, ouvrant les immensités du Mato Grosso, se discerne l'étendue bleue du lac Paranoá.

La plus belle ville du XXᵉ siècle

En tournant le dos au centre-ville et en s'enfonçant sur le plateau, on trouve, à 2 km de là, le palais de l'Aube, résidence, au cœur d'un parc immense, du président de la République. Conçu par Niemeyer et inauguré en juin 1958, il séduit par ses admirables façades de marbre, ses hautes baies vitrées et ses colonnes ouvertes en demi-cercle ; le caractère enchanteur du site est encore rehaussé par la diaprure lumineuse du lac Paranoá, franchi par le pont Juscelino Kubitschek dont les trois arches semblent danser sur les eaux.
La cathédrale métropolitaine Notre-Dame-de-l'Apparition, conçue par Niemeyer et inaugurée en 1967, reste, devant le céleste sanctuaire Don Bosco et l'église de Notre-Dame-de-Fátima au toit en forme de voile religieux, le plus important édifice religieux de Brasília ; située sur l'Axe monumental, face à l'esplanade des Ministères, elle est aussi remarquable par le jaillissement de sa structure extérieure que par l'immensité radieuse de son intérieur.
En continuant le long du grand Axe, au-delà de la tour de télévision (224 m), on parvient au mémorial Kubitschek, cénotaphe du «père de Brasília» sous forme d'une chambre mortuaire circulaire que couvre une verrière de Marianne Peretti : du piédestal qui la surmonte, la statue de l'homme d'État semble saluer la cité de ses rêves. C'est également à Kubitschek qu'est dédié l'aéroport international ultramoderne dont il avait lui-même désigné l'emplacement. Aujourd'hui, certains esprits chagrins dénoncent la part d'échec du projet, soulignant que des populations misérables hantent désormais ses faubourgs périphériques. Que cette misère soit à combattre est une évidence doublée d'une nécessité, mais rien ne permettra jamais de prétendre que Brasília n'est pas la plus belle ville du monde construite au XXᵉ siècle.

Cathédrale de Brasília. Partiellement souterraine, la cathédrale reçoit la lumière de sa haute couverture en verrière, réalisée par Marianne Peretti ; les couleurs dominantes en sont le blanc, le bleu, le vert et le beige. L'intérieur est animé par les trois célèbres anges suspendus d'Alfredo Ceschiatti.

Citations d'Oscar Niemeyer (né en 1907)

« Ce qui m'attire, c'est la courbe libre et sensuelle, la courbe que je rencontre dans les montagnes de mon pays, dans le cours sinueux de ses fleuves, dans la vague de la mer, dans le corps de la femme préférée. »
« Voilà les liens qui me guident : ma famille, l'amitié, les plages et les collines de mon pays. »
« J'ai toujours attaché plus d'importance à mon engagement communiste qu'à mon métier d'architecte. »
« J'ai décidé de faire, à Brasília, une architecture où la forme deviendrait plus importante, une architecture intégrée dans les structures. [...] Lorsque la structure était prête, le reste n'était qu'un détail. »
« Brasília est un choc architectural qui a fait entrer le Brésil dans la modernité. »

Asie et Océanie

INTRODUCTION

D'est en ouest, du nord au sud, les immensités réunies de l'Asie et de l'Océanie forment, aux yeux du voyageur les traversant, la scène disparate d'un prodigieux ballet des siècles. Sur fond d'horizons sans limites, innombrables sont les sites monumentaux qui, des temples bouddhiques japonais à l'Opéra de Sydney, des mosquées d'Ispahan aux temples de la Cité interdite, y dressent les silhouettes d'un passé immémorial.

En son aile occidentale, la légende de cette vaste mosaïque de territoires est liée à celle de nombreux royaumes mythiques, dont le plus fastueux restera peut-être l'Empire achéménide qui réconcilia, deux siècles durant, les Perses et les Mèdes autour de leur capitale Persépolis, joyau oriental dont le barbare Grec voulut ne laisser que des ruines fumantes. Calcinée, ruinée, martyrisée, la grande Cité fut cependant d'une telle splendeur que sa majestueuse perfection continue de frapper les regards et les esprits, attestant la victoire finale de l'esprit fécond sur la rigueur des armes dévastatrices. À la mesure des montagnes formant son ultime et lointain rempart, l'antique foyer achéménide se présente ainsi comme le seuil idéal de l'initiation aux attraits du patrimoine asiatique.

D'un Orient à l'autre

Autre trace colossale du dessein bâtisseur de l'homme, la Grande Muraille de Chine provoque moins l'admiration qu'un émerveillement nuancé de crainte et de perplexité. Que ce gigantesque complexe de fortifications fascine par sa seule longueur n'est pas douteux, mais que dire de sa prodigieuse inutilité au regard d'une conscience contemporaine? Dans l'inextricable juxtaposition de ses murailles, de ses postes militaires, de ses voies de ravitaillement et de déplacement des troupes, n'atteste-t-elle pas, sur des milliers de kilomètres, qu'une part obscure de l'ancien génie se perd à jamais dans le houleux déferlement des siècles? Réflexion que renouvelleront, dans l'esprit des visiteurs, les multiples excavations sacrées du site d'Ajanta, au cœur des terres indiennes du Maharashtra. Ici, le sentiment de la démesure naît aussi bien de l'ampleur et de la profondeur des ouvertures aménagées dans les falaises surplombant le cours d'une rivière impassible que de la prolifération des motifs ornementaux égayant les parois des monuments rupestres. Encore une fois, l'homme contemporain devra, surtout à l'heure de la mondialisation culturelle, solliciter toutes les forces de son imagination intuitive pour saisir la portée mystique d'une entreprise ayant défié, des siècles durant, toutes les lois de la raison afin de hisser son singulier message de pierre et de formes colorées au rang de discours universel des normes de civilisation.

Pourtant, la préoccupation patrimoniale ne repose pas sur le socle passif de la seule mémoire figée par la doctrine. Au Japon, les temples bouddhiques du Hôryû-ji et du Yakushi-ji présentent cette particularité remarquable de renvoyer aux fondements mêmes de la culture nippone tout en témoignant, par l'importance des restaurations et des reconstructions les plus récentes, de l'actualité militante et de la nécessité morale de cette mémoire des origines. Une leçon parente est dispensée, au plus secret de la péninsule Indienne, par les trois groupes de

DOUBLE PAGE PRÉCÉDENTE : reliefs-sculptures du site d'Angkor; Terrasse du roi Leper (XIIe siècle).

temples de Khajurâho, réalisation sans rivale de l'art religieux relevant de l'hindouisme et du jaïnisme à la fin du premier millénaire de notre ère. Car si les plus anciens édifices y comptent au moins dix siècles d'âge, il en est d'autres, assez nombreux, qui ne doivent leur actuelle apparence qu'à des campagnes de reconstruction si totale que les dévots d'une archéologie figée par le dogme chronologique n'y découvriront d'autres vertus que celles du blasphème.

Au hasard de la jungle ou du désert

Enfoui au sein ténébreux de la jungle la plus touffue, redécouvert au XIXe siècle par des explorateurs français et restauré par leurs compatriotes de l'École française d'Extrême-Orient, le site d'Angkor-Vat attire l'attention sur d'autres viviers de la création sensible, dispersés sur la péninsule Indochinoise. Surtout, Angkor offre la démonstration de ce troublant paradoxe que les civilisations les plus brillantes semblent aussi les plus fragiles; en dépit de l'admirable renaissance du grand ensemble ruiné, c'est bien le legs d'un passé à jamais révolu que les hommes s'efforcent ici de préserver. Car en matière patrimoniale la nostalgie n'est pas le moindre paramètre; bien d'autres sites que celui d'Angkor l'attestent, de la vallée de Katmandou, théâtre chimérique - pour tout Occidental - d'une impossible évasion vers les autels sacrés de la plus ancienne sagesse orientale, à la métaphorique pyramide de Borobudur, gigantesque sanctuaire indonésien qui forme, en soi, un véritable défi à l'histoire. Si cependant une part de déception colore de façon récurrente les récits d'un certain nombre de voyageurs, phénomène significatif d'une certaine évolution des mentalités au cours des dernières décennies, elle est presque toujours le fait d'esprits mal avisés, soucieux de découvrir en terre asiatique ce qu'ils n'auraient pas été en mesure de déceler chez eux. Au hasard des rues de Samarkand par exemple, plaque antique d'échanges entre l'Inde et l'Asie orientale et conservatoire du légendaire tombeau de Timur Lang (Tamerlan), comme au gré des allées de la Cité interdite, miroir de l'absolutisme chinois, ce sont pourtant les mêmes et universelles préoccupations de l'homme qui se font jour, mais sous une vêture et dans une lumière inconnues sous d'autres latitudes.

En quête de l'inaccessible

Car l'essentiel, au chapitre de la construction monumentale, réside peut-être moins dans ce qui capte le regard que dans ce que suggère l'intuition, la quête utopique d'un inaccessible idéal. Qu'ils dressent leurs colosses de pierre à la gloire d'Allah comme à Ispahan, à la mémoire d'une femme aimée comme à Agra ou à la déesse Musique comme à Sydney, c'est toujours mus par la nostalgie d'un archétype de la perfection perdue qu'œuvrent les hommes. Probablement cette particularité explique-t-elle – en grande partie – l'inexplicable fusion des formes inventées par l'homme et des extérieurs fournis par la nature environnante. Les rudes horizons montagneux d'Ispahan, les brumeuses étendues fluviales d'Agra, les lumineux espaces maritimes de Sydney ne se présentent pas comme le seul décor des grandes mosquées de la ville sainte, du mausolée du Taj Mahal à l'éblouissante parure de marbre blanc, ou des voiles scintillantes du plus bel Opéra du monde; ils semblent en avoir réclamé depuis toujours le surgissement, en avoir patiemment attendu le complément.

Persépolis LE CHEF-D'ŒUVRE DES ACHÉMÉNIDES

Sur fond d'horizons montagneux, l'antique cité achéménide de Persépolis reste l'un des plus beaux spectacles archéologiques du monde, tant par son ampleur monumentale et la splendeur de ses ruines que par le prestige de l'antique civilisation dont elle transmet les ultimes échos et les plus fascinants reflets.

[IRAN, CLASSÉ EN 1979]

Les problèmes posés aux archéologues par le site tiennent moins à sa chronologie, bien documentée, qu'à sa fonction : cependant, et bien qu'en l'occurrence les sources écrites soient incomplètes, le caractère cérémoniel du lieu ne peut être mis en doute. Persépolis a été, dès l'ouverture de son chantier, vers 518 av. J.-C., conçue comme le cadre magistral des fêtes du nouvel an, qui voyaient les ambassadeurs des peuples inféodés à l'Empire perse déposer leurs offrandes aux pieds du roi des rois, sous l'égide du dieu Ahura-Mazda. Pour cela, il leur fallait accéder à la haute terrasse de 450 m de long sur 300 m de large, le long de laquelle courait une enceinte fortifiée protégeant les édifices.

Un chantier colossal mais inachevé

C'est à Darius Ier (règne 521-486 av. J.-C.) que revient l'édification de Parsa, restée dans l'histoire sous son nom grec de Persépolis; ayant mené à bien les travaux d'agrandissement de Suse, le roi entreprend presque aussitôt la construction d'une nouvelle ville dans la plaine de Marv-e-Dasht, à proche distance de Pasargades, capitale de son prédécesseur, Cyrus le Grand. La nouvelle cité n'est pas appelée à jouer un rôle administratif ou commercial, mais à offrir un écrin grandiose aux fêtes du nouvel an. La chronologie de ce chantier colossal, qui couvre un total d'environ six décennies, nous est bien connue grâce aux inscriptions retrouvées sur place. C'est ainsi que la terrasse, les escaliers monumentaux, l'Apadana (grande salle hypostyle) et le palais de Darius forment le fruit de la première campagne de construction, menée sous l'autorité du même Darius. À son successeur, Xerxès Ier (règne 486-465 av. J.-C.) reviennent la grande porte des Nations, son propre palais et la mise en chantier de la salle des Cent Colonnes, terminée sous le règne d'Artaxerxès Ier (465-424 av. J.-C.).

Procession de dignitaires perses.
Une fois terminée la procession solennelle du jour de l'an, le roi et les grands du royaume achéménide gagnent le Tripylon, petit bâtiment à triple porte accessible par un vaste escalier sur les flancs duquel sont représentés les dignitaires mèdes et perses, répartis de part et d'autre du parapet. Sur ce document, ce sont les nobles perses, identifiables à leur haute coiffure, qui font cortège, en prélude au banquet officiel qui précédera les ultimes audiences du souverain

Cependant, la construction de Persépolis ne connaîtra pas de réel épilogue, divers édifices, dont le palais d'Artaxerxès III (358-338 av. J.-C.) étant restés inachevés. Les fouilles locales ont permis, par ailleurs, la mise au jour de bâtiments plus modestes dans la plaine environnante, au pied de la terrasse; sans doute réservées au clergé et à la soldatesque, ces unités d'habitation se signalent par la grande simplicité de leur plan et de leur facture. Reste que les conditions de vie sur cette terre assez peu hospitalière sont relativement mal connues, la fournaise ambiante étant probablement combattue par la pose de lits de terre sur les toits soutenus par une charpente en bois de cèdre du Liban.

L'itinéraire sacré

Sur place, l'imagination du visiteur contemporain est puissamment sollicitée, tant les traces monumentales qui demeurent sont tout à la fois impressionnantes et fragmentaires. Pour retrouver les émotions des hôtes antiques de Persépolis, l'effort doit porter dans un premier temps sur la reconstitution de l'immense espace couvert des salles d'apparat qui dominaient le socle de la Cité. C'est au gré des célébrations les plus marquantes du calendrier mazdéen que les envoyés de toutes les satrapies, nations vassales de l'Empire achéménide, venaient – à l'exclusion de tout étranger – présenter leur tribut au roi des rois, cérémonie fastueuse dont le rituel figé dans la pierre anime immuablement, depuis plus de vingt siècles, les frises des grands escaliers de l'Apadana.

Une fois gravi le grand escalier donnant accès à la terrasse, le visiteur qui met ses pas dans ceux des anciens tributaires doit franchir la porte des Nations; érigée sur ordre de Xerxès Ier, elle forme un espace intérieur sur plan carré, délimité par une ceinture de quatre colonnes, dont deux restent visibles. La décoration monumentale en est caractérisée par des couples de taureaux ailés à tête humaine, d'influence assyrienne; porteurs de la tiare

La salle aux Cent colonnes. Également connu sous le nom de salle du Trône, ce palais se développe sur une base de quelque 70 m de côté. Détruit par un incendie, il a conservé ses bases de colonnes et ses montants de portes, extraits par les archéologues d'une couche de terre et de cendres de 3 m d'épaisseur.

Les nations tributaires

L'Empire achéménide (ainsi nommé par référence à Achéménès [VIIe s. av. J.-C.], ancêtre commun des Mèdes et des Perses) a regroupé, de 550 à 330 av. J.-C., de nombreuses nations tributaires que les processions modelées sur les escaliers de l'Apadana ont permis d'identifier, grâce aux costumes et aux offrandes de leurs délégués présentés au roi par un huissier. À Persépolis, ce sont ainsi plus de vingt délégations qui ont pu être répertoriées, porteuses de bijoux, de vaisselle, de peaux, d'armes, de récipients, voire d'animaux : Arabes, Ariens, Arachosiens d'Afghanistan, Arméniens, Assyriens, Babyloniens, Cappadociens, Drangiens, Égyptiens, Gândhâriens, Indiens, Ioniens, Libyens, Lydiens, Mèdes, Nubiens, Parthes, Sagartiens, Scythes Haumavarga, Scythes européens, Scythes Sakas, Susiens.

L'Apadana et son grand escalier oriental. Sur ce cliché, pris depuis la salle des Cent colonnes dite «salle du Trône», on distingue le socle de l'Apadana et l'escalier oriental qui lui donne accès. Des six rangées de six colonnes atteignant une hauteur de 20 m qui soutenaient la couverture de l'immense salle d'audience (75 m de côté) entreprise par Darius Ier et terminée par Xerxès, il n'en reste que trois. On y ajoutera la dizaine de colonnes qui ont survécu à tous les désastres sur les côtés nord, est et ouest de l'Apadana où, par rangées de six, elles se dressaient sous les portiques d'accès ; sur le côté sud, de simples pièces annexes précédaient la zone des palais de Darius et de Xerxès.

La fin de Persépolis

Au début de l'an 330 av. J.-C., Alexandre le Grand se rend maître de Persépolis sans coup férir, et la livre au pillage de ses troupes, qui s'emparent du trésor royal. Dans un premier temps cependant, les édifices sont respectés et même confiés à la garde de soldats macédoniens. Ce qui ne rend que plus inexplicable le déclenchement ultérieur de l'incendie qui n'en laissera que des ruines. Ordinairement respectueux de ses adversaires vaincus, le souverain grec a-t-il voulu venger la destruction des temples d'Athènes par les Perses de Xerxès en 480 av. J.-C. ? Le sinistre a-t-il été accidentel ? Toujours est-il que Persépolis entre alors dans une phase de funeste déclin aboutissant à son abandon total quelques siècles plus tard, à l'aube de la conquête musulmane.

des princes de Chaldée, les redoutables animaux figurent à merveille l'idée de force sauvage, contrôlée mais dévastatrice, qui doit dissiper toute velléité belliqueuse chez les éventuels agresseurs du site. Sur les côtés sud et ouest, de hautes ouvertures permettent de gagner respectivement l'Apadana et la vaste allée des processions qui conduit à une seconde porte imposante, mais inachevée, ouvrant sur une esplanade qui précède la salle des Cent Colonnes. Achevée sur ordre d'Artaxerxès Ier, cette salle ne laisse pas d'intriguer par l'énormité de ses dimensions. Probablement les représentants des nations soumises, chargés de leur tribut, déposaient-ils celui-ci aux pieds du souverain, trônant au beau milieu de cet espace impérial. Les notables perses et mèdes ne suivaient pas cet itinéraire. À partir de la porte des Nations, ils gagnaient directement l'Apadana, salle d'audience solennelle aux colonnes impressionnantes, dont certaines portent encore leur chapiteau aux formes de griffons, de taureaux ou de lions adossés. Situés au nord et à l'est de l'Apadana, les deux escaliers d'accès sont décorés de bas-reliefs exceptionnellement bien conservés ; ils figurent à l'évidence parmi les plus remarquables œuvres d'art de l'époque achéménide, illustrant la cérémonie des fêtes du nouvel an, de la grande procession des représentants des nations vassales jusqu'à la présentation de leur tribut devant le souverain. Au sud, un escalier plus modeste, également décoré de bas-reliefs reprenant le thème du lion agressant un taureau ou modelant des processions de gardes et de dignitaires, conduit au Tripylon, petit bâtiment à trois portes dont les embrasures montrent le roi Darius suivi de deux serviteurs porteurs d'un chasse-mouches et d'un parasol, ou encore assis sur son trône sous le symbole ailé d'Ahura-Mazda.

Quelques pas encore et l'on arrive à la zone des palais ; celui de Darius, le Tachara, se développe autour d'une salle centrale à colonnes, dite parfois «salle des Miroirs» en raison du poli de ses parois et cernée de pièces aux dimensions réduites. Les portes qui y donnent accès sont ornées de reliefs montrant le roi qui, honoré par ses serviteurs, triomphe d'un lion, d'un taureau et d'une chimère ; sur les côtés ouest et sud du palais, les escaliers usent du vocabulaire décoratif local, à base de soldats et de vassaux aux bras chargés d'offrandes. Par l'escalier sud, on accède directement au palais inachevé d'Artaxerxès III, dont il reste assez peu de chose, puis au palais de Xerxès, le Hadish, dressé sur la plus haute terrasse du site. Ici encore, le plan se déploie autour d'une salle carrée, précédée d'un portique de douze colonnes au nord et cernée de chambres annexes ; mal conservée, la décoration en relief des portes laisse encore apparaître la figure du roi, escorté par ses serviteurs porteurs de parasols, de flacons et d'encensoirs. En position ultime, un singulier édifice construit sur ordre de Xerxès, mais inachevé, n'a pas vraiment livré le secret de sa fonction ; son absurde dénomination de «harem» a tout au moins le mérite de montrer avec quelle intensité le site de Persépolis continue d'alimenter et de stimuler les plus fantasmatiques rêveries !

L'investiture d'Ardashîr Ier.
À Naqsh-i Rustam, à 6 km au nord de Persépolis, la falaise est creusée de tombes rupestres et parée de reliefs royaux ; celui-ci représente le roi Ardashîr Ier (224-241 apr. J.-C.) recevant l'anneau du pouvoir des mains d'Ahura-Mazda ; fondateur de la dynastie sassanide, Ardashîr échoua à restaurer l'ancien Empire achéménide.

La Grande Muraille À L'ÉCHELLE DU COLOSSE CHINOIS

Bien plus qu'un simple rempart, la Grande Muraille, unanimement saluée comme l'une des merveilles de l'histoire des hommes, se présente comme un énorme complexe de fortifications, doublé d'une succession de campements militaires et complété par un réseau de routes pour le ravitaillement et le déplacement des troupes. Développée sur plusieurs milliers de kilomètres, elle n'a jamais été vraiment terminée puisque son parcours devait, dans l'idéal, atteindre la distance de 16 000 km. [CHINE, CLASSÉ EN 1987]

Plusieurs siècles avant Jésus-Christ, à l'époque des Printemps et des Automnes (770-450 av. J.-C.), puis à celle des Royaumes combattants (450-221 av. J.-C.), divers systèmes défensifs assez complexes reposaient sur l'édification de murs en pisé. Les petits États féodaux indépendants qui les avaient dressés étaient alors surtout préoccupés de guerroyer avec leurs voisins; plus vague restait la menace des peuples barbares venus du nord.

Mais l'indépendance féodale étant peu à peu réduite par l'hégémonie du pouvoir impérial, les fragments disparates sont complétés et raccordés entre eux, réunis à la fin du IIIe siècle avant J.-C. par le premier empereur Qin Shi Huangdi sur les conseils de son ministre Li Si. Là se situe la vraie naissance de la Grande Muraille, à une époque où Nankin était encore la capitale de la Chine. Désormais, il ne s'agissait plus de prévenir les querelles de voisinage mais de se protéger des cavaliers nomades venus du nord. Le tracé exact de cette première immense fortification est imparfaitement connu, mais il se situait globalement au nord de son actuel itinéraire.

Un parcours et un destin aléatoires

Partie du rivage de Shanhaiguan, au nord-est de Beijing (Pékin) sur le golfe du Bohai (Po Hai), pour finir sa course dans les montagnes d'Asie centrale, la Grande Muraille use de fondations de pierre sur lesquelles sont dressés des murs de brique, cimentés de gravier et de terre glaise. Au cours des siècles, elle sera très souvent rénovée, voire reconstruite par les dynasties successives, en fonction des aléas politiques et militaires déplaçant régulièrement la frontière du pays. C'est à la dynastie des Ming que l'on

La Grande Muraille dans son écrin naturel. La splendeur de la Grande Muraille vient en premier lieu des formes simples qu'elle varie subtilement selon les accidents du terrain, ensuite du défi qu'elle lance à la nature en se jouant de toutes les difficultés du relief, enfin de la beauté de son matériau, extrait de la terre qu'elle parcourt et dont elle forme l'ornement brut. Par ailleurs, la prise en compte du fait naturel dans l'édification de cet énorme monument se vérifie par les calendriers agricoles des zones climatiques; ainsi les aires du blé d'hiver et du blé de printemps sont-elles *grosso modo* réparties de part et d'autre de son tracé.

doit, du XIVe au XVIe siècle, son actuel aspect, caractérisé notamment par sa large chaussée balisée de fortins et munie, sur les côtés, d'ouvertures pour l'artillerie. De place en place, des tours de garde à deux étages constituent tout à la fois des abris pour la garnison ou les patrouilles, et des relais au sommet desquels des feux d'alerte peuvent être immédiatement allumés et entretenus. Pour lutter contre les infiltrations d'eau, les architectes chinois superposent les lits de brique en partie supérieure du mur ; par ailleurs, toujours dans un souci d'efficacité militaire, il arrive fréquemment que la muraille soit dédoublée aux points stratégiques, formant ainsi des poches de capture pour les assaillants ayant réussi à franchir le premier obstacle. À la même époque est commencé un ouvrage analogue par sa nature et sa fonction, la Palissade de Mandchourie, beaucoup moins connue que son illustre aînée et qui, partie de l'extrémité orientale de la Grande Muraille, forme une grande boucle jusqu'à la frontière coréenne ; elle sera supprimée en 1859, la Chine ayant alors à se protéger, bien plus au nord, de l'expansion russe.

LE MONUMENT DE TOUS LES RECORDS

Outre la longueur de son cheminement (6 400 km avec tous ses rameaux annexes), la Grande Muraille est détentrice de bien des records. Seule construction humaine décelable depuis la Lune à l'œil nu, elle serait par exemple en mesure d'accueillir 100 millions de touristes en même temps ! Avec sa hauteur moyenne de 8 m, sa largeur moyenne de 7 m à la base et de 6 au sommet, elle occupe un volume d'environ 260 millions de m^3, plus de cent fois la grande pyramide de Kheops ! Son poids est difficile à évaluer, mais pour en obtenir l'équivalent, il faudrait réunir une harde de quelque 100 millions d'éléphants d'Afrique, à raison de cinq tonnes chacun. Enfin, calculée de façon théorique, sa chaussée supérieure occuperait une surface égale à 80 fois celle de la cité du Vatican !

Une mémoire commune

Au sujet de son efficacité, les historiens sont partagés. Si la Grande Muraille échoua à contenir quelques vagues particulièrement décidées des combattants du nord, il semble néanmoins qu'elle ait constitué un obstacle d'une indiscutable portée contre des expéditions de moindre envergure. Cependant, au XIIIe siècle, elle montre ses limites en cédant aux assauts des terribles guerriers mongols qui domineront le Céleste Empire jusqu'en 1368 (dynastie Yuan) ; le grand édifice tombe alors dans un état de semi-abandon qui aurait pu lui être fatal sans la reprise en main du pays et de ses fortifications par la dynastie Ming (1368-1644). Complètement remaniée, la prodigieuse fortification sera encore suffisamment fonctionnelle lors de la guerre de résistance anti-japonaise de 1937-1945 pour que l'armée nationaliste emprunte à marche forcée plusieurs de ses tronçons. Toutefois, en de très nombreux endroits, il ne reste alors du grand œuvre que de longs tertres rongés par l'érosion et progressivement dispersés par le ruissellement des eaux. Aujourd'hui, de considérables travaux de restauration, entrepris il y a déjà plusieurs décennies, permettent d'en admirer des fragments importants, en particulier sur le site de Badaling, à moins de cent kilomètres au nord de Beijing, à faible distance des treize tombeaux impériaux de la dynastie des Ming. Très nombreux sont les touristes chinois, accourus de toutes les régions de l'Empire du Milieu, qui viennent vérifier ici l'ancienneté exceptionnelle de leur histoire et méditer sur la force de leur mémoire commune.

Fortins de la Grande Muraille. Le long de la Grande Muraille, des postes de garde avaient été installés tous les 150 m ; d'une élégance surprenante au regard de leur fonction, ils permettaient la communication rapide des nouvelles, par un ingénieux système de feux à distance. Des sentinelles y veillaient, vingt-quatre heures sur vingt-quatre, et la largeur de la chaussée autorisait les troupes à gagner rapidement un poste attaqué.

Allée des Statues. Non loin de la Grande Muraille, les tombeaux impériaux de la dynastie des Ming (1368-1644) abritent les sépultures de 13 empereurs. Traversés par une voie sacrée, dont l'allée des Statues ornée d'animaux pétrifiés est le plus célèbre segment, ils ont été inscrits en 2003 sur la liste du Patrimoine mondial de l'Unesco.

Les grottes d'Ajanta RELIQUAIRE DU BOUDDHISME INITIAL

Dans l'État indien du Maharastra au cœur du district d'Aurangabad, le site d'Ajanta, inscrit sur la liste du Patrimoine mondial, est formé d'un ensemble imposant de monuments rupestres bouddhiques auxquels se sont ajoutées de nombreuses grottes ornées. D'une envergure et d'un faste encore inconnus sous ces latitudes, ces lieux n'ont pas tardé à jouir d'une aura qui a débordé les frontières de leur aire religieuse, pour toucher à l'universel. [INDE, CLASSÉ EN 1983]

La civilisation de l'Indus, qui remonte au IIIe millénaire av. J.-C., s'était effondrée sous les coups de l'invasion aryenne après quelque mille ans d'existence, perdant en la circonstance ses citadelles de Mohenjo-Daro et Harappa. Aussi faudra-t-il attendre l'avènement de la dynastie Maurya (321-184 av. J.-C.) pour assister à une vraie renaissance de la civilisation indienne. C'est précisément à cette époque que le souverain Ashoka (vers 269-232 av. J.-C.) se convertit au bouddhisme et fait graver ses principes de gouvernement sur les colonnes promulguant la Loi bouddhique. Avec le passage des siècles, l'art indien ne cesse de gagner en équilibre et en variété, multipliant les visions anthropomorphiques du Bouddha. Ainsi les monastères rupestres, pour l'essentiel consacrés au culte bouddhique, se parent-ils d'une décoration exceptionnelle par sa finesse et son élégance ; aucun exemple n'en est plus démonstratif que le site des grottes d'Ajanta.

Sur les traces de John Smith

C'est au hasard d'une partie de chasse menée par une patrouille de soldats britanniques dirigée par le capitaine John Smith, en 1819, que les 29 grottes d'Ajanta – dont trois sont inachevées – doivent avoir été redécouvertes. Situées dans un ravin boisé creusé par le fleuve Vaghorâ, au centre des monts Indhyagiri, elles ont été creusées entre 200 av. J.-C. et 650, de haut en bas, dans une falaise de basalte dur exposée au sud ; pour le visiteur, la première surprise vient du bruissement constant des eaux agitées de la proche rivière qui, passant au pied du site, crée une insolite animation sonore dans ce lieu reculé qui semble avoir retrouvé toute la pureté sauvage de son état primitif.

Une distinction chronologique doit d'emblée être opérée entre deux types de grottes, au gré de

Bouddha gisant.
C'est à l'âge de 80 ans que le Bouddha parvint, à la suite d'une ultime méditation, à l'Extinction totale (Paranirvana). Fermant la découverte du site d'Ajanta, la grotte 26, simple *chaitya* (salle de prière) dont la façade est effondrée et dont les peintures ont disparu, abrite en son intérieur, sur la paroi gauche, une sculpture colossale du Bouddha couché. La virtuosité de facture et la tentation du gigantisme ont amené nombre d'historiens spécialisés à parler ici de dévoiement baroquisant.

leur découverte par le visiteur qui, marchant sur les traces des pionniers britanniques, les découvre dans l'ordre de leur numérotation topographique, et non chronologique, de 1 à 29. Les plus anciennes appartiennent au bouddhisme du Hînayâna (Petit Véhicule), les plus récentes – identifiées par la profusion de leur décoration – au bouddhisme du Mahâyâna (Grand Véhicule). Par ailleurs, les cavités sacrées diffèrent par la fonction : établissements monastiques (*viharas*) dans leur grande majorité, elles constituent parfois (9, 10, 19, 26, 29) de simples salles de prières (*chaityas*). Les premières donnaient sur l'extérieur par un large porche, aujourd'hui disparu, et se prolongeaient à l'intérieur par un ample espace ceint de cellules excavées ; au fond, face à la lumière venue de l'ouverture, l'effigie de Bouddha habitait le plus souvent une niche sacrée. Quant aux salles de prière, elles se signalent surtout par la profondeur de la pénétration dans la roche. Par la chronologie, les grottes d'Ajanta se répartissent en trois groupes distincts. Le premier compte les cavités 8, 12, 13 15, 9 et 10, qui remontent aux IIe et Ier siècles av. J.-C. (Shâtavâhana) ; le deuxième a vu le jour du IIIe au Ve siècle (Vâkâtaka), le troisième évoluant du VIe au VIIIe siècle (Châlukya).

Le site rupestre d'Ajanta. La conversion du roi Ashoka au bouddhisme (266 av. J.-C.) provoque une mutation radicale de la vie politique et religieuse en Inde ; l'abandon de la vie de cour et le désir de visualiser l'éternelle vérité de leur religion conduisent les premiers bouddhistes à creuser leurs sanctuaires au sein même des sauvages falaises rocheuses d'Ajanta.

Un patrimoine sans équivalent

La grotte 1 appartient au groupe des *vihara Mahâyâna* (établissements monastiques plus récents) ; sa décoration est d'une qualité et d'une profusion déroutantes, ses peintures reproduisant nombre de scènes sacrées d'une mystérieuse ferveur. La grotte 2, qui appartient au même groupe, vaut autant par la curieuse décoration géométrique de son plafond que par les merveilleuses scènes hiératiques qui ornent ses murs ; d'une touchante humanité, elles parlent notamment des visions oniriques et prémonitoires de la mère du prince Siddharta Gautama (qui ne prendra le nom de Bouddha qu'après son accession au stade suprême de l'Éveil). C'est avec la grotte 4 que le visiteur découvre le plus impressionnant vihara du site, dont l'espace est rythmé par les puissants supports de vingt-huit colonnes ouvrant sur de discrètes nefs latérales. Ce long voyage dans le temps se poursuit au gré de surprises renouvelées à chaque étape, de la grotte 6 aux deux étages partiellement effondrés à la grotte 10, la plus ancienne de toutes, désormais privée de sa façade, en passant par la grotte 9, dont l'intérieur est éclairé par une curieuse baie en hémicycle au-dessus de l'entrée ; plus loin encore, ce sont les deux éléphants de la grotte 16 ou les fabuleuses peintures de la grotte 17 (*Indra volant dans les nuages*, *Bouddha domptant un éléphant furieux*, etc.) qui envoûteront le visiteur, auquel l'inachèvement des grottes 21 et 24 permettra de comprendre le mode de creusement de ces inoubliables espaces d'art sacré. Si enfin l'exploitation touristique du site d'Ajanta a pu un temps nuire à son intégrité, les bénéfices de ce même tourisme, mieux contrôlé, sont aujourd'hui la première source de revenus pour les archéologues attachés à en préserver l'héritage.

Grotte d'Ajanta Excavée à partir du IIIe siècle, cette grotte est l'un des chefs-d'œuvre de l'art rupestre bouddhique au temps du Mahâyâna (Grand véhicule), mutation de la pensée religieuse qui a pour conséquence visuelle la multiplication des représentations des êtres, au rebours de ce qu'exigeait l'état initial de la philosophie de Gaumata. La voûte en plein cintre est ornée d'arcs décoratifs qui reproduisent dans la pierre les cintres de bois de la charpente primitive ; au fond, l'hémicycle de l'abside accueille le *stûpa* en forme d'œuf cosmique. Vingt-huit colonnes trapues séparent la nef centrale des deux étroits collatéraux.

Les religions en Inde

L'Inde spirituelle pratique essentiellement quatre religions. Fondé au VIe siècle av. J.-C., le jaïnisme (du sanskrit *jina* « vainqueur ») prône la délivrance suprême par ascétisme et refus de toute violence. Le tantrisme, doctrine hindouiste exaltant l'énergie créatrice sous l'aspect de Kâlî, épouse de Shiva, ou de Lakshmî, épouse de Vishnu, a donné naissance à un art profus à forte connotation sexuelle. Sans Église ni dogme, l'hindouisme, centré sur la relation de l'homme au cosmos, prône un cheminement personnel vers la perfection par la maîtrise de soi tout en affirmant l'autorité spirituelle des brahmanes, détenteurs du savoir sacré. Le védisme, enfin, ensemble de rites et de croyances, reste fondé sur la recherche de l'« Un » absolu, origine et essence de toutes choses auquel celles-ci doivent retourner.

Hôryû-ji et Yakushi-ji ÉCRINS DU BOUDDHISME JAPONAIS

Inscrits en 1993 et 1998 sur la liste du Patrimoine mondial de l'humanité, les temples bouddhiques du Hôryû-ji et du Yakushi-ji ont certes connu des fortunes diverses depuis leur fondation, mais tous deux renvoient, pour des raisons parentes, aux fondements mêmes de la civilisation japonaise, offrant au visiteur un condensé des grands principes et canons de l'architecture nippone.

[JAPON, CLASSÉ EN 1993]

Établi dans la préfecture de Nara, le sanctuaire bouddhique du Hôryû-ji regroupe quelque quarante-huit édifices sacrés, dont les plus anciens remontent à la fin du VIIe siècle, ce qui les situe parmi les plus vieux bâtiments de bois du patrimoine universel. Au-delà de leur incalculable valeur artistique, les temples du Hôryû-ji marquent dans l'histoire du Japon une date cruciale, celle de l'introduction du bouddhisme, venu de Chine via la Corée. Nous sommes alors à l'époque d'Asuka (593-710), et le prince Umayado (574-622, passé à la postérité sous le nom de Shôtoku-taishi), régent de l'impératrice Suiko de 600 à 622, promulgue en 604 sa Constitution en dix-sept articles – la plus ancienne trace japonaise d'une loi qui atteste une évidente adhésion à la morale bouddhiste et au modèle chinois de l'époque.

Le Hôryû-ji, sanctuaire primordial

Les bâtiments du temple offrent le témoignage monumental de cette orientation nouvelle, notamment le Pavillon principal (Kondô ou «salle d'Or») et la Pagode à cinq étages (Gojû-no-tô) de l'enceinte ouest, ainsi que le pavillon des Songes (Yumedono) de l'enceinte est. Frappé d'un mal incurable, c'est en ultime recours que l'empereur Yomei avait fait vœu d'élever ce temple destiné à accueillir une statue du Bouddha miséricordieux – mais en vain, la maladie triomphant des prières avant l'ouverture du chantier. Le souverain disparu, l'impératrice Suiko et le prince Shôtoku-taishi ordonnent, en 607, la construction de l'édifice qui, dédié à l'un des avatars de Bouddha, Yakushi-nyorai (le Bouddha de la médecine), prend le nom de Hôryû-ji (temple de la Loi florissante). Quelques décennies plus tard, le 30 avril 670, un incendie

Lever de soleil sur le Yakushi-ji. Au Pays du soleil levant, l'effort des architectes anciens pour intégrer harmonieusement leurs réalisations monumentales au sein de l'environnement naturel ne se manifeste jamais plus profondément qu'aux premiers moments de la journée. À la surface paisible du lac protégeant le site, le miroitement des deux pagodes jumelles cernant le reflet de l'astre du jour naissant atteste la ferveur de cette osmose à la quête de laquelle œuvrent presque toutes les expressions de l'art et de la civilisation du Japon ; ciel, collines, forêts, pavillons, portes et pagodes participent ici de cet enchantement atemporel.

aurait tout détruit du complexe, aussitôt rebâti à l'identique, épisode dont la réalité est aujourd'hui sérieusement mise en doute par les historiens japonais.
Développé sur près de 20 hectares, le site est dominé par la haute pagode (32,45 m) dont la somptuosité décorative intérieure ne le cède en rien à l'harmonie externe, sa silhouette restant l'une des plus parfaites de l'art japonais par l'équilibre de ses proportions, de l'un (premier étage) jusqu'au demi (dernier étage). Quant au pavillon central, il se signale tant par la beauté de ses toits et la complexité de sa charpente que par la splendeur des sculptures qu'il abrite, au chapitre desquelles figure la célèbre triade, effigie du bouddha Shaka (Shâkyamuni) assis et entouré par deux parèdres aux visages sereins. Complétant ce dispositif, le *chûmon* (portail central, bâtiment situé sur un côté long de l'enceinte rectangulaire) dresse ses colonnes entre les très anciennes statues des deux Kongo-rikishi, rois bienveillants et protecteurs, ombrageux et fidèles gardiens du lieu sacré.

Les arts japonais

En matière artistique, la civilisation japonaise est essentiellement fondée sur un système d'emprunts à divers foyers : Chine, Corée, Indochine, Pacifique sud... Il en va de même pour l'écriture ou la religion, venues de Chine et d'Inde au gré d'ambassades diplomatiques et artistiques. Pourtant, l'art japonais se signale par une originalité exceptionnelle, tant ses praticiens ont su dépasser ces influences pour se forger leurs propres moules et établir de nouvelles traditions. De la calligraphie à l'architecture, des arts décoratifs à la peinture, les créateurs nippons ont ainsi fait surgir, au cours des siècles, un univers original, tout de mélancolie et de silence, de poésie et de méditation, mais aussi, à l'occasion, d'une rare violence, notamment au cinéma. Paradoxe qui contribue à son inaltérable et universelle séduction.

La destinée mouvementée du Yakushi-ji

C'est également dans les proches environs de Nara que se trouve aujourd'hui le Yakushi-ji, temple majeur de la secte Hossô, la plus ancienne branche bouddhiste du Japon. Dédié au Bouddha de la médecine, Yakushi-nyorai, et érigé à Asuka sur ordre de l'empereur Temmu, à la fin du VIIe siècle, le sanctuaire eut pour première fonction de favoriser, au moyen de la prière, la guérison de l'impératrice Jitô, atteinte d'une grave maladie. Par un insolite caprice de la destinée, le rétablissement effectif de la souveraine survint, mais accompagné de la mort de son impérial époux. Et c'est ainsi que le temple prophylactique fut terminé sous le règne de la veuve miraculée, la consécration de l'édifice intervenant en 697.

Treize ans plus tard, la capitale est déplacée d'Asuka vers Nara, ce qui entraîne, en 718, le déplacement du Yakushi-ji vers son actuel emplacement. À partir de cette date, la carrière du monument sera marquée par toutes sortes de désastres, au premier rang desquels les incendies et les

Statue de Shukango-shi.
Dans les temples bouddhiques japonais, nombreuses sont les statues qui prennent la forme de farouches guerriers prêts à protéger par la force le caractère sacré du lieu dont ils sont les intransigeants et effrayants gardiens; celui-ci se trouve dans le temple du Tôdai-ji, près du site du Hôryû-ji.

Hôryû-ji, entrée du temple. Précédée par un perron et protégée par une balustrade, la porte monumentale du temple ouvre sur la cour du site. Avec le Kondô – qu'elle dissimule ici – et la Pagode à cinq étages que l'on distingue sur la gauche, cette porte constitue le plus ancien et le plus prestigieux ensemble de constructions en bois du monde, premier site japonais sur la liste du Patrimoine mondial de l'Unesco.

conflits armés. En 1528, les ravages de la guerre civile sont tels que le site échappe de justesse à l'anéantissement total ; ne survivent à la folie destructrice des hommes que la pagode de l'Est (Tôtô) et quelques pièces d'une inestimable valeur, dont la triade (Yakushi et ses deux parèdres) qui date du début du VIIIe siècle.

La pagode de l'Est, seul bâtiment d'origine donc, se signale par sa structure en trois doubles étages qui lui confère un profil aussi vigoureux qu'élégant. Pour une large part, elle a servi, en 1980, de modèle aux restaurateurs qui ont reconstruit la pagode de l'Ouest (Saitô), laquelle avait été détruite par les incendies de la funeste année 1528, marquée par les horreurs de la guerre civile. C'est au même principe de reconstruction que l'on devait déjà le Pavillon principal (Kondô), reconstitué conformément à l'original en 1976, en remplacement d'un édifice temporaire qui remontait lui-même à l'aube du XVIIe siècle. À quelques pas de là, le Tôin-dô, construit en 1285, reste le plus ancien pavillon zen du Japon. En revanche, le Kôdô, local réservé aux sermons et aux prières collectives, avait été entièrement reconstruit en 1852, preuve qu'au Japon, les préoccupations patrimoniales relèvent d'une tradition déjà ancienne.

Borobudur PYRAMIDE DU SAVOIR SUPRÊME

Au cœur de la nature indonésienne, Borobudur, érigé sur l'île de Java, à quelque 50 km des rivages de l'océan Indien, s'impose comme le plus grand édifice jamais dédié par les hommes à Bouddha. Métaphore de l'élévation spirituelle, l'énorme sanctuaire semble défier, par son gigantisme même, la logique qui régit ordinairement la construction des temples et autres établissements sacrés; d'où, chez les archéologues, tout un faisceau d'incertitudes relatif au caractère fonctionnel de son architecture et à la signification de son monumental message sculpté. [INDONÉSIE, CLASSÉ EN 1991]

En marge des habituelles catégories de l'édifice religieux, Borobudur (ou Bârâbudur) pose de nombreux problèmes, à commencer par celui de son nom, la traduction approximative de «Colline du monastère» en étant acceptée, sans préjudice d'autres propositions renvoyant aux vertus de la sagesse bouddhiste. Se référant à une inscription de l'an 842, les historiens estiment que Borobudur fut tout à la fois un lieu de prière et une représentation cosmique de l'univers en soi, un univers dont toutes les parties se dévoilent au fur et à mesure du cheminement et de l'ascension du visiteur, jusqu'à la plate-forme sommitale qui ouvre sur l'univers illimité des nuées célestes, mais ne permet plus de distinguer les étapes inférieures du voyage initiatique.

Un symbole vieux de douze siècles

La géologie a établi que le site était jadis couvert par les eaux d'un lac, dont l'altitude, si l'on se réfère aux traces d'habitat ancien, se situait à 235 m au-dessus du niveau de la mer. Probablement la construction du monument remonte-t-elle aux années 750-842, du temps de la puissante dynastie des Shailendra qui régnait alors sur Java et dont le plus illustre souverain fut Samaratunga (792-825). Son abandon au début du XIIe siècle reste d'autant plus obscur qu'il était encore connu de la population locale lorsque Thomas Stamford Raffles le découvrit en 1815, sous l'aspect d'un monticule informe enfoui au sein d'une végétation luxuriante, et le fit connaître à l'Europe.

Bloc monumental prenant la forme d'une pyramide à degrés depuis le sol, mais celle d'un *mandala* (dessin magique) depuis les airs, Borobudur

Plate-forme sommitale de Borobudur.
La plate-forme supérieure de Borobudur est constituée de trois grandes terrasses circulaires et concentriques qui symbolisent l'*arupadhatu*, cet univers parfait auquel parvient l'homme délivré de ses passions. Privée de toute ornementation superflue, elle superpose trois cercles de petits *stûpa* campaniformes, structures en pierres ajourées de forme immuable et abritant les *bodhisattva*, symboles de l'éveil à la sagesse suprême. Au nombre de 72, ces *stûpa* se répartissent selon une progression arithmétique, du plus grand cercle (32) au plus petit (16), en passant par le cercle médian qui en compte 24.

superpose trois ensembles : un socle pyramidal (dont le premier niveau est souterrain) cumulant cinq terrasses carrées en retrait successif, un tronc conique déclinant trois paliers circulaires, et un *stûpa* sommital. La totalité de la surface murale de cette pyramide pleine, construite sur une colline, est de 2 500 m², et la longueur totale des panneaux sculptés est égale à 5 km (dont le tiers est consacré aux seules statues du Bouddha), la décoration du monument ayant exigé 1 600 000 blocs de pierre volcanique, taillés *in situ* par d'innombrables praticiens probablement dirigés par un maître d'œuvre.

Itinéraire sacré

Tout comme l'ancien pratiquant, l'actuel visiteur parvenu à la base du sanctuaire se trouve confronté à une sorte de montagne sacrée dont le sommet toucherait aux sphères de la vérité divine. Conception qui renvoie directement à la cosmogonie bouddhiste, laquelle considère le monde comme un vaste plateau flottant sur l'océan primordial et organisé par cercles concentriques et superposés, dominés par une éminence centrale qui, toute de beauté et de pureté, surplomberait les mondes de l'esprit, de la matière et des passions.

Avant même d'emprunter l'escalier oriental, le pèlerin découvre tout un univers sculpté qui atteste le désordre des troubles humains, ses élans érotiques, ses besoins matériels, ses amours et

Le Mandala

En sanskrit *mandala* signifie « disque » c'est-à-dire dessin plat d'une sphère, voire projection bidimensionnelle du cosmos. Par extension, le terme désigne la communauté spirituelle, le cercle d'une divinité. Support de la méditation transcendante, sa représentation graphique se présente comme une sorte de labyrinthe dont le centre montre la déité entourée d'une assemblée de personnages secondaires ; en suivant rituellement le cheminement ouvert par ce lacis sacré, le fidèle se relie à l'âme éveillée du *bodhisattva*, personnage lui-même engagé sur la voie de la perfection. Parvenir au seuil du *nirvana* (« extinction [des désirs] ») par la maîtrise de toutes les passions constitue ainsi le but ultime du *bodhisattva* ; en ce sens, Borobudur s'impose à bon droit en tant que configuration monumentale et pétrifiée du *mandala*.

À G : ***Vue aérienne.***
Vu du ciel, Borobudur apparaît, avec ses quatre façades traversées d'un escalier, comme l'espace du cheminement vers la vérité suprême. D'une hauteur de 34,5 m après restauration, il repose sur un carré de 123 m de côté, socle qui supporte plusieurs niveaux de plan carré puis circulaire, en marches successives. Ouvrant sa façade principale à l'est, le site a été principalement restauré de 1905 à 1910; plusieurs autres campagnes ont suivi, dont celle de 1968-1983 qui, dirigée par le gouvernement indonésien et l'Unesco, lui a donné son visage actuel.

Niches et stûpa.
Les murs de Borobudur se signalent par leur exubérante décoration. Ainsi n'y trouve-t-on pas moins de 1 212 bas-reliefs historiés, le total des statues de Bouddha – parfois dégradées – montant à 504 et celui des niches à 432.

ses haines, ses pulsions exhibées ou secrètes... Ce ne sont pas moins de 160 reliefs qui illustrent ainsi le *karma* (acte), fatalité d'une condition subordonnée à toute une panoplie de désirs illusoires.

Progressant vers les parties supérieures de l'édifice, le néophyte découvre le monde de la forme (*rupadhatu*), cercle édifiant de l'enseignement, qui lui ouvre les voies de la vraie connaissance par dévoilement de tous les épisodes de la vie du Bouddha. En la matière, aucun cycle narratif n'est plus complet que celui des 1 300 bas-reliefs courant le long des galeries de Borobudur, au gré des trois naissances du maître spirituel : venue au monde du jeune prince Shâkyamuni, le futur Bouddha, à Kapilavastu, capitale du clan guerrier des Shâkya; surgissement de la lumière à Bodhgaya, ville où il atteignit la *bodhi* (éveil); éclosion du Verbe à Sârnâth, où eut lieu le premier sermon.

C'est à partir du troisième cercle qu'on entre dans la sphère de la révélation, qui provoque le basculement du corporel vers le spirituel. La disparition de toute ornementation et de tout artifice architectonique, à ce niveau supérieur, porte le témoignage d'un apaisement total de l'esprit, soudain rendu à sa pureté originelle. Franchissant les ultimes terrasses, le visiteur parvient au grand stûpa central qui n'abrite plus la moindre statue de Bouddha pour signifier qu'ici s'ouvre, au-delà des apparences, le monde de l'esprit éthéré opérant la fusion du tout et du néant. Une telle interprétation – qui ne fait pas l'unanimité parmi les archéologues – proposerait cette disposition comme image de Bouddha diffusant son message d'immortelle sagesse au profit des esprits qui, placés au plus bas, aspireraient au plus haut.

Khajurâho SANCTUAIRE DE LA MYSTIQUE SENSUELLE

Répartis en trois groupes distincts (Ouest, Est, Sud), les temples de Khajurâho restent la plus haute réalisation de l'art religieux indien à la fin du premier millénaire de notre ère. Consacrés à l'hindouisme et au jaïnisme, ils ont, dans leur majorité, vu le jour sous la dynastie des Chandelâ, dont l'apogée se situe autour de l'an mil. [INDE, CLASSÉ EN 1986]

À Khajurâho, les sentiments du visiteur, surtout s'il est au fait de l'histoire de l'art indien, sont assez souvent mitigés. L'ensemble est certes d'une admirable beauté, la mise en valeur des édifices particulièrement réussie et le cadre naturel d'une grande séduction, mais le site souffre de nombreuses destructions passées qui ont provoqué l'ouverture de chantiers de restauration dont la pertinence prête à discussion. Cette légère réserve exprimée, reste que l'immense sanctuaire ne peut que fasciner, avec ses 22 temples (sur les 85 construits) qui symbolisent, par la silhouette oblongue de leur partie supérieure, la montagne cosmique reflétant, dans la plupart des religions orientales, le principe d'élévation spirituelle. Posés sur un socle précédé d'un escalier, les édifices sacrés se signalent plus par leur extraordinaire décoration extérieure que par l'austère beauté des espaces intérieurs : *mandapa* («vestibule»), *ardha-mandapa* («demi-vestibule» à colonnes) et *maha-mandapa* («grand vestibule», salle de réunion des pèlerins). Pillés par les musulmans au XIIIe siècle, ruinés, retrouvés par les Anglais au XIXe siècle, c'est seulement de 1906 à 1923 qu'ils ont été délivrés de leur prison végétale et partiellement restaurés.

Temple de Kandariya Mahâdeo. S'imposant comme le plus monumental des temples du groupe Ouest, construit au XIe siècle et dominé par un imposant *shikhara* (tour sommitale) d'une hauteur de 31 m, il se signale par l'élévation progressive de ses toits et par sa profuse décoration sculptée. De la base au sommet, de multiples frises répètent les figures de sensuelles jeunes femmes offrant à l'homme les délices de l'amour, vital et fécond. Le sanctuaire est dédié à Shiva qui complète, aux côtés de Brahmâ et de Vishnu, la Trimûrti (Trinité hindoue); bien que symbolisant la destruction, Shiva est aussi l'emblème de la création et de la permanence au sein du cycle de la mort et de la renaissance.

Le groupe Ouest

Espace rituel formant en soi l'image du sacré, le temple hindou ne se présente pas comme un lieu de prière, mais comme une haute leçon spirituelle fixée dans la pierre. Ses murs sont ainsi couverts de signes emblématiques, parmi lesquels les images érotiques tiennent une place de choix. Au hasard de multiples niches, ce sont partout de superbes jeunes créatures (les *apsara*) qui surgissent, langoureuses à souhait, lèvres pulpeuses, formes arrondies, poitrine lourde, lascivité totale... Mais il serait vain de chercher ici la moindre trace de vulgarité, voire de trivialité. Le long de ces frises monumentales, tout n'est que fraîcheur et grâce, douceur et élégance, princes et divinités croisant, au hasard d'un délicieux ballet, de charmantes courtisanes qu'aucune sollicitation ne semble surprendre.

Avec ses 13 temples, le groupe Ouest reste d'assez loin le plus riche du site de Khajurâho. Son plus ancien édifice, le temple de Matangeshvara, remonte au Xe siècle; dédié à Shiva, il reçoit encore la foule des fidèles qui y commémorent rituellement le voluptueux mariage de Shiva et de sa *shakti* («puissance», image de son énergie sacrée). De cette union sont nés deux fils, Skanda et Ganapati, célébrés au cours de ces joyeuses festivités qui durent deux semaines. Le temple s'inscrit dans la tradition architecturale de l'Inde du Nord avec sa tour (*shikhara*) surmontée d'une pierre bombée, cannelée, et elle-même porteuse d'une urne chargée de recueillir l'élixir d'immortalité.

À quelques pas de là, le temple de Kandariya offre une décoration murale d'une incroyable richesse qui semble donner l'assaut à son *shikhara*; parmi les plus remarquables sanctuaires voisins, on note les temples de Mahadeva et de Chitragupta. Datant vraisemblablement des années 1025-1050, le temple de Kandarîya Mahâdeo doit pour sa part son nom à sa forme (*kandarîya*, «grotte») et à la divinité qu'il sert, Shiva (*mahâdeo* dérivant de *mahâdevâ*, «grand dieu»). Atteignant une hauteur de 30 m, il compte quelque 900 statues sculptées dans le grès jaune, ce qui ne rend que plus saisissant le contraste avec la sévérité de son intérieur.

Autre édifice majeur érigé vers 950, le temple de Lakshmana, dédié à Vishnu, ne compte pas moins de 600 figures, d'une exceptionnelle finesse d'exécution, sur ses murs extérieurs. C'est là que se trouvent les plus admirables représentations érotiques de Khajurâho. Le groupe Ouest est complété par les temples de Pârvatî (XIe s.), de Lalguan Mahâdevâ (Xe s.) et de Chaunsath Yoginî, ce dernier ayant peut-être précédé la dynastie des Chandelâ (Xe-XVIe s.), cependant que le temple de Pratâpeshvara apparaît comme une reconstitution moderne d'éléments provenant de temples écroulés.

Groupes Est et Sud

C'est par de petites routes de campagne traversant le vieux village de Khajurâho que l'on parvient aux deux autres groupes du site. Celui de l'Est compte 7 édifices, dominés par la magnifique silhouette du temple de Parshvanath, qui reçoit en décoration sculptée toutes les divinités du panthéon hindou. Le groupe du Sud ne possède que deux temples, mais tous deux sont remarquables par leur statuaire murale d'une grande séduction; celui de Dulhadeo vaut surtout par les reliefs de ses souples et délicieuses figures féminines, alors que la plus belle pièce du temple de Chaturbhuja reste la statue dédiée au culte de Vishnu, abritée en son intérieur. Au terme de cette longue promenade sacrée, la visite du musée archéologique local offre de nouvelles lumières sur l'importance du site dans l'histoire du sous-continent Indien.

Érotisme et religion

La religion et l'érotisme faisant rarement bon ménage, l'enchantement des visiteurs de Khajurâho se double fréquemment d'une certaine surprise. C'est que le génie de la sculpture érotique indienne ne se comprend pas hors la pensée du shivaïsme, très antique religion caractérisée par le culte de la fécondité et de l'acte d'amour physique qui, annihilant les tourments contingents de l'homme, le hisse au niveau divin. Ainsi la défiance à l'endroit du sexe est-elle comprise, dans la religion shivaïte, comme une démission face aux exigences de la spiritualité ! Toute religion étant par essence fondée sur la transmission, la sculpture érotique de Khajurâho, véritable «*Kama-sutra* de pierre», relève par ailleurs de l'initiation indispensable aux jeunes gens parvenus au seuil de l'âge adulte.

Sculptures du temple de Lakshmana.
Au sein du Groupe Ouest, le temple de Lakshmana propose une séquence inédite de toutes les positions de l'amour ; l'érotisme touche ici à l'ésotérisme, la pensée indienne célébrant la fusion charnelle en tant que voie vers la *Bodhi* (l'Éveil); à observer, sur la gauche, l'insolite figure de la jeune fille qui se contorsionne avec une grâce infinie pour saisir le ruban qu'elle a fait passer dans son dos.

Frises sculptées du temple de Lakshmana.
Sanctuaire d'un érotisme idéal exaltant la libération des sens au profit de l'élévation spirituelle, le temple de Lakshmana renvoie aux plus anciennes civilisations de l'Inde, celles qui ont précédé les invasions aryennes du deuxième millénaire avant notre ère, et dont les vestiges archéologiques et linguistiques rappellent l'importance accordée aux pratiques amoureuses les plus voluptueuses, en tant que modes de liaison avec le monde surnaturel. Car c'est dans l'abandon sensuel à l'ivresse érotique que l'homme s'affranchit du poids de la contingence et parvient à la paix physique et cérébrale.

Angkor-Vat L'ARCHITECTURE KHMÈRE À SON APOGÉE

Redécouvert au XIXe siècle et restauré par l'École française d'Extrême-Orient, après un abandon pluriséculaire sous la végétation tropicale, le site d'Angkor-Vat occupe une place particulière dans l'imaginaire universel, non seulement du fait de sa splendeur et de son gigantisme, mais aussi pour avoir opéré à grande échelle la triste démonstration de la mortalité des plus brillantes civilisations.

[CAMBODGE, CLASSÉ EN 1992]

Les spécialistes de l'architecture et de l'histoire khmères situent la date de fondation du site par le roi Yashovarman Ier, en l'an 889. Auparavant, l'Empire khmer, unifié par Jayavarman II (802-850), s'était déjà doté d'un «temple-montagne» constituant tout à la fois le centre du royaume et une métaphore de l'immensité cosmique. Ce premier édifice, bâti en brique, était situé au nord-est de l'actuel monument. Du Xe au XIIe siècle, l'architecture sacrée khmère gagne en autonomie pour atteindre son expression achevée avec le premier ensemble colossal d'Angkor-Vat, préparé par trois édifices caractéristiques, le Mébon oriental, le Pré Rup et le temple de Banteai Srei ; ce dernier, notamment, est fondé sur un panel de proportions qui fera école. Enfin, le roi bouddhiste Sûryavarman II (1113-1150) fait édifier, dans la partie orientale d'Angkor, un sanctuaire dont les cinq étages surmontés de tours et la longue galerie annoncent le grand temple, pièce majeure de la dernière campagne de construction. Dédié à Vishnu, ce nouveau et gigantesque temple-montagne répond au vœu de Sûryavarman II qui souhaite consacrer un sanctuaire monumental à sa divinité de prédilection, à l'image du Baphûon, temple déjà dressé au cœur de sa capitale à la gloire de Shiva. Ainsi s'explique l'orientation occidentale – en direction de Vishnu – de la grande entrée d'Angkor-Vat, en rupture avec le modèle traditionnel des sanctuaires khmers. En quelques siècles et à la suite de nombreuses péripéties, religieuses et architecturales, le site sacré parvient à son apogée avant de connaître son ultime infléchissement, vers le culte de Bouddha, mutation dont l'effet le plus apparent sera le remaniement du haut sanctuaire central. Ensuite, la turbulente histoire d'Angkor s'apparentera à celle d'un long et inéluctable déclin, au gré des guerres ravageant la région. Menacé, assiégé, attaqué, perdu, reconquis par

Vue générale du site. En dépit de l'apparente simplicité de son plan général, le site d'Angkor-Vat ne manque jamais de désorienter ses visiteurs, tant par la formidable dynamique de ses trois enceintes concentriques que par la somptuosité de son ornementation sculptée et le parfait équilibre de ses proportions, pourtant gigantesques. C'est en raison directe de tous ces caractères qu'il marque l'indiscutable zénith de l'art classique khmer. Formé de trois enceintes flanquées de tours d'angle, le temple est défendu par les tours de la dernière enceinte, reliées entre elles et avec la tour centrale par des galeries qui courent au niveau de l'étage.

les Khmers, le temple mythique est entouré d'une dernière ceinture protectrice, sur ordre de Jayavarman VII ; dans l'esprit du souverain, il s'agit avant tout de protéger le temple du Bayon aux 54 tours ornées de quatre visages géants et impassibles, dernière manifestation du génie d'Angkor. Rien n'y fait. Tombé aux mains des farouches guerriers siamois, le temple glorieux est abandonné sans retour aux assauts de la flore tropicale à partir de 1431. Sa redécouverte revient au naturaliste français Henri Mouhot (1826-1861). Parti pour le Cambodge en 1858, c'est en novembre 1859 qu'en compagnie d'un ami il repère, en leur écrin sauvage, les ruines d'Angkor-Vat, péripétie bouleversante dont il donne un récit circonstancié dans la revue *le Tour du Monde*. L'éclat de cette découverte et son immense écho auprès des publics d'Europe sont tels que le gouvernement français (qui a placé la région sous protectorat dès 1836) décide la sauvegarde immédiate du monument et engage à cet effet des crédits importants. Hélas, Henri Mouhot en connaîtra à peine les premiers effets, disparaissant deux ans plus tard, en novembre 1861, des suites du paludisme.

Le signe de l'apogée khmer

Depuis le bord extérieur des douves, l'immense complexe occupe une surface délimitée par un périmètre rectangulaire de 1 500 × 1 300 m. Le visiteur parcourt l'espace sacré par un chemin initiatique bordé de reliefs offrant de nombreuses représentations variées du serpent mythique (Naga) surgissant des eaux primordiales, aux

Le récit d'Henri Mouhot

« Épuisés par la chaleur et une marche pénible dans un sable mouvant, nous nous disposions à nous reposer à l'ombre des grands arbres qui ombragent l'esplanade, lorsque, jetant les yeux du côté de l'est, je restai frappé de surprise et d'admiration. Au-delà d'un large espace dégagé de toute végétation forestière s'élève une immense colonnade surmontée d'un faîte voûté et couronnée de cinq hautes tours. [...] Sur l'azur profond du ciel, sur la verdure intense des forêts de l'arrière-plan de cette solitude, ces grandes lignes d'une architecture à la fois élégante et majestueuse me semblèrent, au premier abord, dessiner les contours gigantesques du tombeau de toute une race morte ! Nous mîmes une journée entière à parcourir ces lieux, et nous marchions de merveille en merveille, dans un état d'extase toujours croissant. [...] Qui nous dira le nom de ce Michel-Ange de l'Orient qui a conçu une pareille œuvre, en a coordonné toutes les parties avec l'art le plus admirable, en a surveillé l'exécution de la base au faîte ! » (*Voyages dans les royaumes du Siam, du Cambodge et du Laos*, chap. XVII).

CI-DESSUS : ***La lutte contre la nature.***
À Angkor, le combat de l'homme contre l'ensevelissement des monuments sous la nappe végétale ne connaît aucune trêve depuis plus d'un siècle. L'incroyable vitalité de la flore locale, son gigantisme et sa vigueur obligent les archéologues à soustraire méthodiquement chaque construction à l'étreinte mortelle d'un enfer vert proliférant, matérialisé par les tentacules de racines monstrueuses, droit sorties, dirait-on, de l'imagination névrosée d'un auteur d'extravagante science-fiction.

À G : ***Sculptures et reliefs d'Angkor.***
À Angkor, le plus frappant reste la prépondérance d'une décoration dont la variété le dispute à l'élégance et l'équilibre à la profusion. Sur toutes les surfaces murales, ce ne sont que figures stylisées et généreuses de divinités, d'hommes et d'animaux, souvent engagés dans des scènes rituelles ou dans des cycles mythologiques. Soulignant les principaux éléments structurels de l'architecture, la décoration florale s'épanouit autour des chapiteaux, des entablements, des moulures variées d'une modénature particulièrement complexe.

origines de la vie. C'est du côté occidental que s'ouvre traditionnellement la découverte du temple, une chaussée pavée longue de 200 m autorisant la traversée des douves jusqu'à l'ample terrasse du *gopura* (pavillon d'accès, à plan cruciforme), qui marque l'entrée principale du majestueux édifice.

Les trois enceintes

Formant la première enceinte, la longue galerie qui s'ouvre au sortir de cette terrasse est bordée d'un mur aveugle vers l'intérieur, mais elle donne sur l'extérieur par les espaces ouverts entre les piliers carrés qui soutiennent une voûte ornée de rosaces en lotus. Parois et baies à colonnes reçoivent un décor monumental de figures féminines et masculines marquées par une étrange grâce hiératique. À l'issue de cette première galerie, une longue avenue traverse l'espace d'un parc pour mener à la seconde enceinte, croisant au passage deux édifices, les «bibliothèques», dont la fonction reste relativement mystérieuse, puis deux ravissants bassins. Flanquée de deux statues de lions, une haute plate-forme donne accès à la seconde galerie, dont le mur intérieur porte, sur toute sa longueur, l'un des plus beaux reliefs du temple.

La disposition de la troisième galerie, dont le périmètre rectangulaire (150 × 200 m) enferme le cœur rituel et spirituel d'Angkor, est plus complexe ; trois niveaux principaux, de taille décroissante et reliés par de nombreux escaliers extérieurs, en organisent la structure en terrasses. Au sommet se trouve le sanctuaire, dominé par une haute tour à laquelle semblent faire écho les quatre édifices de même nature placés aux angles des terrasses des deux étages supérieurs. C'est par trois colonnades formant autant de portiques que l'on accède à la galerie extérieure du sanctuaire, elle aussi décorée sur toute sa longueur (800 m) de

DOUBLE PAGE PRÉCÉDENTE : ***Le Bayon.***
Les puissantes figures du temple du Bayon fascinent par la virtuosité de leur exécution même si l'habileté des tailleurs est ici servie par la malléabilité des principaux matériaux utilisés, notamment le grès – qui permet d'obtenir des effets lumineux, parfois polychromes – et la latérite (roche rouge ou brune).

Danseuse khmère.
Tout dans cette figurine – équilibre des formes, souplesse de l'attitude, élégance de la pose, inscription dans un espace unitaire – démontre un degré supérieur de civilisation. Taille étroite, poitrine généreuse, hanches et épaules harmonieusement galbées, la jeune danseuse évolue idéalement à mi-chemin entre hiératisme et sensualité.

bas-reliefs sacrés et mythologiques. La croisée d'un passage transversal fait surgir une disposition en damier, quatre sections étant ainsi déterminées dans l'axe des points cardinaux. Partout, le visiteur découvre de nouveaux bâtiments, de nouveaux corridors, de nouveaux reliefs, de nouvelles cours; mais progressivement, escaladant rituellement les escaliers qui donnent à son errance la marque d'une quête mystique, il parvient au dernier niveau, celui du sanctuaire.

Le sanctuaire central

L'ultime épreuve prend ici le visage d'une succession de douze escaliers symbolisant la difficulté d'accès au royaume divin. Une fois franchi ce dernier obstacle, le tout nouvel initié parvient au niveau d'une plate-forme pavée, dont le plan carré est tramé en quatre

Angkor-Vat, la bien nommée

Bien qu'elle soit discutée et sujette à des interprétations parfois très diverses, l'étymologie même du nom d'Angkor-Vat reste éclairante à plus d'un titre. À la racine *nokor*, forme dialectale du sanskrit *nagara* (dont la traduction la plus proche serait « résidence royale »), est accolé le vocable khmer *vat* (temple), association qui renvoie à la double particularité du grand édifice, sa fonction religieuse et son faste princier. Cette étroite collusion des pouvoirs temporel et spirituel n'a certes rien d'extraordinaire, puisqu'on la retrouve à peu près sous toutes les latitudes et au hasard de toutes les époques, de toutes les civilisations. Mais à Angkor, elle permet aussi de comprendre d'une part la pérennité du site élu, d'autre part les incessantes mutations dont il a été l'objet.

Le temple d'Angkor vu du sol. Pour accéder au temple, il faut d'abord franchir une douve de quelque 200 m de largeur, qui protège la première enceinte, puis un portique colossal avant d'accéder à une plate-forme couvrant une surface d'un demi-hectare; là se dresse le temple lui-même, dominé par la tour de 65 m de hauteur.

cours reliées par des corridors. Proche du chemin de garde des forteresses militaires, un autre couloir court sur l'extérieur de la plate-forme; c'est à chaque extrémité de ce couloir surélevé que se trouvent les quatre hautes tours donnant – avec la cinquième placée en position centrale – sa silhouette si caractéristique à l'ensemble d'Angkor-Vat. De cette tour centrale, précisément, le socle abrite, sur chacune de ses quatre faces, un édicule précédant le sanctuaire central; la galerie qui relie ces quatre petits corps, aux frontons et aux linteaux sculptés, est couverte d'une voûte porteuse du corps d'un énorme serpent aux monstrueuses têtes de fauves. La célèbre statue d'or de Vishnu qui était conservée au cœur du sanctuaire a disparu depuis longtemps, remplacée dans tous les espaces du site, par les effigies de Bouddha. Des plates-formes sommitales, le spectacle de la forêt tropicale donne toute sa mesure à l'exploit des hommes ayant ressuscité ce colossal mais fragile sanctuaire.

Samarkand CAPITALE ET TOMBEAU DE TAMERLAN

Capitale de l'Ouzbékistan, Samarkand s'est installée dans l'oasis du Zeravchan, jadis importante étape des caravanes entre l'Inde et l'Asie orientale. Ville forte, construite autour d'une citadelle dominant la vallée, elle conserve de fastueux édifices, dont le plus célèbre reste le légendaire tombeau de Tamerlan.
[OUZBÉKISTAN, CLASSÉ EN 2001]

Occupé depuis le IVe millénaire avant J.-C., le site fait sa première apparition historique dans les chroniques de l'épopée d'Alexandre le Grand en Sogdiane (lequel s'empare de la ville [appelée alors «Maracanda»] en 329 avant J.-C.), mais il connaît ensuite de tels désastres, au hasard du passage Huns, des Turcs et des Arabes, qu'il faut attendre l'an 900 pour assister à la naissance de l'actuelle cité, à la limite des mondes turc et persan.

Un haut lieu de tradition et d'enseignement

La dynastie des Samanides (874-999) en fait le premier foyer culturel et musulman d'Asie centrale, construisant notamment sa citadelle et ses grands édifices administratifs. Pourtant, d'autres catastrophes suivent, jusqu'à la conquête de Tamerlan qui, en 1363, y installe sa capitale. De nombreux bâtiments voient le jour, dont le célèbre sépulcre de Tamerlan, construit en jaspe, et l'observatoire astronomique (XVe s.) d'Ulugh Beg, petit-fils du Boiteux de fer et précurseur des grandes découvertes européennes en matière cosmologique. C'est ce même Ulugh Beg qui fait construire, entre 1417 et 1421, l'un des bâtiments les plus complexes de l'époque, l'université coranique du Registân, dont tous les éléments sont couverts de lambris de marbre, de mosaïques de briques, de carreaux de céramique, etc. Cet âge d'or prend fin en 1497, la ville tombant sous la coupe de nouveaux envahisseurs, prélude à un assoupissement qui ne sera dissipé qu'au XIXe siècle par les archéologues russes.

La cité de Samarkand présente un plan assez simple : entourée d'une muraille ouverte par six portes, elle se développe autour d'une place centrale, le célèbre Registân («place des Sables»), qui n'est autre que l'ancien site des universités coraniques ayant vu le jour au temps de Tamerlan et de ses successeurs.

Décoration monumentale des édifices du Registân. Tout au long de sa vie, Tamerlan marqua toujours une prédilection pour les arts et la culture, et cela en dépit de son propre illettrisme. Au hasard de ses conquêtes, il fit venir nombre d'artistes du cru à Samarkand, source d'un art cosmopolite qui, connu sous le label de «style timouride international», devait connaître une diffusion foudroyante dans le monde islamique, lorsque les mêmes artistes furent autorisés à retourner chez eux après la mort du souverain. C'est ainsi qu'à Samarkand, les grands édifices ont répondu, dans leur immense majorité, à des commandes impériales, d'où le caractère fastueux de leur décoration monumentale.

De prestigieuses sépultures

Tout près se dresse la majestueuse mosquée Bîbî-Khânum, du nom de l'épouse de Tamerlan (ou de sa belle-mère, selon les sources). Le tyran aurait exigé à l'occasion de la mort de cette femme aimée et au retour de la campagne indienne, en 1398, la construction (conduite de 1399 à 1404) du plus bel édifice de son empire, ce qui explique son caractère monumental, au cœur même de la ville. Le portail d'entrée, flanquée de deux minarets, fut ainsi hissé à une hauteur de 35 m et le socle sur lequel repose la mosquée est inscrit dans un rectangle de 109 × 107 m. On trouve là l'influence directe du plan iranien à quatre *iwans* (vastes porches voûtés ouverts sur un côté par un grand arc), entouré sur trois côtés de salles sous coupole et d'un portique. D'une profondeur aussi surprenante que sa hauteur, le portail principal, couvert de céramique sur la totalité de sa surface, reproduit dans son compartiment supérieur la généalogie princière de Tamerlan. Ayant subi de nombreuses restaurations tout au long de son histoire – le dôme principal s'étant effondré dès le xve siècle –, l'édifice a été victime en 1897 d'un terrible tremblement de terre qui a nécessité une reconstruction partielle, récemment complétée par divers chantiers de restauration. L'emprunt d'un escalier

Le Registân.
Trois *madrasa* (écoles théologiques musulmanes) d'époques différentes entourent la place centrale du Registân. Sur la gauche, on distingue ici la madrasa Ulugh Beg, dont la surface des mosaïques reflète tous les chatoiements de la lumière solaire, notamment à l'heure crépusculaire. Au centre, la madrasa Tillia Kari, dont le décor de mosaïques est tout aussi admirable, se distingue par le bulbe bleu couronnant sa mosquée. À droite enfin, la madrasa Chir Dor déploie sur sa façade des représentations d'êtres vivants d'une exceptionnelle rareté dans le monde musulman.

d'une surprenante étroitesse donne accès à la terrasse sommitale du bâtiment, d'où se découvre une vision panoramique de la Cité et entre les coupoles de ce merveilleux bâtiment, en bulbes côtelés aux brillantes modulations ornementales.

La sépulture géante de Châh-e Zendeh (XIV-XVe siècles ; littéralement, «tombe du Roi vivant») abrite en son sein la dépouille d'un proche cousin du prophète Mahomet, Qusam ibn Abbas, auquel on doit, selon la tradition, l'introduction de l'islam en Asie centrale. Elle se présente sous les traits d'un splendide édifice dominé par une admirable coupole bleue reposant sur un tambour délicatement orné d'arabesques. Pour accéder à ce sanctuaire sacré, il faut franchir le haut portail, tout aussi richement décoré, que fit dresser en 1435 le souverain tîmûride Ulugh Beg. Sis sur le site de l'antique cité grecque d'Aphrasiab, et ne déparant nullement au milieu des autres joyaux patrimoniaux de Samarkand, le mausolée vaut avant tout par son étonnante mosquée, Khasret Khuzr, qui fait principalement appel au bois. Une allée étroite guide le visiteur vers plusieurs petits édifices funéraires dont la décoration n'a rien, en matière d'invention formelle et de perfection ornementale, à envier aux réalisations monumentales les plus illustres de la cité ouzbeke. De différentes périodes – du XIe au XVe siècle –, ces tombeaux témoignent d'une évidente recherche d'uniformité. Tous présentent une structure cubique sous coupole, laquelle est parfois côtelée et souvent revêtue de céramique.

Cependant, si le mausolée de Châh-e Zendeh se signale par l'ampleur de sa conception, il est dépassé en la matière par celui de Gur-e Mir

TAMERLAN, LE « BOITEUX DE FER »

Tamerlan (Timûr Lang, 1336-1405) apparaît tout à la fois comme un tyran turco-mongol sanguinaire et comme un bâtisseur, un législateur et un grand propagateur de l'islam. Gouverneur de Samarkand en 1361, il œuvre à rénover l'Empire mongol. Vainqueur de la Perse (sacs de Chiraz et Ispahan en 1387), puis de l'Iraq et de l'Azerbaïdjan, il conquiert la Mésopotamie, l'Inde, la Syrie, la Turquie. Revenu à Samarkand pour mettre en œuvre son grand projet, la conquête de la Chine, il tombe malade et meurt le 19 janvier 1405. Cinq siècle plus tard, le 6 juin 1941, une mission scientifique soviétique ouvre la tombe du grand conquérant pour étudier son squelette. Les conclusions en sont formelles : les os de la jambe droite étaient plus minces et plus courts que ceux de l'autre, d'où la boiterie légendaire de l'illustre conquérant, et la taille de l'homme était de 1,70 m. Après deux années d'études, les restes de Tamerlan ont été remis dans son cercueil.

qui conserve les sépultures de Tamerlan et de ses successeurs ; édifié de 1400 à 1404, le glorieux édifice dresse dans le ciel une magnifique coupole cannelée au chromatisme mouvant sous la lumière du jour. Son intérieur a été splendidement restauré en 1970, sur injonction des autorités soviétiques ; on a ainsi retrouvé toute la beauté de ses mosaïques colorées et de ses parements d'or. Le Gur-e Mir se présente en fait comme un complexe composé d'une madrasa (école théologique musulmane) à l'est, d'une *khanqah* (équivalent d'un couvent pour les chrétiens) à l'ouest et du tombeau dynastique, dressé en 1403 après la mort d'un des petits-fils de Tamerlan. Ce mausolée, de plan carré à l'intérieur mais octogonal à l'extérieur, est surmonté d'une très haute coupole à double coque. Son décor se signale par une étonnante prolifération de matériaux précieux : carreaux en onyx, inscriptions en jaspe vert, céramique dorée. Sur les hautes parois, on note un ingénieux emploi des *muqarna*, petites niches qui, associées géométriquement, assurent une animation murale d'une prodigieuse efficacité.

Dôme de Gur-e Mir. Signalé de loin par les deux minarets encadrant son harmonieuse coupole, le mausolée de Gur-e Mir figure parmi les toutes premières merveilles architecturales de Samarkand. Sa partie sommitale, notamment, couronnée par un extraordinaire dôme aux cannelures enrichies de motifs géométriques répétés, surprend tant par l'ingéniosité de sa conception architectonique que par l'inépuisable variété de son ornementation. À l'extérieur, c'est tout un vocabulaire décoratif de mosaïques bleues qui a été mis en œuvre, cependant que l'intérieur sollicite plus volontiers les fastes lumineux de l'or.

La madrasa Chir Dor. Ce merveilleux édifice se signale par la parfaite et harmonieuse symétrie de sa façade, minarets et bulbes encadrant régulièrement le haut portail central.

À G : ***Niches intérieures.*** Les mosaïques ornant l'intérieur et l'extérieur de ces hautes niches – lesquelles datent pour l'essentiel des premières décennies du XVe siècle – surpassent en splendeur et en complexité tout ce qui était connu jusque-là dans le domaine de la décoration monumentale ; depuis, l'invention des artistes locaux est restée sans rivale dans le monde.

La Cité interdite MIRAGE CÉLESTE, PUISSANCE TERRESTRE

Nombril de l'Empire du Milieu, lieu de résidence de l'empereur et centre du pouvoir politique situé au cœur de Beijing (de bei, «nord», et jing, «capitale»), la Cité interdite forme un gigantesque agrégat de bâtiments et de cours rivalisant de beauté sur une surface de quelque 120 hectares. C'est le Versailles des Chinois, monument de l'ancien régime témoignant du génie de tout un peuple; 24 empereurs – de la dynastie des Ming (1368-1644) à celle des Qing (1644-1911) – y établirent leur demeure. [CHINE, CLASSÉ EN 1987]

À l'époque même où l'Europe commençait à découvrir la Chine, cette dernière venait de chasser la dynastie mongole des Yuan qui l'avait asservie de 1279 à 1368 et d'installer sur le trône la lignée des Ming, laquelle devait régner sur l'Empire céleste jusqu'à 1644. Les Ming sont donc parvenus au pouvoir alors que la France et l'Angleterre étaient ensanglantées par la guerre de Cent Ans et ils en ont été écartés au moment où l'Europe était déchirée par les atrocités de la guerre de Trente ans !

Un colosse harmonieux

En dépit de ses dimensions et de sa profuse décoration, la Cité interdite reste harmonieuse et raffinée dans tous ses détails. Plusieurs fois malmenée au hasard de conflits violents (en 1644, les Mandchous la brûlèrent presque totalement), elle a toujours été reconstruite à l'identique du modèle initial, d'où sa parfaite authenticité et son exceptionnel état de conservation. La construction du Palais impérial lui-même tient pour l'essentiel entre 1406 et 1420. L'édifice est orienté du nord au sud, sa surface au sol est de 720 000 m² et le nombre de ses pièces à peine inférieur à 10 000 ! Il n'aura pas fallu moins de 200 000 ouvriers pour mener à bien ce chantier.

La Cité interdite – ou Zijin Cheng, «Cité interdite pourpre», le pourpre renvoyant à la couleur de l'étoile axiale du firmament («Polaire» pour l'Occident), allusion à la position centrale de la Cité au sein de l'Empire – comprend deux parties principales, la cour extérieure et la cour

Porte du Midi.
Édifié en 1420, restauré à deux reprises, en 1647 et en 1801, l'édifice de la Porte du Midi (Wu Men) donne à la Cité interdite son aspect de forteresse. D'une hauteur de 10 m pour une longueur de 92 m au sud et de 126 m au nord, il est flanqué de deux ailes en retour et dominé par cinq pavillons (dits des «Cinq Phénix»), aux toitures de tuiles jaunes : le plus grand, sur plan rectangulaire, occupe l'espace central, les quatre autres, plus petits et de plan carré, occupent les quatre coins. Au temps des Qing, traditionnellement annoncés par les sons de la cloche et du tambour, les hauts fonctionnaires et officiers généraux y étaient reçus en audience par l'empereur dans une pièce latérale.

崇禧門

L'enfilade des espaces intérieurs. Souvent austère, parfois jusqu'à la sévérité, dans son aspect extérieur, la Cité interdite enchante régulièrement le regard des visiteurs par les longues perspectives ouvertes sur son intérieur au gré des baies et des portes qui en assurent la distribution. C'est ici un monde particulier qui se dévoile, celui de souverains, certes déifiés mais à l'humaine nature, soucieux de confort, de volupté, de beauté, de luxe, de fraîcheur ; tout cela dans un cadre immense mais intime, à l'abri des regards de la foule comme des rigueurs du climat local.

intérieure. Élégante et colossale tout à la fois, la porte de l'Harmonie suprême en est le véritable seuil ; gardée par deux lions en marbre, elle abrita longtemps le siège du céleste gouvernement. Elle est bordée par le palais de l'Harmonie suprême (Tai He dian), sis sur une terrasse accessible par trois escaliers de marbre, le palais de l'Harmonie du Milieu (Zhong He dian) et le palais de l'Harmonie préservée (Bao He dian), constructions somptueuses, mais d'une grande simplicité de plan (carré ou rectangulaire) et ouvertes chacune par un portique aux vives couleurs. Les angles des toits sont ornés de figurines ayant pris la forme de dragons, de phénix, de lions, de chevaux ailés, de licornes et autres animaux mythiques renvoyant à de très antiques légendes. Au premier rang de ces édifices siège le palais de l'Harmonie suprême. On y accède par un pont enjambant un petit ruisseau et une porte fortifiée. Ce palais fut utilisé pour les plus solennelles cérémonies de l'Empire, notamment celle du jour de l'an lunaire ou lors de l'anniversaire du maître des lieux.

La cour intérieure, qui conserve les appartements de la famille impériale, est le siège du palais de la Pureté céleste, du palais de l'Union, du palais de la Tranquillité terrestre et du Jardin impérial. De formidables brûle-parfum escortés de lions et de licornes en bronze agrémentent la terrasse qui soutient le palais de la Pureté céleste ; à ses côtés, le palais de la Tranquillité terrestre, ancienne résidence personnelle de l'impératrice, fait directement transition avec le Jardin impérial (Yu Hua yuan), aménagé à l'époque Ming et possédant les plus beaux et les plus anciens arbres de la Cité ; c'est en son centre que se trouve le pavillon de la Paix impériale (Qin An dian), dont l'entrée est sévèrement encadrée par deux licornes en bronze doré. Ici s'ouvrent au voyageur

Les toits de la Cité interdite. Au nord de la Cité interdite, les hauteurs du parc de la montagne du Charbon offrent une vue exceptionnelle sur les toits de l'ensemble palatial. Le principe répétitif des toitures et leur grande simplicité formelle contribuent à forger le puissant sentiment d'unité organique que les architectes ont su donner à la Cité en dépit de l'énormité de ses dimensions et de la disparité de ses bâtiments ; c'est ainsi une véritable allégorie de l'Empire du Milieu que l'œil saisit, jusqu'aux lointains bâtiments modernes de la place de Tian An Men.

des itinéraires plus discrets, moins strictement balisés, vers les espaces nord, est et ouest de la Cité. À l'ouest de la porte de la Pureté céleste, un passage conduit au pavillon de la Nourriture de l'Esprit, résidence des derniers empereurs, puis aux six palais occidentaux, où vécurent l'impératrice et les concubines du souverain. À l'est, un autre passage donne accès au palais de l'Abstinence, au pavillon des Ancêtres, puis aux six palais orientaux, également réservés aux femmes. Dans les quartiers est, on découvre d'autres merveilles, au premier rang desquelles le fastueux théâtre où étaient données les représentations destinées aux seigneurs maîtres du lieu. L'empereur y assistait en personne, assis sur le siège d'où lui seul pouvait embrasser d'un seul regard, répartie sur les trois niveaux de l'espace scénique, la trame dramatique dans toute sa complexité.

Une métaphore de l'ordre impérial

Miroir et métaphore de la puissance plusieurs fois millénaire du Céleste Empire, la Cité interdite, loin de valoir par ses formes architecturales et ses dimensions grandioses

La Chine sous les Ming

Rien de plus frappant au temps des Ming (1368-1644) que l'émergence d'une ploutocratie marchande ! Certes, le statut de fonctionnaire est toujours enviable mais, en rupture avec les plus anciennes traditions, il est devenu licite – et même conseillé – de s'enrichir matériellement. Aussi la culture générale, pourtant très prisée, ne suffit-elle plus à assurer une carrière ; la corruption s'installe à tous les niveaux, jusque dans l'entourage immédiat de l'empereur, dont le statut reste néanmoins celui d'un dieu vivant. À l'autre extrémité de l'échelle sociale, la masse des paysans connaît une misère accrue, d'où la fréquence des révoltes. En dépit des terribles méthodes de répression mises en œuvre par le général Wang Yang Ming, la lignée des Ming finit par tomber en 1644, aussitôt remplacée par la dynastie mandchoue des Qing (1644-1911).

Le palais de l'Harmonie préservée.
Le palais de l'Harmonie préservée (Bao He Dian) a été édifié en 1420, sous les Ming, et restructuré en 1765, sous les Qing. C'est le dernier des trois grands édifices qui forment la première partie de la Cité interdite et qui en constituent le plus majestueux espace. C'est ici, notamment, que l'empereur présidait aux examens des hauts fonctionnaires, offrait un banquet à ses vassaux de Mongolie et du Xinjiang, le jour de l'an lunaire, ou aux dignitaires de l'État à l'occasion de diverses cérémonies.

uniquement, reflète également, par l'aménagement des toits, la répartition des couleurs, la richesse de la décoration et l'organisation des espaces, l'ordre politique et moral de la société chinoise. Tout ici renvoie, notamment, à la symbolique du yin, principe féminin de l'impératrice, et du yang, principe masculin illustré par l'empereur. La force du symbole numérique s'y vérifie aussi dans tous les détails de l'agencement et du partage des éléments constitutifs de l'ensemble : ainsi voit-on fréquemment les chiffres 4 (celui du carré définissant l'homme) et 5 (celui des Éléments) se mêler pour donner le chiffre 9 qui conditionne la distribution des motifs décoratifs de la Cité, en tant que condensé du monde. Les Cinq Éléments de l'univers, par ailleurs, renvoient, selon la cosmogonie chinoise, aux fondations initiales : le Feu est allié à l'empereur pour les salles du Sud, l'Eau à l'impératrice pour les salles du Nord, le Bois à la culture dans les salles de l'Est, le Métal à l'art militaire dans les salles de l'Ouest; la Terre enfin, forme le socle primitif de tous ces éléments.

Tortue de bronze.
Dans la Cité interdite, nombreuses sont les statues de tortues en pierre, en marbre ou en bronze. Emblèmes traditionnels de la puissance impériale, et plus généralement de la longévité et de la sagesse, elles portent parfois sur leur dos une stèle sur laquelle le lecteur peut déchiffrer des maximes confucéennes.

Vallée de Katmandou CŒUR SPIRITUEL DE L'ORIENT

Pour nombre d'Occidentaux, Katmandou fut longtemps le lieu chimérique d'une évasion idéale, dépositaire de la sagesse millénaire de l'Extrême-Orient mystique. Si la découverte de la ville et de sa vallée évacue toute illusion à ce sujet, elle est source de délices autres, mais tout aussi vives, tant les merveilles patrimoniales y abondent. [NÉPAL, CLASSÉ EN 1979]

Au carrefour des grandes civilisations de l'Asie, la mythique vallée regroupe en fait quatre villes royales : Katmandou, Patan, Bhaktapur et Kirtipur. Ce qui explique la prolifération des temples et lieux de pèlerinage illustrant le syncrétisme népalais, entre bouddhisme et hindouisme. Katmandou, dont le site fut très anciennement occupé, mais dont l'apparence actuelle ne remonte qu'au XVIe siècle, en est bien sûr le plus riche foyer. Capitale du Népal, située dans une vallée près du confluent du Baghmati et du Vishnumati qui se dirigent vers le Gange, elle se situe à 1 320 m d'altitude, sur le versant sud de l'Himalaya. Occasion de rappeler que le Népal, frontalier de la Chine et de l'Inde, est avant tout le pays des plus hauts sommets du monde (Annapurna, Everest, Kangchenjunga, Dhaulagiri, Makâlû). L'agglomération, qui compte plusieurs centaines de milliers d'habitants, est aussi un centre industriel et culturel, mais elle reste universellement connue pour son palais royal, ses temples bouddhiques, les sites sacrés voisins de Bodnath et de Svayambhunath (siège du musée du Népal), etc.

Originalité et influences

Bien que subissant les influences du bouddhisme et de l'hindouisme, et celles des architectures chinoise et indienne donc, les monuments népalais témoignent d'une indiscutable originalité. Ainsi le type de temple à toiture étagée est-il local, la toiture en *shikhara* («tour-obus», métaphore particulièrement claire) n'apparaissant, elle, qu'au XVIIe siècle. Le *stûpa* (temple bouddhique en forme de haute coupole) est surtout à l'honneur dans la ville de Patan, qui n'en compte pas moins de quatre, un à chaque angle de la Cité. À Bhaktapur, la merveille demeure le palais royal

Porte du temple de Pashupatinath. Les temples de Pashupatinath, premier sanctuaire hindouiste du Népal, dominent la rivière Baghmati qui finit sa course dans le Gange. Le plus important d'entre eux, le temple au toit d'or, maison du dieu Shiva, n'est pas accessible aux non-initiés à la religion hindouiste, ce qui ajoute au mystère des figures anthropomorphiques et zoomorphiques qui couronnent ou encadrent ses ouvertures. Pourtant, ici, Shiva apparaît sous la forme paisible et bienveillante de Pashupati, le bon pasteur qui veille sur le royaume du Népal et sur son peuple de fidèles.

dont le portail doré est un modèle de somptuosité harmonieuse. Cet édifice ne peut cependant rivaliser sérieusement avec le palais de Katmandou, dont les douze cours sont entourées de statues et de bâtiments de pierre et de bois, d'un raffinement exceptionnel ; aux quatre angles de l'ensemble sont dressées de hautes tours, la plus remarquable étant celle de Basantpur qui, possédant une valeur sacrée aux yeux de tous les Népalais, constitue l'emblème le plus spectaculaire du royaume. Elle est composée de neuf étages, dont plusieurs laissent surgir des toits fortement saillants. Remontant à la seconde moitié du XVIIIe siècle, elle fut édifiée sur ordre du roi Prithvi Narayan Chah, avec trois autres édifices de même nature, dans le but de célébrer l'unification de la vallée de Katmandou. Les matériaux qui la composent sont principalement

L'unité nationale du Népal

Le cloisonnement des vallées et les traditionnelles rivalités locales interdisent de parler d'unité nationale avant l'année 1768, qui voit les Gurkhas, tribu montagnarde de religion hindoue, conquérir et unifier le Népal. Leur cruauté, alors, n'a d'égale que leur efficacité guerrière. Échouant cependant à occuper le nord de l'Inde, ils se heurtent aux intérêts de l'Angleterre, laquelle leur impose un semi-protectorat au XIXe siècle. Soumis à leurs nouveaux maîtres, ils deviendront les exécutants zélés des Britanniques dans la répression contre les révoltes indiennes animées par Gandhi. Mais auparavant, dès 1923, le Népal aura accédé à l'indépendance ; depuis, il hésite entre la soumission à une monarchie obsolète et la tentation révolutionnaire, l'espoir d'une réconciliation nationale s'imposant cependant peu à peu.

Stûpa de Bodnath.
Le temple de Bodnath est l'un des plus beaux sanctuaires bouddhiques du monde. Réservé au culte des lamaïstes, il connaît une affluence constante de pèlerins venus de toute l'Asie. Au sommet des cinq terrasses qui le composent, le grand *stûpa* a été peint à la chaux blanche puis aspergé d'eau colorée pour former des pétales de lotus.

À G : ***Durbar Square,*** la place royale de Katmandou, est célèbre pour sa juxtaposition d'édifices aussi variés par la forme que divers par la fonction. La brique rouge qui est sollicitée pour les murs de presque toutes les constructions donne une insolite touche de vigueur à l'ensemble, mais ce sont surtout les alignements des toits incurvés qui marquent la mémoire. À quelques pas de là, la célèbre «freak street» n'éveille plus aucune nostalgie chez les nouveaux voyageurs, insoucieux de ce lieu mythique qui fit tant rêver la jeunesse occidentale.

le bois et la brique. Devant le palais, enfin, la place royale (Durbar Square) est entourée de temples fastueux.

De hauts lieux spirituels

À quelques kilomètres à l'ouest de Katmandou, Pashupatinath est le sanctuaire hindou le plus important du Népal. Sur les berges de la rivière Baghmati qui le traverse, les cérémonies de crémation sont quotidiennes. Haut lieu de culte hindouiste, le site stupéfie toujours le voyageur étranger qui y découvre une fusion, inimaginable ailleurs, de la vie et de la mort, du mercantilisme le plus éhonté et de la spiritualité la plus détachée, de l'insouciance puérile des jeux d'enfants et de l'austère sévérité des pèlerins usés par l'âge, de la misère poignante des mendiants et de la richesse affichée des notables, des luxueux saris des femmes des hautes castes et de la nudité d'infortunés couverts de cendres, etc. Singulière ambiance que celle de cet autel de la mort ouvrant sur l'éternité : les mouvements y sont empreints d'une gravité millénaire, la tristesse des cortèges y est nuancée de ferveur religieuse, le respect des rites n'y interdit pas une totale liberté d'allée et venue… C'est par de larges escaliers que l'on accède au promontoire donnant vue sur les ghâts de crémation, établis sur l'autre rive. Et le spectacle y devient vite familier, d'un défunt en son linceul, déposé sur le bûcher funéraire par les membres de sa famille qui en ont fait trois fois le tour auparavant. La première flamme s'élève près de la bouche, le corps déshydraté par les heures d'agonie s'embrase et ses cendres seront dispersées à la surface des flots, escortées de fleurs mortuaires emportées par le même courant.
Tout aussi chargés d'histoire, les sites de Bodnath et de Svayambhunath complètent la trame spirituelle établie autour de la capitale.

Ispahan VIVIER SACRÉ DU GÉNIE PERSAN

Curieusement, c'est aux Turcs que les Iraniens doivent leur émancipation du joug arabe, au XIe siècle. À ces mêmes Turcs qui, ayant choisi Ispahan pour capitale, remirent à l'honneur la langue persane, laquelle, encore parlée par le peuple, avait été abandonnée par les cercles du pouvoir. Bien plus tard, sous la pression militaire des guerriers ottomans aux frontières occidentales de l'Iran, les souverains séfévides déplaceront leur capitale de Tabriz à Kazvin puis, en l'an 1597, à Ispahan. Dès l'année suivante s'ouvre une grandiose campagne de construction sous la conduite du chah Abbas Ier le Grand. [IRAN, CLASSÉ EN 1979]

Le fastueux souverain ordonne en premier lieu l'érection d'un immense palais royal. En lieu et place du palais turc de faibles dimensions, il fait complètement réaménager la place du Roi (Meidan-i-Chah, aujourd'hui rebaptisée place de l'Imâm Khomeyni) sur une aire d'environ 500 m de long pour 150 m de large. Un immense appareil d'arcades doubles relie entre eux les grands édifices de cette esplanade, en bordure de laquelle s'élevait déjà le pavillon de l'Ali Qâpou («porte de l'image du Monde») qui, remontant au XVe siècle et muni d'un avant-corps à terrasse couverte, devient ainsi le centre symbolique de la capitale.

La grande mosquée, chef-d'œuvre d'Ispahan

À l'extrémité sud de la place s'élève la célèbre mosquée du Roi, construite pour l'essentiel de 1612 à 1638. La réalisation de ce monument grandiose, peut-être le plus haut chef-d'œuvre de toute la civilisation persane, aurait exigé presque 20 millions de briques et environ 500 000 carreaux de faïence ! Le portail en demi-coupole, haut de 27 m, est surmonté d'une splendide coupole qui culmine à 52 m et est encadré par deux hauts minarets; ses plus beaux motifs décoratifs sont constitués de stalactites de faïence émaillée, blanc sur fond bleu. Pour placer l'édifice dans l'axe de La Mecque, l'architecte Abul Qasin opère une rotation de 45° du plan général. Rien ne donne une idée plus précise du luxe inouï des constructions d'Ispahan que la cour de la mosquée du Roi. De part et d'autre du portail colossal, les ailes à deux étages

Place et mosquée du Roi.
Au premier plan, le jardin bordé d'un mur en arcades aveugles appartient au complexe de la très ancienne et prestigieuse «Place du roi»; à l'arrière-plan se dresse la mosquée du Roi (Masjid-i-Shah), érigée au XVIIe siècle à l'initiative d'Abbas Ier le Grand et rebaptisée plus tard Masjid-i-Imam (mosquée de l'Imam). Exemple achevé de mosquée-madrasa, elle se présente tout à la fois comme un lieu de prière et un foyer universitaire coranique. À toutes les heures du jour, la faïence turquoise de sa coupole vibre au gré des jeux de la lumière prodiguée par le soleil; au fond, les promontoires rocheux attestent la grandeur sauvage de cette contrée.

enchaînent de hautes arcades en carène qui se reflètent dans les eaux du grand bassin aux ablutions, miroir magique des somptueux carreaux de faïence sollicitant un vocabulaire ornemental à peu près illimité. On parvient ici à la perfection de l'architecture persane, l'une des plus riches et des plus inventives du monde.

Une cité sacrée mais vivante

Non loin se dresse la mosquée du Sheikh Lutfallah, commencée en 1602 et achevée en 1617. De dimensions plus modestes, elle est sans rivale pour la beauté de ses faïences décoratives – particulièrement soignées sur l'entrée monumentale – et pour l'harmonie générale de ses formes. Enfin, au nord de la grande place, le portail du Qeyssarieh ouvre sur le bazar, aussi vaste que coloré, nœud vital de toutes les activités commerçantes de la Cité. Ainsi le fastueux palais royal, les deux mosquées et le bazar forment-ils un ensemble qui font d'Ispahan une ville majeure dans la hiérarchie universelle de l'art monumental. Et ce en dépit du sinistre souvenir laissé par son initiateur, Abbas, grand mécène mais effroyable bourreau à ses heures, qui fit tuer son propre fils aîné et aveugler les deux cadets, dans la crainte qu'ils ne cherchent un jour à le renverser.

Au chapitre des autres merveilles d'Ispahan figure en bonne place le palais de Chehel Sotoun, édifié en 1647-1648 si l'on en croit le poème gravé sur l'un de ses murs. Situé au milieu d'un parc, il est ainsi nommé («quarante colonnes» en persan) du fait que ses vingt colonnes miroitent à la surface du grand bassin lui faisant face. Les nombreux ponts jetés sur la rivière Zâyandeh comptent aussi parmi les joyaux de la grande cité iranienne ; les deux plus célèbres sont le pont Si-o-se («trente-trois» en persan), dont le nom vient directement des trente-trois arches sur lesquelles il repose, et le pont Khadju, éponyme de son architecte.

On ne saurait, enfin, quitter Ispahan, sans avoir parcouru son étonnant quartier arménien, dominé par la haute silhouette de la cathédrale Saint-Sauveur. C'est au XVIIe siècle, au temps des conflits entre Ottomans sunnites et Persans chiites, que 300 000 Arméniens chrétiens furent déportés par vagues successives vers la Perse ; pour une bonne moitié, ils s'installèrent à la périphérie d'Ispahan, pour s'y adonner au commerce et à l'artisanat. C'est ainsi que dans ce faubourg, occupant la rive sud de la rivière Zâyandeh et situé sur la route de la Soie, ils purent vivre paisiblement tout en participant avec vigueur au développement de leur nouvelle cité ; modèle d'intégration, leur communauté a su se bâtir les lieux d'apprentissage, de culte (treize églises témoignent encore de cette résolution sans faille) et de loisirs qui lui assurent une totale autonomie.

À l'intérieur de Saint-Sauveur, un magnifique cycle pictural retrace le martyre légendaire de saint Grégoire l'Illuminateur, fondateur de l'Église arménienne ; à quelques pas, le mémorial du Génocide rappelle le martyre du peuple arménien à l'aube du XXe siècle.

Devant le bassin aux ablutions.
Rien de plus féerique, au cœur des mosquées d'Ispahan, que les scintillements lumineux provoqués par le reflet des mosaïques couvrant les murs à la surface du bassin des ablutions. Restituant la couleur du ciel et celle de l'édifice sacré, l'eau lustrale renvoie aux seules idées d'éternité et d'immensité qui gouvernent l'imaginaire religieux sous toutes les latitudes ; et l'on observe ici que la figure humaine s'inscrit sans hiatus dans ce cadre hiératique.

L'APOGÉE SÉFÉVIDE

La dynastie des Séfévides régna sur la Perse de 1502 à 1736 et connut son apogée avec Abbas Ier le Grand (1587-1629). En s'appuyant sur une descendance présumée du prophète Mahomet, les Séfévides firent de l'islam chiite leur religion officielle. Ils restent surtout dans l'histoire pour leur production artistique : miniatures épiques et historiques, peinture de paysage, tissus à couleurs vives et à décor floral habité de nombreux personnages et animaux sauvages ou domestiques, tapis précieux de laine ou de soie, architecture monumentale, etc. C'est principalement sous l'impulsion des souverains Séfévides qu'Ispahan, leur capitale, s'est enrichie de palais et de mosquées d'une élégance et d'une somptuosité sans rivales dans le monde musulman : palais de Chehel Sotoun, place Naghsh-e Jahan, mosquée du Sheikh Lutfallah... le tout placé sous le label d'art safavide.

Taj Mahal CÉNOTAPHE DE L'AMOUR IDÉAL

Dans l'État indien actuel d'Uttar Pradesh, à l'extrémité de la ville d'Agra, capitale des Moghols depuis le XVIIe siècle et foyer majeur de l'art indo-musulman au nord de l'Inde, le Taj Mahal (ou Tadj Mahall) se signale, dans l'immensité du patrimoine monumental de ce vaste pays, par l'inexplicable perfection de ses formes, la splendeur du marbre blanc qui le vêt et l'émouvante légende – peut-être historique – qui présida à sa construction, de 1632 à 1648.

[INDE, CLASSÉ EN 1983]

Fleuron d'une cité du nord de l'Inde qui conserve bien d'autres joyaux architecturaux – dont le Fort Rouge –, ce considérable chef-d'œuvre de l'architecture moghole fut en effet érigé sur ordre de l'empereur Shah Jahan (ou Chah Djahan, 1592-1666), désireux de célébrer la mémoire de son épouse bien-aimée, Mumtaz-i-Mahal (littéralement, «l'Élue du palais»), morte en 1631 au hasard d'une campagne militaire dans le Deccan en mettant au monde son quatorzième enfant ! En bon descendant de Tamerlan (Timur Lang, 1336-1405), l'empereur fit de sa bien-aimée disparue, une «habitante du paradis», titre revendiqué par tous les empereurs de la dynastie timuride ; ainsi le Taj Mahal se présente-t-il moins comme un lieu de sépulture que comme l'image terrestre du céleste royaume d'éternelle félicité.

Un chantier à la démesure de l'amour

Monument de tous les paradoxes, le Taj Mahal se présente comme le plus beau mausolée féminin du monde, dans un pays où l'incinération des morts est la règle et au sein duquel la femme occupe un rang secondaire. Plus remarquable encore, il chante équitablement les mérites de l'art islamique et du génie indien, tout en usant de formes si universelles que, de la Perse à l'Europe, de l'Asie centrale à la Turquie, tous les foyers de création revendiquent une part, plus ou moins conséquente, de son vocabulaire formel et décoratif. Le chantier, ouvert en 1632, fut gigantesque, nécessitant le travail de 20 000 ouvriers pendant près de vingt ans. Si, contrairement à l'usage local, l'édifice fut d'emblée placé à l'extrémité septentrionale du parc aménagé, et non en son centre, c'est qu'il devait donner directement sur

Vue aérienne du Taj Mahal. La vision aérienne a pour premier mérite de rappeler la dureté du milieu naturel au sein duquel se dresse le Taj Mahal. Il a fallu consolider le sol marécageux, remblayer et soutenir la berge de la rivière Yamunâ, choisir pour le parc des essences compatibles avec le climat, etc., pour parvenir à ce miracle monumental de grâce féminine et d'élégance virile. Force des masses et raffinement des lignes jouent équitablement en faveur de la réussite esthétique d'un édifice qui, en dépit de son énormité, ne semble pas peser sur le sol qui le supporte, surtout quand la lumière solaire en fait vibrer tous les éléments.

le pont appelé à franchir la rivière et à mener à un second mausolée, réservé à l'empereur. Imaginé en marbre noir selon la tradition, ce second édifice n'a jamais vu le jour, du fait des infortunes politiques et familiales de Shah Jahan. Des milliers de tonnes de grès rouge furent extraites ou cuites sur place, mais c'est du lointain Rajasthan que le marbre blanc – éblouissant par temps ensoleillé – fut importé, à dos d'éléphant. Après avoir franchi le portail de grès rouge et de marbre orné d'arabesques abstraites et d'inscriptions coraniques, on accède au mausolée par de superbes allées qui suivent un très long bassin à la surface duquel se reflète la façade principale du Taj Mahal (dont la façade arrière donne sur la campagne traversée par le fleuve Yamunâ). L'édifice, à plan centré, s'élève au milieu d'une énorme plate-forme flanquée de quatre minarets.

Une rencontre symbolique. Si originale que soit sa conception, le Taj Mahal use des simples données symboliques du cercle et du carré dont la rencontre est particulièrement harmonieuse en partie supérieure du portail d'entrée. Le cercle, qui régit la sphère du dôme, renvoie à la lumineuse éternité du Paradis tout en s'extrayant du socle carré, symbole de la condition humaine.

Grandeur et délicatesse

Délimité par un mur de clôture de 305 m de côté, le jardin du mausolée est articulé en quatre sections, héritage de la conception iranienne. Aussitôt après l'entrée aménagée sous le porche de grès rouge aux incrustations de marbre blanc se dessine un étroit plan d'eau longé par deux allées ouvrant la perspective sur le grand édifice. À mi-chemin, la croisée perpendiculaire d'un second canal ouvre l'espace conduisant au mausolée de marbre blanc, qui repose sur son socle carré. Sur chacun des grands côtés du monument octogonal s'ouvre un immense porche en carène, entouré de quatre loggias réparties sur deux niveaux. Ces loggias sont reprises sur chacun des petits côtés. Au centre de la terrasse dominant ce massif, un tambour supporte une admirable coupole bulbeuse, elle-même entourée de quatre petits kiosques octogonaux surmontés de coupoles ; l'effet en est d'autant plus heureux que les formes en sont reprises pour le couronnement des quatre minarets tronconiques qui, placés aux extrémités de la plate-forme, atteignent une hauteur de 42 m.

On accède à la terrasse – haute de 7 m et longue de 95,16 m sur chacun de ses côtés – par un double escalier habilement disposé de façon à ne pas altérer l'élan vertical de l'ensemble. Le Taj Mahal lui-même atteint 58,60 m de côté pour une hauteur de 61,10 m. Le dôme en bulbe qui, sur une base de 18 m de diamètre, couronne l'édifice – tout en lui conférant une surnaturelle légèreté – use du dessin de l'arc outrepassé, si fort en usage dans le vocabulaire architectural de toutes les contrées orientales.

À l'intérieur, au centre d'une salle octogonale donnant sous la coupole, se trouvent les cénotaphes des deux époux, protégés par une balustrade de marbre délicatement ouvragé et incrusté de pierres dessinant des motifs floraux ou des sourates du Coran. À cet usage ont été utilisées toutes sortes de pierres précieuses ou fines : diamant, lapis-lazuli, turquoise, cristal, jaspe, onyx, agate, calcédoine, cornaline, magnétite, corail, etc., dans un décor de féeriques mosaïques, d'arabesques de couleurs scintillantes, de bandeaux épigraphiques noirs et de faible relief, qui semblent exalter, au-delà de la simple disparition des corps, le triomphe de la vie éternelle.

CI-DESSOUS :
Les murs du cénotaphe. Toutes les parois de la salle sépulcrale sont couvertes d'un merveilleux décor d'inspiration florale, d'une précision qui n'appartient qu'à l'art de la joaillerie. L'effet en est poétisé par toutes les nuances de la lumière du jour, dont les traces lumineuses et scintillantes dansent au mur, de l'aube au crépuscule, un permanent ballet.

Shah Jahan

Né à Lahore (actuel Pakistan) en 1592, année de la conversion d'Henri IV à la religion catholique, Shah Jahan a laissé un souvenir mitigé dans l'histoire de son pays. Empereur moghol de l'Inde de 1628 à 1658, il mena une politique très favorable aux musulmans, ce qui lui valut la rancune tenace des hindous et de nombreux ressentiments chez ses proches. Grand bâtisseur (mausolée du Taj Mahal, mosquées d'Agra et de Delhi, Fort Rouge de Delhi), il fut destitué par son fils Aurangzeb et mourut captif, en 1666. Si vif qu'ait été l'éclat de son règne, c'est pourtant pour l'amour de son épouse, Adjuma Banu Begum, dite Mumtaz-i-Mahal, qu'il reste si présent dans la postérité ; un amour d'ailleurs contesté par un certain nombre d'historiens, lesquels voient moins dans le Taj Mahal le signe de la passion conjugale, que l'emblème – à l'image de Versailles, presque contemporain – du pouvoir absolutiste.

L'Opéra de Sydney LYRISME DES FORMES CONTEMPORAINES

En matière d'inscription d'un monument dans son cadre naturel, l'Opéra de Sydney reste sans rival dans le monde. Développant sa blanche silhouette à la rencontre des immensités océanique et terrestre, le prestigieux édifice est devenu, en quelques années, l'emblème de la modernité architecturale, ouvrant la voie à un nombre incalculable de réalisations aussi spectaculaires par leur audace technique que confondantes par leur réussite esthétique.
[AUSTRALIE, CLASSÉ EN 2007]

Officiellement inauguré le 23 octobre 1973 par la reine d'Angleterre, Elisabeth II, l'Opéra de Sydney s'est imposé comme la plus parfaite réussite monumentale du continent océanien, mais également comme le seuil d'une nouvelle conception de l'espace théâtral. Dressé sur le promontoire sauvage de Bennelong Point, il se signale autant par la beauté de son profil, inspiré de toutes les éventualités de l'imaginaire maritime (grand voilier, lame déferlante, fleurs d'écume, amas de coquillages, etc.) que par le panorama unique qu'il commande, celui de la rade de Sydney.

Une épopée de l'architecture contemporaine

Un concours ayant été ouvert par les autorités australiennes en 1955, le projet choisi est celui d'un architecte danois presque totalement inconnu, Jørn Utzon. Élu devant ses 232 concurrents, le jeune artiste visionnaire séduit le jury, favorable à toutes les innovations, par l'audace de sa conception et la grande beauté de son dessin, mais aussi par son principe de rupture avec toutes les réalisations antérieures. Hélas, la conduite du chantier sera tout sauf idyllique, le projet non détaillé d'Utzon posant très vite de redoutables problèmes techniques, notamment pour la structure de son toit en forme de coques connectées. Renonçant au premier concept de 1959, les constructeurs redessinent le toit en 1963 ; écarté du chantier en 1966, Utzon doit ainsi se résoudre à voir son œuvre achevée – surtout en partie intérieure – par des architectes locaux et avec des matériaux qu'il n'avait pas approuvés, dont le silicone et des surfaces vitrées suspendues sur une grande échelle. La baie centrale notamment, de plus de 34 m de hauteur, est suspendue sans

Vue aérienne.
L'Opéra de Sydney repose sur une grande terrasse artificielle qui prolonge harmonieusement le promontoire de Bennelong. C'est vu du ciel que se vérifie le mieux la pertinence du choix esthétique d'Utzon : l'idée du grand voilier quittant le rivage ou y accostant se révélant en l'occurrence d'une surprenante et séduisante efficacité théâtrale. Autre atout de l'édifice, son détachement de la métropole australienne dont les gratte-ciel paraissent soudain bien conventionnels.

AMP
aap

Le parcours turbulent d'un grand architecte

Né le 9 avril 1918 à Copenhague, Jørn Utzon est parvenu à la célébrité mondiale avec son dessin de l'Opéra de Sydney. Fils d'un architecte naval, il a lui-même obtenu son diplôme en 1942, à Copenhague, avant de s'installer en Suède, puis en Finlande où il a collaboré avec le grand architecte Alvar Aalto. Avant de remporter en 1957 le concours ouvert pour l'Opéra de Sydney, Jørn Utzon a travaillé en Amérique du Nord, en Orient et au Maghreb. Installé sur place dès 1962, pour suivre le chantier du bâtiment australien, il est bientôt en butte aux tracasseries de l'administration locale, qui fait preuve à son endroit d'une animosité regrettable ; démis du projet en 1966, il se voit contraint de laisser les praticiens australiens locaux compléter son chef-dœuvre. Deux décennies plus tard, pourtant, ce sont ses fils qui seront sollicités pour en améliorer l'aménagement interne.

support intermédiaire. En fait, le principal reproche adressé au grand praticien danois est, selon l'usage, le dépassement phénoménal du devis initial, 102 millions de dollars australiens étant engloutis dans ce gigantesque projet. Mais il faut toutefois considérer, d'une part que le montant fut couvert par les gains d'une loterie organisée par l'État, d'autre part que l'édifice, largement rentabilisé depuis, fait aujourd'hui la fierté de tous les habitants de Sydney et, au-delà, de tous les Australiens.

Espace intérieur.
D'apparence complexe, l'espace intérieur de l'Opéra de Sydney marie heureusement les plus hautes exigences esthétiques aux plus rudes contraintes pratiques. En rupture avec la conception héritée des XVIIIe et XIXe siècles, les espaces intérieurs de l'édifice offrent au public des conditions idéales de vision et d'audition.

Bilan et perspectives

C'est donc au terme d'une campagne de quatorze ans d'efforts que le public australien fut enfin convié à l'inauguration officielle de l'édifice, le 23 octobre 1973, cérémonie présidée par la souveraine britannique et marquée par un faste et un éclat dignes des plus prestigieuses solennités royales. Pourtant, nulle volonté élitiste dans la conduite de ce grand dessein ; bien au contraire, c'est le succès populaire qui est recherché, un succès que le taux de fréquentation et la qualité des spectacles programmés attestent dès les premières saisons. L'Opéra de Sydney devient immédiatement l'un des grands centres lyriques du monde, faisant jouer à plein son extraordinaire polyvalence : il possède quatre auditoriums lui permettant d'afficher, outre un programme lyrique traditionnel, des ballets, des concerts instrumentaux, des pièces de théâtre et même des projections de films. Ainsi s'impose peu à peu l'idée de centre culturel qui va victorieusement faire reculer le concept de seul écrin théâtral.
Dans ce nouveau temple de l'art, dédié à l'idéal de l'œuvre totale, auditeurs et spectateurs découvrent une ambiance conviviale sans précédent. L'œil et l'oreille y sont enchantés, mais

Les coques blanches de l'Opéra de Sydney. L'ampleur des coques de béton précontraint qui ne laissent que malaisément imaginer la disposition intérieure de l'édifice a posé d'effrayants problèmes aux ingénieurs chargés de les dessiner. Avec l'aide de l'agence Ove Arup, les techniciens prendront finalement le parti de réaliser un système de coffrages modulaires de telle nature que toutes les parois y sont traitées comme des fragments d'une sphère de 150 m de diamètre. Entre les grandes envolées de maçonnerie blanche, les ouvertures sont comblées par des parois de verre laminé dans des cadres de fer et de bronze manganésé.

d'autres plaisirs sensuels complètent ce panorama culturel, notamment par l'ouverture de restaurants en plein air qui, faisant face à la baie, permettent aux amateurs d'art lyrique de profiter des saveurs d'une cuisine raffinée et des effluves de l'infini maritime – pour ne rien dire des spectacles « off » dont la proue du grand bâtiment devient fréquemment la scène. C'est dans cet esprit d'ouverture et de diversification qu'en mars 1999, une cinquième salle a été ouverte, plus intime, idéalement adaptée aux productions théâtrales et musicales (voire aux troupes de ballet) plus modestes. Quant à la grande salle des concerts, pièce magistrale du bâtiment avec son volume de 26 400 m³ et ses 2 659 places, elle continue d'émerveiller ses auditeurs par la qualité stupéfiante de son acoustique, obtenue par la mise en place de 18 anneaux ajustables en polymère qui assurent un retour de son remarquable et une diffusion fidèle des formations orchestrales les plus diverses. Reste à signaler que l'Opéra de Sydney dispose également d'un grand orgue qui, avec ses 10 500 tuyaux (mis en place au prix de dix ans de travail), figure parmi les plus grands instruments du monde.

Le chantier. Cette photographie du 25 octobre 1966 – prise à l'occasion de la venue du président américain Lyndon Johnson dont on voit, au premier plan, la vedette officielle – est révélatrice de l'extraordinaire complexité du chantier de l'Opéra, chef-d'œuvre esthétique mais aussi prouesse technologique.

Europe

INTRODUCTION

Pour tenter de définir l'Europe, terre qui semble avoir, en dépit de sa faible surface, à peu près tout imposé au reste du monde, ses langues, ses répertoires musicaux, ses formes littéraires et artistiques, ses modes de transport et d'échange… jusqu'à ses moules politiques et sociaux, faut-il parler de modèle universel ou de prédateur planétaire ? Ou considérer, au contraire, que cette alternative ne révèle, dans son absurde schématisme, qu'une forme d'impuissance à déterminer la place exacte de ce déroutant creuset de civilisations dans l'histoire des hommes ?

Car une détermination trop simpliste aurait pour premier inconvénient de postuler une unité européenne dont notre propre siècle est en train de vérifier, à sa surprise parfois consternée, le caractère presque utopique. Sur ce territoire aux modestes dimensions, la mosaïque des foyers de création est d'une telle complexité qu'aucun mode de classement ne peut en rendre un compte satisfaisant. De Moscou à Paris, de la brune Écosse à la verte Italie, de l'olivier grec au bouleau scandinave, des peintures rupestres de Lascaux aux plus récents édifices de Berlin, le tourbillon des nations – en recomposition constante – et des siècles – inlassablement turbulents – ne laisse aucune trêve aux esprits soucieux d'en domestiquer la course. Et c'est peut-être pourquoi, ici encore, aucune étude ne sera plus gratifiante que celle du patrimoine monumental disséminé aux quatre coins de l'improbable puzzle européen. Car il n'est aucune terre de ce continent disparate qui ne vaille – au moins – un voyage, aucune région qui ne porte la trace de l'énergie et de la volonté des hommes bâtisseurs ; c'est au hasard de ces innombrables chantiers figés par une histoire obscurément séculaire que se fait jour, intuitif mais inébranlable, un sentiment diffus de fraternelle solidarité, antidote réconfortant à la double malédiction de l'affrontement et de la précarité.

Des origines au Moyen Âge

L'homme européen pose moins problème par son éventuelle précocité que par la variété des expressions de cette précocité. Ainsi est-il loisible de découvrir, sur les parois du site de Lascaux, une première représentation du monde si désireuse de distinguer l'homme au sein de la nature indocile que l'imagination exaltée de ses dessinateurs fait surgir, avec 15 000 ans d'avance, les préméditations du système de la perspective visuelle ! Tout comme l'ensemble colossal de Stonehenge témoigne, par son énormité même, d'un sens du dépassement qui devient une entreprise de surpassement ! Tout comme, enfin, l'acropole d'Athènes rappelle à tous les voyageurs qu'ici l'esprit leva les pierres avec une perfection jamais retrouvée, métaphore d'un génie particulier que vingt-cinq siècles d'héritage devaient hisser au rang de pensée universelle. Une mer à traverser – particulièrement étroite ! – et nous voici sur le sol romain, terreau fondateur de l'Europe politique et parangon des sociétés fondées sur le droit. Une terre romaine qui se constitua par la force, mais dont l'immense cénotaphe de Pompéi atteste qu'elle sut porter à son faîte le raffinement de toutes les expressions vitales et la variété de toutes les attitudes. Même après le déferlement de la houle barbare, c'est sous forme d'un nouvel empire, plus spirituel, que renaîtra l'Europe au seuil du second millénaire de notre

DOUBLE PAGE PRÉCÉDENTE : chapiteau de la basilique romane Sainte Madeleine de Vézelay (XIIe siècle).

ère, une Europe romane dont la Bourgogne sera le fleuron, légataire indirecte du patrimoine byzantin de Constantinople (future capitale de l'Empire ottoman, sous le nom d'Istanbul).

Force et diversité

Héritière manifeste de la Grèce classique, celle de Périclès, l'Italie du crépuscule médiéval relève brillamment le défi de cette succession, de Venise, plaque tournante entre Orient et Occident, à Pise dont le monumental «champ des Miracles» illustre déjà la très haute ambition d'unir le beau au bien. Pourtant, dès la seconde moitié du XIIe siècle, l'ère gothique, née en terre française, organisait la convergence de tous ses éléments constitutifs dans le sens de la conquête spirituelle : du Mont-Saint-Michel à la cathédrale de Chartres, en passant par la cité fortifiée de Carcassonne, c'était ainsi une autonomie inédite de l'homme qui semblait exaltée, mais pas encore affranchie de la servitude religieuse. Et tandis que le Moyen Âge se dirigeait vers son inéluctable déclin, c'est aux périphéries du Continent que devait s'affirmer la part la plus exotique du génie européen, ibérique mais stimulé par la rencontre avec l'islam à l'Alhambra de Grenade, slave mais enrichi des apports italiens et français au Kremlin de Moscou. Rien de plus révélateur en l'occurrence que cette formidable vigueur née de confrontations aussi diverses par leurs causes que surprenantes par leurs effets.

L'instinct de la modernité

Il n'est d'autre seuil à la modernité européenne que celui de la Renaissance italienne : la Florence des banquiers et la Rome des papes, foyers animés par des mécènes aussi éclairés que tyranniques, ont prodigué à la postérité une image de l'homme ambitionnant de frôler la perfection. Retrouvant l'exigence de l'antique Athènes, les grands ateliers de la Renaissance ont ainsi légué un patrimoine dont la splendeur supporte aisément la comparaison avec les plus somptueuses réalisations des autres terres fertiles. Pourtant, rien ne se ferme jamais dans la révolution permanente de l'histoire des formes; la France du XVIe siècle aimera passionnément l'Italie et sa grande leçon de beauté libre, mais c'est au vivier de l'esthétique gothique qu'elle puisera pour ériger le merveilleux patrimoine des châteaux de la Loire, avant de dresser l'archétype colossal du classicisme à Versailles. Miroir de l'absolutisme, conçu dès l'origine pour loger la cour, c'est-à-dire pour la placer sous le contrôle strict d'un règne sans partage, le grand palais fascinera très vite toute l'Europe, suscitant un nombre incalculable d'imitations plus ou moins réussies. Aussi faudra-t-il attendre le XVIIIe siècle pour retrouver un esprit d'invention assurant la réussite d'enchanteresses constructions, dont le plus séduisant exemple reste peut-être celui de Potsdam. Mais déjà, alors, il apparaît qu'un nouveau cycle de métamorphoses entraîne le monde vers les terres inconnues d'une innovante fécondité. Le château et l'église font place à l'édifice public, la ville triomphe de la campagne, les monuments ne sont plus seuls à assurer la réputation d'un grand centre de création. C'est ainsi que la gloire de la plus emblématique des cités européennes, Paris, viendra avant tout de son rayonnement dans les domaines de la pensée, de l'art, de la littérature, des sciences, voire de la mode. Autre signe d'une modernité dont le Vieux Continent n'aura finalement jamais quitté le sillon.

Lascaux LE GÉNIE DES TEMPS OBSCURS

Sur la rive gauche de la Vézère, au cœur d'une région réputée pour son patrimoine préhistorique, le site de Lascaux s'ouvre à mi-pente d'une colline. Longtemps dissimulée par un cône d'éboulis, la grotte, qui se développe sur une longueur de 250 m pour un dénivelé de 30 m, abrite un extraordinaire ensemble de peintures pariétales, d'une ancienneté confondante : plus de 150 siècles... peut-être même 170!

[FRANCE, CLASSÉ EN 1979]

C'est le 12 septembre 1940 que quatre adolescents du village de Montignac (Marcel Ravidat, Jacques Marsal, Georges Agnel et Simon Coencas) se glissent dans une anfractuosité dévoilée quelque temps plus tôt par la chute d'un pin, au-dessus du manoir de Lascaux, et discernent d'étranges peintures sur les parois de la cavité dite aujourd'hui «salle des Taureaux». Ainsi débute l'une des plus étonnantes aventures archéologiques du siècle. Revenus le lendemain, nos quatre intrépides découvreurs explorent le reste de la grotte, se risquant même au fond du Puits. Très vite alertés, de grands noms de l'archéologie, au premier rang desquels l'abbé Henri Breuil, se précipitent à Lascaux, prélude à la gloire mondiale du site.

Une mine de joyaux visuels

Le plan de la grotte de Lascaux n'a rien d'un labyrinthe. Une brève descente conduit à l'entrée de la vaste salle des Taureaux à laquelle succède la galerie du Diverticule axial qui déploie, sur une trentaine de mètres, des peintures lui ayant valu le surnom de «chapelle Sixtine de la préhistoire». Ces deux pièces forment l'essentiel, mais non le total du site; de la salle des Taureaux part en effet une seconde galerie plus basse, «le Passage», à l'extrémité duquel la bifurcation droite mène à l'Abside et au Puits, l'embranchement gauche connectant la Nef et le diverticule des Félins.

La salle des Taureaux, en forme de rotonde, développe sur ses parois le plus bel ensemble de peintures paléolithiques du monde : sur une vingtaine de mètres, trois groupes d'animaux, chevaux, taureaux et cerfs, y composent une fresque d'une incomparable splendeur; de la «Licorne» aux aurochs, les figures dansent un fabuleux ballet qui trouve son équilibre dans l'illusion d'un

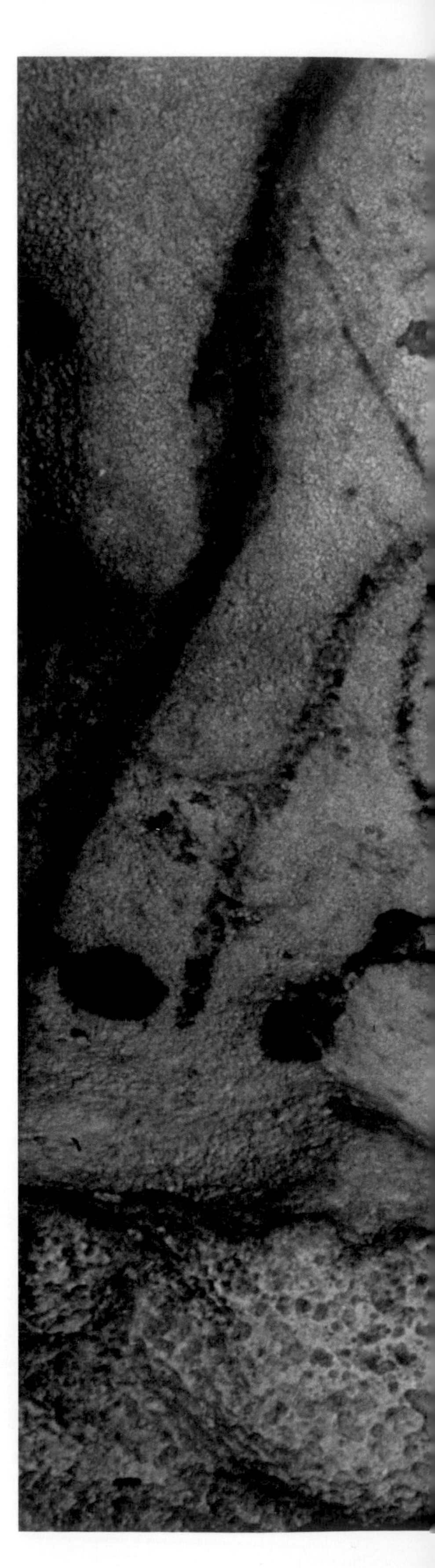

Cheval de Lascaux. Sur les parois du Diverticule Axial, c'est tout un bestiaire préhistorique qui s'anime au gré de la palette et des formes maniées par nos très lointains ancêtres. Entre les aurochs, les cerfs, les bisons et les bouquetins, on voit ainsi passer la silhouette nerveuse d'un petit cheval chinois, au dessin tout aussi stupéfiant, par le paradoxe de sa massive légèreté, que par l'autonomie de ses lignes de contour relativement à ses masses de couleur.

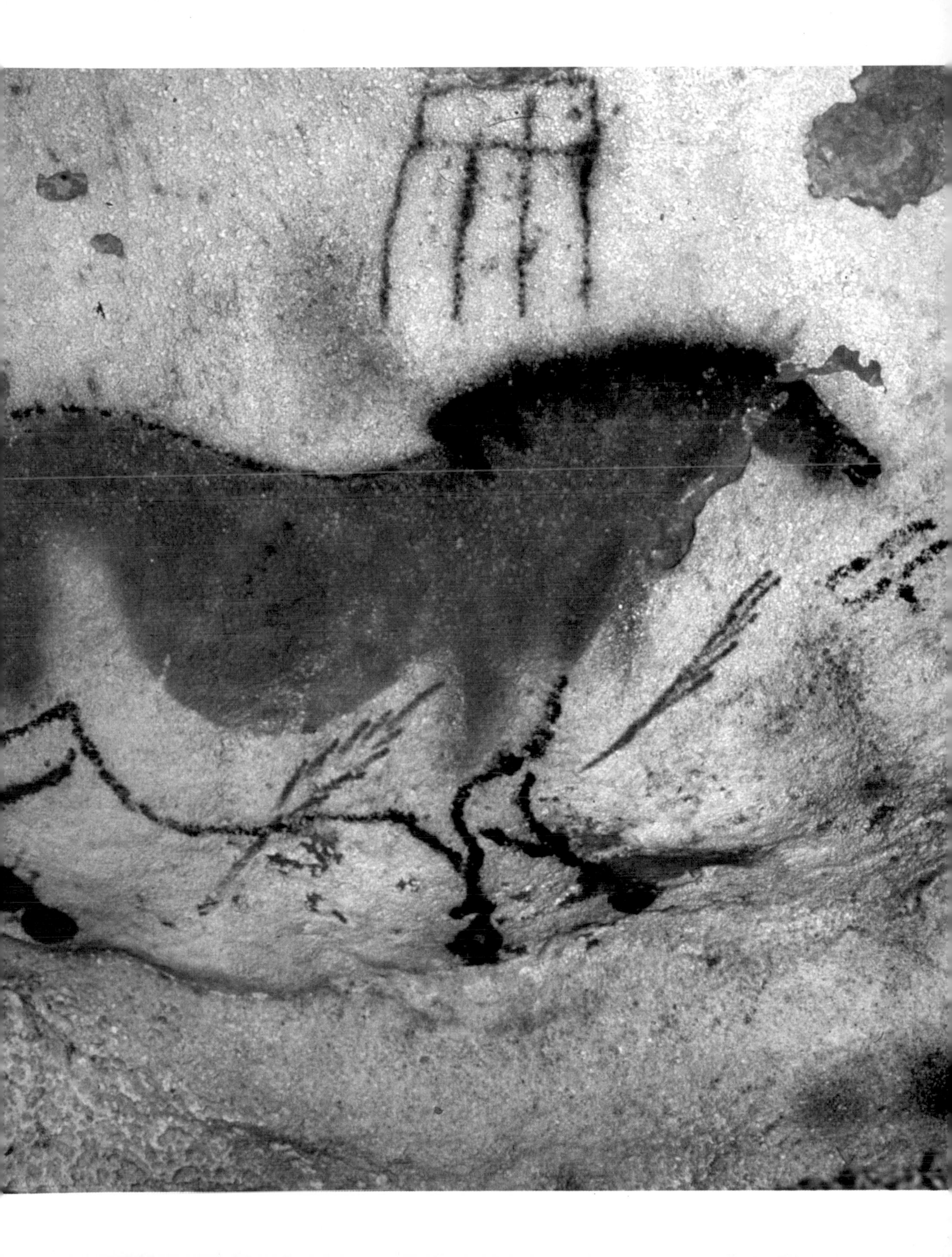

dynamisme circulaire, conflictuel. Quelques signes mystérieux (points, tirets) ajoutent au surnaturel d'une vision dominée par les nuances du noir et du rouge.

Le Diverticule axial n'est pas en vain considéré comme le sommet de l'art pariétal. Au registre supérieur de ses parois et sur l'intrados de sa voûte alternent les figures d'aurochs, de chevaux, de bouquetins, avec une virtuosité de facture et une charge dynamique saisissantes. Sur la paroi de droite, notamment, la danse d'innombrables petits chevaux autour d'un bovidé noir est d'une inoubliable beauté ; mais le motif le plus émouvant reste ici celui du Cheval renversé, l'infortuné équidé battant des oreilles et dilatant les naseaux dans sa lutte contre le sort adverse.

Revenu à la salle des Taureaux, le visiteur qui s'engage dans le Passage peut éprouver une relative déception face aux quelques tracés peints ou gravés épargnés par la corrosion. Mais dès son accès à l'Abside, modeste rotonde, il s'enchante de la ronde des quelque 600 figures peintes ou gravées couvrant, de bas en haut et dans un désordre indescriptible, parois et voûte en trois registres distincts : aurochs, cervidés, équidés. À l'extrémité de l'Abside, le Puits propose l'épisode le plus dramatique de Lascaux, l'affrontement entre un homme et un bison, cependant qu'un rhinocéros fuit sur la gauche ; curieusement, l'homme armé est tout juste tracé en contour, les animaux recevant pour leur part toutes les marques d'une palette et d'un modelé virtuoses. L'homme gît au sol, probablement sur le point d'être encorné par le bison rendu furieux par ses blessures au ventre.

La Nef et le diverticule des Félins proposent de splendides compositions regroupant à nouveau cerfs, chevaux, bisons, vaches, etc. Deux troublantes particularités de la Nef méritent d'être relevées : de curieux «blasons» quadrangulaires et la mise en perspective de deux silhouettes de bisons adossés. Au long de l'étroit couloir du Diverticule, se succèdent des ensembles graphiques qui seraient d'un moindre intérêt sans la présence de six félins. Ici, le décor se clôt par une double ligne de trois ponctuations rouges, analogique des traces noires de la scène du Puits, et indice possible d'une limite assignée à l'exercice pictural rituel.

À G : ***le temps de la découverte.*** En 1950, soit deux ans après la découverte de la grotte, une équipe de spécialistes conduits par l'abbé Breuil examine les silhouettes d'aurochs et de cerfs de la salle des Taureaux. Avec un demi-siècle de recul, le scrupuleux professionnalisme de ces pionniers de Lascaux suscite toujours un respect admiratif.

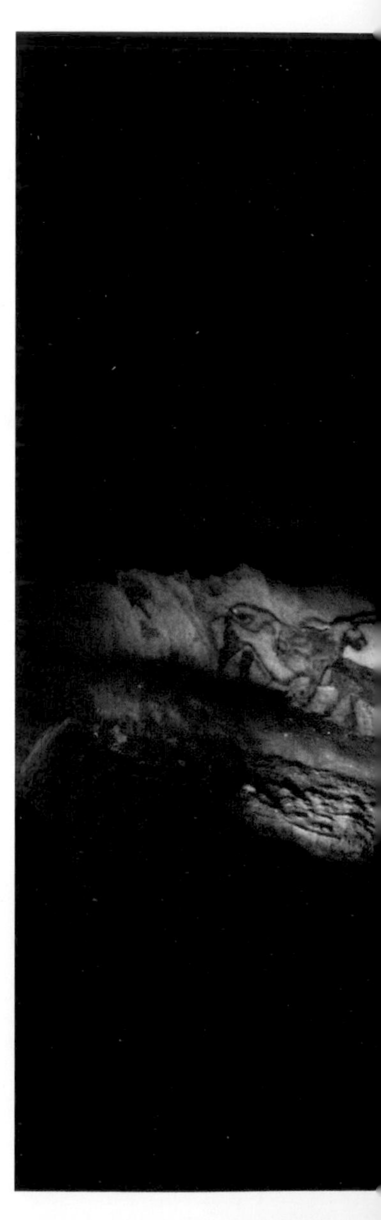

Salle des Taureaux.
La scène se signale par son prodigieux naturalisme, sa vérité presque inquiétante. Sur la gauche, un animal pourvu de deux longues cornes – la «Licorne» – donne le branle à plusieurs chevaux qui, en compagnie d'un vigoureux taureau partiellement dessiné, se précipitent vers les aurochs de droite, cependant qu'au centre, de petits cerfs peints à l'ocre semblent se dissoudre dans la muraille.

Le fac-similé de Lascaux

Les visiteurs ayant tôt afflué à Lascaux, de premières dégradations furent observées dès 1955, attribuées à l'excès de gaz carbonique, corrosif. Puis des taches vertes apparurent sur les parois, contraignant André Malraux à fermer la grotte le 20 avril 1963. Actuellement, la surveillance du laboratoire de recherche des Monuments historiques permet de préserver l'équilibre biologique de la grotte. Pour accueillir le public, la réalisation, à 200 m de la grotte originale, d'une réplique grandeur nature de la salle des Taureaux et du Diverticule axial s'imposa très vite à l'esprit des responsables. Usant des techniques les plus performantes, la copie des fresques du site a été une réussite accomplie, Lascaux II connaissant, depuis son ouverture en 1983, un succès qui ne se dément pas.

Stonehenge LA MÉMOIRE D'AVANT L'HISTOIRE

Ensemble colossal désigné par les archéologues sous le nom de «cromlech», Stonehenge offre le visage d'un ensemble de tracés concentriques de talus, de fossés et de mégalithes érigé au cours du IIIe millénaire av. J.-C. Situé à 13 km au nord de Salisbury, dans le comté du Wiltshire, il témoigne par son nom même (étymologiquement, «pierres suspendues» – entre terre et ciel ?) de la perplexité admirative dans laquelle il a toujours plongé ses innombrables visiteurs. [ANGLETERRE, CLASSÉ EN 1986]

Plus rare que les autres monuments mégalithiques de la préhistoire (cairns, dolmens, allées couvertes, menhirs), le cromlech est presque toujours constitué d'un alignement de pierres levées formant une enceinte ordinairement circulaire, enceinte parfois elle-même jumelée à un autre anneau, voire à plusieurs. Sur sa fonction, probablement rituelle et funéraire, les avis sont partagés, certains spécialistes y voyant une façon de temple, d'autre y découvrant toutes les marques d'un observatoire du ciel ! Sur la date de son édification, en revanche, un consensus s'est à peu près établi autour du néolithique et de l'âge du bronze, globalement les IIIe et IIe millénaires av. J.-C. Il n'est pas d'exemple plus illustre en la matière que celui de Stonehenge.

Discrétion du dispositif externe

Depuis quelques années, l'investigation de Stonehenge est sévèrement contrôlée et il n'est plus question pour le visiteur d'aller flâner sous les hautes pierres afin d'en mesurer la taille relativement à la sienne propre. Dans ces conditions, une bonne connaissance de la configuration générale du site devient une nécessité pour qui veut en comprendre les articulations.

Venu de la campagne, le promeneur rencontre en premier lieu les longues levées de terre et les fossés adjacents qui développent, au gré de champs et de prés en légère déclivité, leur course circulaire sur un périmètre d'environ 400 m (soit plus de 100 m de diamètre). Pour franchir ce premier et mince obstacle – qui marque la frontière du site, compris dans sa plus large acception –, il use de l'une des deux entrées aménagées au nord-est et au sud, la première étant d'assez loin la plus importante et ouvrant

Vue aérienne de Stonehenge. Sur ce document, Stonehenge apparaît comme la plus étonnante structure préhistorique d'Europe, mais aussi comme un complexe dont les cercles mégalithiques ne sont que la plus spectaculaire partie. Ainsi voit-on d'immenses lignes circulaires se développer autour du monument central, comme les cercles allant s'élargissant à la surface d'une pièce d'eau troublée par la chute d'une pierre. Faute de sources écrites, nous se saurons probablement jamais à quelle partie de la population le site était accessible au temps de son activité – une activité dont la nature nous restera sans doute longtemps tout aussi mystérieuse.

aussi une large avenue jusqu'à la rivière Avon, dont les rives se trouvent à quelque 3 km vers l'est. Juste avant le franchissement de ce seuil, notre visiteur aura constaté la présence d'un petit tumulus circulaire, dominé par la Heel Stone («pierre-talon») et dont la fonction n'est pas clairement déterminée. Deux autres tumuli sont placés contre l'enceinte, mais cette fois du côté intérieur, l'un tout près de l'entrée sud, l'autre à l'extrémité nord de l'ensemble.

Toujours en partie périphérique du monument, on trouve le cercle immense des «56 trous d'Aubrey», petites excavations du sol régulièrement disposées à quelques mètres à l'intérieur de l'enceinte. Ces trous, qui portent le nom de l'archéologue anglais John Aubrey les ayant signalés dès le XVIIe siècle, sont le plus sûr indice de l'éventuelle vocation astronomique de Stonehenge. La course en est coupée, au niveau de l'entrée nord-est, par un bloc rocheux connu sous le nom de «pierre du Sacrifice».

Au cœur du mystère

Pour parvenir au cœur du colosse, dont le centre est occupé par une pierre d'autel, il faut encore franchir deux cercles, dits «Y» et «Z», d'une trentaine de trous chacun ; l'espace du cromlech proprement dit est précisément circonscrit par la circonférence du cercle Z. Ici s'ouvre la véritable zone monumentale, déterminée par un cercle de 30 m de diamètre, constitué de trente monolithes de grès qui peuvent atteindre une hauteur de 5 m, une largeur de 2 m, et un poids de 50 tonnes. De puissants linteaux, fixés au moyen de tenons et de mortaises, sont posés sur ces pierres dressées ; cette ingéniosité technique a conduit un certain nombre de spécialistes à proposer l'hypothèse d'une influence de la Grèce mycénienne, avec laquelle il est attesté que des contacts existaient. C'est à l'intérieur de cet ultime cercle (fruit probable d'une campagne de construction plus tardive que les deux précédentes ayant permis l'aménagement des anneaux extérieurs) que se trouvent les cinq «trilithes», groupes de trois rocs taillés et disposés en fer à cheval.

Les origines irlandaise ou bretonne des pierres de Stonehenge appartiennent désormais au cycle des pieuses légendes. Les géologues ont pu établir que les célèbres et énormes «pierres bleues» (dolérite ou rhyolite) du monument, pesant environ quatre tonnes chacune, proviennent de Pembrokeshire (pays de Galles), cependant que les blocs de grès local (sarsen) ont été extraits d'une carrière située à une distance de 28 km, dans les Marlborough Downs. Reste le problème des méthodes mises au point pour la levée et l'installation de ces formidables appareils ; l'utilisation de troncs d'arbres, de pentes d'argile humidifiée, de leviers, de cordages, etc., constitue désormais l'hypothèse la mieux fondée. L'usage en est d'ailleurs universel et l'effet s'en retrouve sous quantité d'autres latitudes. À Stonehenge, l'homme antique a pu, par ailleurs, trouver sur place tous les moyens lui permettant d'utiliser ces techniques pour dresser ce prodigieux sanctuaire, peut-être destiné à assurer la sécurité et la prospérité locales.

UN LABORATOIRE ASTRONOMIQUE ?

Depuis longtemps, les spéculations relatives au rôle d'aire astronomique de Stonehenge vont bon train, souvent nuancées d'une fantaisie qui en ruine la crédibilité. Soucieux de faire la lumière sur ce point, l'astronome Fred Hoyle s'est attaché à donner une possible explication du mystère des 56 trous d'Aubrey. Notant que 56 est le plus petit nombre autorisant une simulation des courses respectives de la lune et du soleil (phases et éclipses comprises), il propose d'user de marqueurs placés dans les trous, l'un figurant le soleil, l'autre la lune. Avancé de 2 trous tous les 13 jours, le premier exécute le tour du cercle en 364 jours, l'erreur d'une journée étant aisée à rectifier ; progressant de 2 trous par jour, le second marqueur fait le tour du cercle en 28 jours, soit l'exacte durée du cycle lunaire.

L'illustre cromlech.
Le terme *cromlech* trouve son origine dans le vivier de la langue connue sous le nom de «vieux gallois» (VIe-XIIe s.). Son étymologie est d'une rare limpidité, *crwm* (qui donne *crom* au féminin) signifiant «courbé», et *lech* se traduisant par «pierre plate» ; ainsi le cromlech est-il tout simplement un ensemble de pierres plates disposées sur un tracé courbe. Dans sa pureté sauvage, celui de Stonehenge semble tourner le dos à ses visiteurs pour se concentrer sur le mystère de son autel central.

Acropole d'Athènes LA HAUTE CITÉ DE PÉRICLÈS

Dès les premiers âges de la Cité, une forteresse fut installée sur sa colline. L'Acropole (littéralement «ville haute») fut ainsi un lieu de défense avant de devenir le principal sanctuaire de la Grèce antique, ses illustres monuments – Parthénon, Propylées, temple d'Athéna Nikê et Erechthéion – y ayant remplacé, au ve s. av. J.-C., les monuments détruits quelques décennies auparavant par les Perses (occupation de la ville en 480). [GRÈCE, CLASSÉ EN 1987]

L'histoire de la capitale de la Grèce actuelle commence véritablement en 594 av. J.-C., lorsque Solon (vers 640-558), homme d'État, législateur et poète, la dote d'une constitution établissant les bases de la future démocratie athénienne. Plus tard, ayant signé une paix glorieuse avec les Perses (449), Athènes impose sa monnaie aux autres cités ainsi que la perception d'un tribut annuel. Son déclin naît avec la guerre du Péloponnèse (431-404) qui voit Sparte et Corinthe s'allier contre la Cité, affaiblie par la peste et la mort de Périclès (429). Vaincue à la bataille d'Agios Potamos (405), Athènes doit livrer sa flotte, détruire ses murailles, abandonner son empire.

Le Parthénon

Conçu par Phidias, construit en marbre du Pentélique par Ictinos et Callicratès, le Parthénon (450-432 av. J.-C.) est un édifice dorique périptère, comptant huit colonnes en façade. Sa longueur atteint 69,51 m, sa largeur 30,86 m, pour une hauteur de 17,5 m. Dédié à Athéna, il n'a pris le nom de Parthénon («chambre de la Vierge», abritant le trésor d'Athéna rapporté de Délos) qu'au IVe siècle. C'est à Phidias que revient la frise des Panathénées (vers 440), l'un des plus purs chefs-d'œuvre de toute l'histoire de l'art. Seul le bandeau ouest est encore en place, le reste enrichissant les collections du musée local et du British Museum à Londres. La composition commençait à l'angle sud-ouest, d'où partaient deux théories de personnages (cavaliers, magistrats, musiciens, prêtres, canéphores, etc.) défilant le long de l'édifice pour converger vers le milieu du côté est, où la procession se terminait en apothéose, dieux et héros y accueillant le double cortège. Des 92 métopes de la frise dorique, très peu sont

Vue aérienne de l'Acropole. Sur ce document, il apparaît avec force que les Athéniens n'ont pas choisi au hasard le socle de leurs plus prestigieux monuments. Dressé au cœur de la Cité, le formidable bloc rocheux de l'Acropole constitue une forteresse naturelle, aisée à fortifier de façon à la rendre imprenable. Datant du «siècle de Périclès», les majestueux édifices du grand sanctuaire semblent ainsi lancés à l'assaut du ciel : le Parthénon, les Propylées et le temple d'Athéna Nikê (au fond, de droite à gauche) ainsi que l'Érechthéion (sur la droite) témoignent brillamment de la politique de construction prestigieuse menée par le grand stratège athénien.

restées en place, pour la plupart mutilées. Celles de la façade principale, à l'est, figuraient le combat des dieux olympiens et des Géants ; celles du sud, les combats des Lapithes et des Centaures ; celles de l'ouest, face aux Propylées, le combat des Grecs contre les Amazones ; et enfin celles du nord, des scènes de la guerre de Troie. Au registre héroïque mais humain des métopes, s'oppose le registre divin des frontons. La naissance d'Athéna ornait le fronton est ; ayant hérité de son divin père Zeus sagesse et raison, la déesse, qui portait une lance et son fameux bouclier à tête de Gorgone, personnifiait le courage et la sagesse, double gage de sécurité pour la Cité. Le fronton ouest mettait en lumière la vocation pacifique et civilisatrice d'Athéna, sous forme d'une mise en scène de la célèbre dispute avec Poséidon pour la possession de l'Attique, lutte qui avait vu le triomphe de la déesse sur le dieu des mers, occasion pour elle de faire don à sa ville de l'olivier, symbole de paix, mais aussi source de richesse durant plusieurs siècles.

Autour du Parthénon

Le gros œuvre du Parthénon étant achevé dès 438 av. J.-C., le deuxième chantier du programme de Périclès peut commencer. L'architecte Mnésiclès se voit donc chargé de la construction des Propylées, entrée monumentale que doivent flanquer d'énormes portiques. Terminé en 431, ce chef-d'œuvre d'architecture classique remplace les Propylées archaïques et associe, comme au Parthénon, les ordres dorique et ionique. Il est, à l'instar des autres édifices de l'Acropole, relevé de couleurs très vives. Transformés par les Turcs en poudrière militaire, les Propylées n'ont que partiellement survécu à la terrible explosion qui les anéantit à l'époque ottomane.

À quelques pas des Propylées le petit temple d'Athéna Nikê (allégorie de la victoire) est construit, de 427 à 424, sur un socle qui le met particulièrement en évidence. Cet édifice miniature, auquel conviennent parfaitement la grâce et l'élégance de l'ordre ionique, est édifié à partir des plans de l'architecte Callicratès ; sa décoration sculptée est d'une rare distinction. En dépit de la célébrité de ses voisins, l'Erechthéion (421-406) reste le plus important édifice religieux de l'Acropole ; siège de la dispute opposant Athéna à Poséidon, il groupait leurs deux sanctuaires en un seul temple. On y trouvait le *xoanon*, statue ancienne d'Athéna en olivier, tombée du ciel, et la marque du trident de Poséidon. Son architecte, inconnu, lui a donné le plan intérieur d'un temple archaïque, mais a greffé sur ses flancs deux éléments annexes, le portique nord et le célèbre porche des Caryatides au sud. De l'est à l'ouest, l'Erechthéion comprend un *pronaos* (vestibule) à six colonnes ioniques, puis la *cella* (chambre sacrée) d'Athéna, et en troisième lieu, séparée par un mur plein, une seconde cella, celle de Poséidon et d'Erechthée, dont le dallage couvrait la cage des serpents sacrés.

PHIDIAS

Du sculpteur grec, considéré comme le plus grand artiste de l'Antiquité, nous ne pouvons que supposer les dates de naissance et de mort (490 ? - 430 av. J.-C. ?). Il est attesté qu'il œuvra pour les frises et les frontons du Parthénon, sur l'Acropole au milieu du ve siècle, et au temple de Zeus à Olympie en 468. Sa carrière coïncide avec l'apogée de l'art athénien du ve siècle av. J.-C. ; s'il est impossible d'authentifier une seule de ses œuvres, faute de sources fiables, son style reste immédiatement identifiable. Chargé par Périclès de diriger les travaux du Parthénon, Phidias réalise également, pour le temple d'Olympie, la statue chryséléphantine (or et ivoire) du Zeus trônant. Ensuite, son destin devient obscur, probablement tragique. Accusé d'avoir détourné de l'ivoire, il mourra dans la détresse, en exil affirme la tradition, en prison selon Plutarque.

Érechthéion, le portail des Caryatides.
Ornant la façade sud de l'édifice, le portique des Caryatides – colonnes en forme de femmes porteuses de corbeilles sur lesquelles repose l'entablement – fut peut-être réservé aux petites filles qui tissaient le peplos (vêtement en laine replié par le milieu, ceinturé et fixé sur les épaules à l'aide de fibules) de la divinité tutélaire de la Ville.

Le Parthénon.
Élevé par les architectes Ictinos et Callicratès d'après les dessins de Phidias, le Parthénon se signale par une unité organique et dynamique exceptionnelle. Dominant l'Acropole, il a été conçu comme un trésor en forme de temple à la gloire de la déesse Athéna, déesse protectrice de la Cité. Ce chef-d'œuvre de l'art grec reste lié aux noms de Périclès (vers 495 - 429 av. J.-C.), qui engagea la ville dans une politique de grands travaux, et de son ami Phidias, le plus célèbre des artistes grecs.

Vue du Forum.
À l'extrémité du Forum, la silhouette de l'arc de Titus marque la fin de la trajectoire de la Via Sacra. Un peu plus près sur la droite surgissent les vestiges du temple de Romulus, fondateur de la Cité, puis la basilique émilienne, vaste construction où l'on traitait les affaires marchandes et où l'on rendait justice. Plus près encore, le temple de Castor et Pollux a conservé trois magnifiques colonnes corinthiennes, qui, de leur podium, semblent jaillir vers le ciel en dépit du pesant fragment d'entablement qu'elles continuent de supporter.

Rome antique À LA CONQUÊTE D'UN VASTE EMPIRE

Située sur le Tibre à 22 km de la mer Tyrrhénienne, Rome reste la plus prestigieuse cité de l'Antiquité, le terreau fondateur de l'Europe politique. L'archéologie prouve que son site fut occupé dès le IIe millénaire avant J.-C. Mais c'est seulement au VIIIe siècle avant J.-C. que commence son histoire, un village de pasteurs – la *Roma quadrata* attribuée à Romulus – se développant sur le flanc ouest du mont Palatin. [ITALIE, CLASSÉ EN 1980]

D'autres bourgs latins et sabins apparaissent bientôt sur les collines avoisinantes, formant la ligue du Septimontium (sept collines). Puis arrivent les Étrusques, chassés en 509 av. J.-C. par les familles patriciennes qui établissent la République. Maîtresse du monde au Ier siècle avant J.-C., Rome se couvre d'édifices : basiliques, arcs de triomphe, temples, aqueducs, ponts... Embellie par Auguste, reconstruite par Néron, transformée par Trajan et Hadrien, fortifiée par Aurélien en 270-275, elle tombera sous les coups d'Alaric en 410 avant de passer aux Ostrogoths, Odoacre déposant en 476 son dernier empereur, Romulus Augustule.

Le forum romain : mythes et symboles

Dans toutes les cités romaines, le forum (place centrale) est pourvu de fonctions aussi nombreuses que complexes, mais il reste, pour l'essentiel, un lieu de réunion où la parole est reine, héritier romain de l'agora grecque. Le Forum romain demeure le plus haut lieu symbolique de notre histoire européenne, le plus chargé de souvenirs et de mythes. Situé au cœur de la capitale italienne, il occupe l'emplacement d'un ancien marécage au pied de deux collines illustres, le Palatin et le Capitole.

Au bas du Capitole, l'arc de Septime Sévère – construit en 203 pour célébrer la victoire de l'empereur sur les Parthes – développe ses trois arches élégantes qui servirent de modèle pour l'arc du Carrousel, dressé dans la perspective du Louvre sur ordre de Napoléon en 1806, à l'entrée des Tuileries. De là commence une promenade dans l'Antiquité, au hasard des édifices rencontrés le long d'une magnifique voie pavée, la Via Sacra, qui conduit jusqu'à l'autre extrémité du Forum, marquée par l'arc de Titus dont l'arcade ouvre sur la perspective du Colisée.

Le Colisée.
Si Auguste affirma avoir «trouvé une Rome de brique et laissé une Rome de marbre», son plus illustre monument, le Colisée, ne lui est pas dû. Car Auguste était encore héritier d'une République qui refusait de considérer ses citoyens comme de simples clients, avides de «*panem et circenses*» (pain et jeux du cirque). Ainsi créé pour séduire le peuple, le Colisée, éclatant symbole de la puissance romaine mais aussi de ses dépravations, porte-t-il en lui les germes du futur déclin de cette puissance.

De part et d'autre de cette voie mythique, de nombreux édifices rappellent la puissance de la République qui précéda l'Empire romain. Ainsi du temple de Saturne où fut longtemps déposé le trésor public, du temple de la Concorde, du Sénat, de la prison publique... En ces lieux se dessina pendant presque huit siècles le destin de la Ville. Les citoyens s'y rencontraient pour y décider des affaires publiques, sous la protection des dieux auxquels étaient dédiés les temples du lieu. Pourtant, c'est aussi au Forum qu'il revint de faire disparaître peu à peu le caractère égalitaire de la République romaine, la ségrégation citoyenne provoquant, dans un premier temps, la division de son espace en deux parties. La première, la plus élevée, fit office, sous le nom de Comitium, de lieu de réunion pour les Comices curiates (réunion des 30 curies patriciennes), en opposition avec le forum proprement dit, qui accueillait les Comices tributes (réunion de la plèbe divisée en tribus); c'est de sa tribune que les orateurs haranguaient la foule, à l'image d'un Jules César qui comprit si bien l'efficacité de ce système qu'il créa son propre forum, au pied du mont Quirinal, le *forum Iulii*.

En revenant sur ses pas à partir de l'arc de Titus, érigé à la fin du Ier siècle pour célébrer l'écrasement des Juifs de Palestine, le promeneur longe la basilique de Maxence et Constantin, monument grandiose précédé d'un portique à quatre colonnes de porphyre; construit au IVe siècle, ce sanctuaire tardif de l'Empire romain est devenu aujourd'hui un lieu de concerts prestigieux. On en revient enfin – voisine de l'arc de Septime Sévère – à la Curie, édifice qui abrita les séances du Sénat, assemblée déchue de toute autorité dès l'avènement du système impérial (14 av. J.-C.).

Sept collines à l'histoire mouvante

Aucun ensemble naturel et urbain n'est plus chargé d'histoire que celui des sept collines fondatrices de Rome : le Capitole, le Palatin,

La citadelle du Capitole

Centre religieux antique, avant de devenir le siège du gouvernement communal, la colline du Capitole était habitée bien avant la date traditionnelle de fondation de Rome (753 av. J.-C.), son sol ayant livré des céramiques de l'âge du bronze (XIVe s. av. J.-C.). Selon la légende, elle serait tombée sous le contrôle des Sabins, à la suite de la trahison d'une jeune fille, Tarpéia, qui donna son nom à la roche Tarpéienne, lieu d'exécution des condamnés. Protégée par ses flancs rocheux, la citadelle du Capitole fut enrichie par les rois Tarquins d'un temple dédié à Jupiter, Minerve et Junon et inauguré au début des temps républicains, en 509 av. J.-C. C'est en 390 av. J.-C. que se situe le célèbre épisode des oies qui, consacrées à Junon, sauvèrent la Ville en donnant l'alerte par leurs cris lorsque les Gaulois cherchèrent à s'emparer de la citadelle en escaladant ses murs.

Le Panthéon (intérieur).
Construit sous le règne de l'empereur Hadrien, vers l'an 125, en remplacement du Panthéon d'Agrippa détruit par un incendie, il présente un plan exceptionnel, inédit dans l'architecture européenne. Une fois franchi le classique portique à colonnes de l'édifice, le visiteur entre dans un espace circulaire – et non plus carré ou rectangulaire – dominé par l'immensité de la plus grande coupole du monde antique (diamètre : 43,30 m). Le vide aménagé au faîte de l'édifice laisse descendre parcimonieusement la lumière du jour.

l'Esquilin, l'Aventin, le Caelius, le Viminal et le Quirinal. Cependant, il est d'emblée à noter que la détermination de ces sept collines n'a cessé d'évoluer au cours des premiers siècles de l'histoire romaine, en même temps que la ville grandissait : regroupement d'éminences en un seul mont, arasement de monticules, agrégation d'autres buttes à l'intérieur des remparts…

Immortalisé par nombre de peintres du fait de sa position au-dessus du Forum, le Capitole jouit d'un statut privilégié. C'est là que les oies alertèrent la garnison au temps de l'invasion gauloise. C'est là que se situait le stade suprême du pouvoir, à quelques pas de la Roche tarpéienne d'où l'on précipitait les criminels condamnés à mort, raccourci saisissant des aléas de la destinée. C'est là enfin que les consuls nouvellement élus prêtaient serment et que les généraux victorieux venaient conclure leur triomphe en célébrant un sacrifice devant le temple de Jupiter. Plusieurs fois ravagée par les flammes et reconstruite, la citadelle du Capitole vit disparaître ses temples et ses colonnes dans les fours à chaux du XVe siècle, mais fut remplacée par l'agencement des édifices aménagés par Michel-Ange au XVIe siècle.

Du Palatin, il faut signaler d'emblée que ses pins odorants et sa situation en balcon sur le Forum offrent le cadre le plus enchanteur de toute la ville. Cette «haute colline» (52 m), située entre le Tibre et le Forum, fut le berceau romain, un village primitif y étant attesté dès le VIIIe siècle av. J.-C. À partir d'Auguste, qui y avait sa demeure, le Palatin devint le lieu de résidence des empereurs. On y trouvait aussi un grand nombre de sanctuaires et de temples (de la Victoire, de Cybèle, de Jupiter, d'Apollon) et la Bibliothèque palatine. En 330, la fondation de Constantinople marqua l'abandon définitif de l'immense ensemble palatial qui s'était édifié au fil des siècles; mais la colline devait continuer, par analogie, à désigner un «palais» dans toutes les grandes langues européennes. Couverte de forteresses médiévales ensuite, elle fut de nouveau occupée à partir de la Renaissance par les riches familles romaines qui, à l'instar des Farnèse, y firent édifier leurs luxueuses maisons de campagne, en pillant les ruines antiques. De nombreux vestiges hantent encore ses flancs, ceux de la maison d'Auguste et de Livie, ceux du palais de Tibère, édifice rectangulaire dont la cour centrale est tournée vers le Forum, ceux du palais de Domitien, etc.

L'Esquilin, autrefois divisé en trois «sommets» (Fagutal, Oppius et Cispius) se dresse derrière le Colisée, d'où il est possible de gagner, en traversant le parc de la *Domus aurea* (Maison dorée), la monumentale basilique de Sainte-Marie-Majeure, aux inoubliables mosaïques. Culminant à 40 m, l'Aventin est séparé du Palatin par une «vallée» au fond de laquelle fut construit le Circus Maximus, dont il ne reste aujourd'hui que la vaste esplanade. En 494 av. J.-C., une partie de la plèbe, en révolte contre le patriciat, se réfugia sur les pentes de l'Aventin. Nombre de petites églises charmantes se découvrent au hasard de ses places et rues, Sainte-Prisca, Saint-Alexis, Saint-Sabas, Sainte-Sabine. Le Caelius, la plus verdoyante des collines de Rome, possède quelques admirables édifices, à l'image des basiliques San Gregorio Magno et Santa Maria in Dominica. Quant au Viminal, il est à ce point discret que les guides romains omettent presque toujours de signaler ses faibles déclivités (que le promeneur curieux pourra néanmoins découvrir dans la zone étroite séparant la place de la République de la grande gare de Rome, la Stazione Termini). Le Quirinal, enfin, vaut surtout par sa très belle place homonyme où s'élèvent le palais présidentiel et les statues colossales des Dioscures (Castor et Pollux), trouvées dans les thermes de Constantin.

Statue d'Auguste.
Cette statue d'Auguste en costume militaire, jeune et tête nue (paradoxalement, cette modestie est une marque de divinité), date probablement de 15 ap. J.-C., soit un an après la mort de l'empereur. Sur sa cuirasse, différentes scènes historiées chantent, de la Terre au Ciel, la gloire du premier empereur romain.

La Via Appia.
La Via Appia (dont l'extrémité, à Brindisi, est marquée par une double colonne) quitte Rome au sud, entre les hauts pins odorants, les mausolées antiques et les catacombes des premiers siècles chrétiens, dont celles de Saint-Calliste, de Saint-Sébastien et de Domitille, impressionnantes et chargées d'histoire.

Pompéi CONSERVATOIRE DU MONDE ANTIQUE

Petite ville de Campanie probablement fondée au VIIIe siècle av. J.-C., à faible distance de Naples, Pompéi, a disparu de la surface du monde, en cette funeste journée du 24 août 79 qui vit le Vésuve l'engloutir en compagnie d'Herculanum et de Stabies. Figée dans son linceul de cendre dure, elle ne devait être retrouvée, dans un exceptionnel état de conservation, qu'au XVIIIe siècle, apparaissant aux yeux de l'Europe comme le miroir fidèle d'un monde antique supposé idéal. [ITALIE, CLASSÉ EN 1997]

Colonie grecque au VIe siècle av. J.-C., proie des Étrusques, alliée incertaine de Rome qui finit par totalement la coloniser, Pompéi avait déjà été victime d'un terrible séisme dix-sept ans avant l'éruption fatale. Enfouie sous une couche de cendres pétrifiées atteignant parfois 20 m, elle est repérée en 1599 par Fontana, un architecte occupé à la construction d'un canal. C'est en 1748 que s'ouvre le chantier de ses fouilles, poursuivi avec la plus grande rigueur en fin de XIXe siècle et surtout après 1920.

Une ville à échelle humaine

Comprise à l'intérieur d'une enceinte longue de 2 600 m et percée de huit portes, Pompéi ne présente pas un plan très complexe, le principe du damier romain en rendant l'intelligence immédiate. Plan d'autant plus simple que ses principaux édifices sont regroupés, d'une part autour du Forum situé à l'est de la cité, d'autre part au sud de la Via dell'Abbondanza, son ancien *decumanus* (voie centrale ouest-est).

Entrant par la Porta Marina, à l'ouest, le visiteur est presque aussitôt confronté au temple d'Apollon dont les fondations remontent au VIe siècle av. J.-C. et qui constitue le foyer cultuel le plus ancien de Pompéi. Il donne sur le Forum, vaste aire rectangulaire de 38 × 142 m excentrée, relativement au damier des rues, mais située au carrefour des principales rues de la ville. En dépit de la beauté de ses vestiges, la place, autrefois longée sur trois côtés par une élégante colonnade surmontée d'une galerie, ne transmet qu'un pâle souvenir de son ancienne grandeur. L'angle occidental en est occupé par la basilique (IIe siècle av.

Nature morte, peinture murale de Pompéi. En tant que genre pictural, la nature morte est une invention de la Grèce antique ; loin de se limiter à une simple reproduction des objets de la vie quotidienne, les artistes de Pompéi ont donné à leurs compositions une forte charge symbolique. C'est aux plaisirs sensuels les plus sains qu'invitent ici les pêches parvenues à maturité et le délicat bocal d'eau fraîche placés sur les étagères d'un intérieur aisé. Dans le même temps, la précarité de ces objets inanimés renvoie à la fragilité de la destinée humaine, comme si d'obscurs pressentiments agitaient l'esprit de cette communauté blottie au pied du géant endormi.

J.-C.), édifice réservé à l'exercice de la justice et au traitement des affaires. Sa façade occidentale comptait quatre colonnes ioniques rythmant un escalier en basalte, qui donnait accès aux trois nefs cadencées par vingt-huit hautes colonnes corinthiennes en brique stuquée.
Le temple de Jupiter, hissé sur un socle gravi par un escalier solennel, et les thermes, édifiés au Ier siècle av. J.-C. et dont toutes les salles se signalent par la somptuosité de leur décoration, complètent cet ensemble monumental. Du Comitium, bâtiment réservé aux élections des magistrats de la ville par lequel se termine la découverte du Forum en son angle sud-est, on rappellera enfin qu'il fut célèbre en son temps pour la beauté de ses parements de marbre et de stuc polychrome.
À partir de là, l'exploration de Pompéi se poursuit au sud de la Via dell'Abbondanza, la première place à se présenter étant le Forum triangulaire, aménagé au VIe siècle av. J.-C. Au centre, un temple dorique archaïque dont il ne reste que le podium présente un visage ruiné, dépourvu de grandeur. Un peu plus loin, le théâtre, agrandi à l'époque d'Auguste (il pouvait recevoir 5 000 spectateurs), n'a conservé que ses gradins inférieurs, destinés aux notables. Au chapitre des édifices publics ajoutant à l'inestimable richesse de Pompéi, il faudrait ajouter l'Odéon, la boulangerie de Modeste, le château d'eau, la grande palestre, le temple de Vespasien, l'amphithéâtre, les boutiques et autres maisons closes complétant le tissu urbain de la cité campanienne au même titre que ses villas privées.

La maison du Faune.
À l'entrée de la Via della Fortuna, la maison du Faune fut l'une des plus splendides demeures privées de Pompéi. D'admirables fresques y ont été retrouvées ainsi qu'une petite statue de faune dansant, dont une copie a été remise en place, l'original se trouvant au musée archéologique de Naples.

Pompéi, Via di Mercurio.
La largeur des rues de Pompéi n'excède jamais quelques mètres, trottoirs compris. Régulière et tirée au cordeau, la voirie fait appel à de gros blocs de lave de forme polygonale, enchâssés les uns dans les autres et consolidés par des coins métalliques, voire par de simples fragments de marbre ou de granit, fixés entre les joints à coups de masse. La Via di Mercurio fut l'une des principales artères de la cité au temps de sa prospérité.

Le luxe des villas pompéiennes

La villa pompéienne reste l'archétype des fastes de la civilisation romaine ; ici, la pauvreté semble inconnue et les habitations privées rivalisent de luxe et d'ampleur. Peut-être la plus somptueuse reste-t-elle l'illustre maison des Vettii, parfaitement conservée ; appartenant à de riches patriciens, elle témoigne éloquemment de leur prospérité, notamment par ses fresques splendides qui appartiennent au dernier style de la peinture pompéienne. Presque aussi luxueuse, la maison des Petits Amours dorés (figures légères peintes sur feuille d'or) est caractérisée par la présence de grands masques théâtraux et par l'extraordinaire beauté de son péristyle qui prend la forme d'une scène dramatique. À l'arrière de ces demeures, le jardin est rapidement passé du statut potager à la fonction décorative, avec ses parterres de fleurs et de verdure agrémentés de statues et de fontaines.
De la maison du Poète tragique, aux dimensions plus modestes, la célèbre mosaïque *Cave canem* (« attention au chien ») ne forme qu'un détail en regard de ses richesses décoratives ; tout aussi opulentes, les demeures d'Octavius Quarto, du Faune, de Ménandre ou de Vénus, les villas des Mystères ou de l'Éphèbe constituent autant de témoignages d'une fortune matérielle ruinée en quelques heures par un caprice de la nature.

LES QUATRE STYLES DE LA PEINTURE POMPÉIENNE

Les historiens de la peinture pompéienne l'ont classée en quatre rubriques déterminées par le style. Au IIe siècle av. J.-C., le Ier style (« à incrustation ») dérive directement de l'art hellénistique, privilégiant la décoration en dalles de marbre. Le IIe style (« architectural »), apparu en 100 av. J.-C., relève de la seule peinture, une peinture le plus souvent pratiquée en trompe-l'œil architectonique. C'est vers 20 apr. J.-C. que se manifeste le IIIe style (« ornemental »), qui, par réaction, retrouve les charmes de la simplicité mythologique ou idyllique. Enfin, le IVe style (« fantastique ») s'efforce de proposer une synthèse des deux phases précédentes, en revenant à l'illusion architecturale, en mariant mythologie et naturalisme et en multipliant les scènes de la vie quotidienne, les natures mortes et les portraits.

Istanbul CARREFOUR DE CIVILISATIONS

Située au point de rencontre de l'Orient et de l'Occident, la grande cité turque a de très antiques origines. Capitale de l'Empire byzantin sous le nom de Constantinople, puis de l'Empire ottoman de 1453 à 1923, elle conserve, malgré les destructions dont elle fut victime au cours des siècles, nombre de fastueux témoins des périodes glorieuses de son histoire. [TURQUIE, CLASSÉ EN 1985]

En 658 av. J.-C., le site occupé par les Thraces est choisi par des Grecs de Mégare pour abriter la colonie de Byzantion, laquelle, affaiblie par d'incessants conflits, tombe finalement sous l'assaut de Septime Sévère en l'an 196. En 324, l'empereur Constantin décide d'y établir le siège de son pouvoir. La «Nouvelle Rome» est agrandie : consacrée capitale de l'Empire romain d'Orient sous le nom de Constantinople à partir de 395, alimentée par l'aqueduc de Valens, elle double sa superficie lors de la construction de l'enceinte de Théodose II, en 413. Repoussant les assauts des Huns, des Avars, des Perses, des Arabes, des Bulgares, des Russes, traversée sans dommage par les troupes des deux premières croisades, la ville est mise à sac par l'armée musulmane de Mehmet II, le 29 mai 1453 ; elle reçoit un nouveau nom, Istanbul, et ses nouveaux maîtres, les Ottomans, en font à leur tour la capitale de leur empire. Dépossédée en 1923 de ce statut au profit d'Ankara, Istanbul reste la plaque tournante de l'activité économique turque.

Au cœur d'Istanbul, Sainte-Sophie

C'est en 325 que Constantin fait élever la première basilique, consacrée à la Sagesse Sacrée (en grec, *Hagia Sophia*) ; incendiée en 404, rebâtie en 415 par Théodose II, elle brûle une seconde fois en 532, sous le règne de Justinien Ier, lequel décide de la reconstruire et d'en faire le plus magnifique sanctuaire de son empire : les matériaux les plus précieux sont mis en œuvre, les marbres les plus rares sont extraits des carrières, les plus beaux éléments d'édifices anciens (temple d'Artémis à Éphèse, de Jupiter à Rome) sont remployés. Deux architectes grecs, Anthémios de Tralles et Isidore de Milet, sont chargés de la direction des travaux. Une vaste esplanade, recouverte d'un

Sainte Sophie.
De l'extérieur, l'édifice, quelque peu contraint par les contreforts chargés d'assurer son équilibre, est prodigieusement allégé par les quatre minarets qui lui ont été adjoints. Soutenu par de hauts murs aux assises blanches et roses, le dôme est percé à sa base d'une couronne de quarante baies, ouvrant sur l'intérieur, et assurant son intense luminosité ; se distingue aussi le puissant massif carré sur lequel s'inscrit la course circulaire de la coupole, soutenue à l'intérieur par quatre pendentifs. C'est d'ici que la ville se révèle, au-delà de toute complaisance exotique, comme le grand centre culturel du pays, son port principal et sa vraie métropole économique. C'est de là que l'on vérifie à quel point Istanbul est tout à la fois, profondément inscrite dans les plus anciennes traditions locales, et résolument à la pointe des activités industrielles les plus agressivement contemporaines.

À G : ***la Mosquée bleue.***
Sur le cap séparant le détroit du Bosphore de la mer de Marmara, sont regroupés les plus grands sites d'Istanbul. La Mosquée bleue s'inscrit au premier rang des prestigieux édifices de la cité turque, non loin de l'ancien hippodrome, et de la vaste esplanade centrale conduisant à l'église Sainte-Sophie, derrière laquelle se déploient les frondaisons du palais Topkapi.

socle durci, sert d'assise à la construction. Les murs sont élevés en briques, les piliers en pierres calcaires reliées entre elles par des crampons de fer, ainsi que les tables de marbre dont tous les murs intérieurs sont revêtus. Ce ne sont pas moins de dix mille ouvriers qui œuvrent sous les ordres de cent maîtres maçons, eux-mêmes surveillés par l'empereur. Le monument est achevé en 548, et inauguré par Justinien en personne. La coupole de brique de 31 m de diamètre et dont la clé est placée à 55 m du sol, prend appui sur quatre gigantesques piliers et sur les arcs de tête des deux demi-coupoles. Au sol, le sanctuaire se présente comme un rectangle de 77 m de long sur 71,20 m de large. La décoration s'y signale par la luxuriante polychromie des marbres de couleur et des mosaïques à fond d'or ; les plus célèbres ornent le tympan de la porte du narthex *(la Madone*
Trop audacieuse, la coupole s'effondre en 558 sous l'effet d'un tremblement de terre. Chargé

Intérieur de la Mosquée bleue. Lieu de culte, et formidable laboratoire de formules architecturales visionnaires, la mosquée joue, dans le monde musulman, le rôle de la cathédrale dans l'univers chrétien. À Istanbul, ce double caractère marque les édifices conçus par le grand architecte Sinan : mosquées du Prince Mehmet [1544-1548], Süleymaniye [1550-1557] et la Mosquée bleue – ainsi nommée pour la splendeur des reflets animant son immensité intérieure – érigée sur ordre du sultan Ahmet Ier par Sedefkar Mehmet Aga, de 1609 à 1616.

À G : ***Constantin IX Monomaque.*** Cette mosaïque de Sainte Sophie figure l'empereur byzantin (de 1042 à 1055), au règne marqué par divers désastres, dont la perte des possessions siciliennes et italiennes de Byzance. Mécène des arts et des sciences, il est à l'origine de la renaissance, en 1045, de l'Université de Constantinople.

de la reconstruire, l'architecte Isidore le Jeune diminue son diamètre et renforce les piliers en leur accolant extérieurement de fortes murailles, le tout étant remanié en 975. Deux séismes exigent, en 1347 et 1371, de nouvelles restaurations ; puis survient la funeste mise à sac de la ville, le 29 mai 1453, par Mehmet II, qui ordonne la transformation de l'édifice en mosquée. Un minaret et deux contreforts lui sont ajoutés, d'autres minarets suivront. Il faudra attendre 1934 pour que le père de la Turquie moderne, Atatürk, ordonne la fermeture de Sainte-Sophie en tant que lieu de culte et en fasse un musée.

Les quatre quartiers d'Istanbul

Divisée en quatre unités (Stanbul, Galata, Eyüp, Üsküdar), seule métropole de renom international à chevaucher deux continents, la cité répartit inégalement ses merveilles. Ainsi le vieil Istanbul, compris entre la mer de Marmara et la Corne d'Or, possède-t-il Sainte-Sophie, le palais de Topkapı, la muraille de Justinien, de nombreuses mosquées, le Bazar et l'Université, tous monuments qui occupent le site antique et médiéval de Constantinople, délimité

La Corne d'Or

Ce lieu mythique, chanté par tous les amoureux de la Turquie, à commencer par Pierre Loti, n'est rien d'autre que l'estuaire maritime qui, au sud du Bosphore, sur la rive européenne, délimitait au nord l'ancienne Byzance, devenue Constantinople. D'une longueur de 7,5 km, il sépare aujourd'hui les quartiers de Beyoilu et de Stanbul. Son charme vient de la lumière qu'il dispense du matin au soir, mouvante, opaline, presque surnaturelle. Le visiteur vit ainsi l'illusion d'un immense décor sur fond de mosquées et de ponts, au rythme des embarcations privées qui filent paresseusement au cœur de l'intense activité du port local. En se modernisant au milieu des années 1980, la Corne d'Or a gagné en propreté et en sécurité, sans rien perdre de son âme ni de son charme si spécifiquement ottomans.

à l'ouest par de puissantes murailles, à l'est et au sud par la mer de Marmara, au nord par la Corne d'Or. Ici, la volonté d'harmoniser fonctions urbaines et obligations religieuses a partout imposé le couplage de la mosquée avec un espace d'activité économique.
Située sur la rive nord de la Corne d'Or, Galata, dont les hauteurs constituent le quartier de Pera (immortalisé par les romans de Pierre Loti), est la deuxième composante de la ville. Occupée à l'époque byzantine par une colonie génoise, elle se signale par son donjon, ses églises, ses créneaux et ses demeures résidentielles au charme profond. Prolongement nord-est de la ville, Eyüp, de création totalement ottomane, a grandi autour d'une mosquée et d'un tombeau édifiés dès 1458 à la mémoire d'Ayyoub, compagnon du Prophète, mort en 672 au cours de la première offensive arabe contre Constantinople. Enfin, Üsküdar, faubourg situé sur la rive asiatique, constitue le premier noyau d'occupation ottomane, les Turcs l'ayant occupé dès 1452.

De la mosquée au harem

À l'image de presque toutes les grandes villes musulmanes, Istanbul offre une architecture avant tout religieuse. En dépit de la variété de leurs plans, ses nombreuses mosquées se plient aux mêmes canons architectoniques : couverture en grande coupole, unification des espaces intérieurs et extérieurs, étagement pyramidal et recherche de la légèreté (grandement favorisée par l'élancement de la silhouette des minarets). Mais on trouve aussi, au hasard des divers quartiers, nombre de maisons à plusieurs pièces souvent construites en bois, avec un étage, une cour et un petit jardin. Plus luxueuses, les résidences combinent une ou plusieurs maisons avec divers bâtiments fonctionnels : fournil, bain, hangar, chambre froide, tonnelle, latrines, moulin, dépendances pour les serviteurs, etc. C'est même cette prolifération des habitations ottomanes qui a peu à peu effacé le plan de l'ancienne ville byzantine.
Bien que de nombreux palais de sultans, d'hommes d'État et de riches négociants aient été bâtis à l'extérieur des remparts d'Istanbul, la capitale impériale abrite quelques palais officiels, celui de Topkapı, résidence des sultans ottomans de 1642 jusqu'en 1853, restant sans rival en matière d'apparat. Constamment agrandi et complexifié, il a fini par couvrir la surface effarante de 700 000 m^2 ; outre les bâtiments officiels, les salles où siège le conseil (le célèbre «Divan» du temps de la guerre entre l'Empire ottoman et l'Europe coalisée) et les espaces où officiait l'administration impériale, on y trouve divers appartements, où étaient installés le sultan, son harem au luxe stupéfiant, sa domesticité, sa garde… soit une population de plusieurs milliers de personnes !

EN HAUT À G : ***anneau mural (mosquée de Rustem Pacha).*** C'est en Turquie qu'apparaît la céramique d'Iznik, aux motifs végétaux et animaux droit venus de Byzance et de la Perse, et aux couleurs scintillantes : bleu turquoise, jaune, rouge de fer, mauve. Le style dit «aux quatre fleurs» (tulipe, églantine, œillet, jacinthe) opère une vive séduction.

EN HAUT À DR : ***Soliman à la chasse, miniature persane du XVIIe siècle.*** Le règne de Soliman le Magnifique (1520-1566) marque l'apogée de l'Empire Ottoman, qui, étendu de l'Algérie au Yémen, s'installe dans le Caucase et menace Vienne au cœur de l'Europe. Mais, dès 1571, la défaite navale des Turcs à Lépante, prélude à un inexorable déclin, met fin au mythe de leur invincibilité.

Salon du Harem de Topkapi. Aboli par Atatürk en 1926, le principe du harem a été introduit, en même temps que l'islam, par les Arabes au Xe siècle. À Topkapi, la décoration des pièces de la «Maison du bonheur» atteint un niveau de luxe sans équivalent ailleurs ; les mosaïques, particulièrement, continuent d'y enchanter le regard.

Bourgogne romane ÉGLISES ET ABBAYES MILLÉNAIRES

De Lyon à Besançon, de Nevers à Berne, l'aire architecturale de la Bourgogne romane fut vaste et son immense influence sur l'architecture européenne. Usant de matériaux locaux ou importés, tablant sur l'austérité comme sur la somptuosité et développant une unité générale, les constructeurs romans ont légué ici, du XIe au XIIe siècle, un patrimoine irremplaçable.

Si Saint-Philibert de Tournus frappe ainsi le regard par l'insolite de ses formes, la grande abbatiale ruinée de Cluny vaut surtout par les églises dont elle a déterminé l'agencement, dont Paray-le-Monial. Ailleurs, Saint-Lazare d'Autun et la Madeleine de Vézelay se réclament d'une somptuosité à laquelle l'Ordre cistercien, épris de simplicité, répond par les édifices de Fontenay, de Clairvaux, de Pontigny.

Au seuil de l'âge roman, Tournus

Sur la rive droite de la Saône, au cœur de la petite cité de Tournus, un certain abbé Étienne entreprend vers 1007 de dresser un nouvel édifice, dont le chantier sera clos en 1120. Étroite et haute, la façade est encadrée de deux tours, celle de droite étant couronnée par une simple bâtière. L'appareillage en pierres cassées crée sur le matériau calcaire des jeux de lumière changeants et la décoration fait appel au seul motif de la bande lombarde, liaison de pilastres par une arcature à triple arcade aveugle. L'étroitesse de la seule entrée dit assez le souci de sécurité des constructeurs de l'édifice. Massif, le narthex réservé aux catéchumènes est divisé en deux étages, quatre énormes piles compartimentant l'espace en trois nefs ; nous sommes là au cœur du premier roman, un roman qui ne fait appel à aucune séduction extérieure et dont l'âpre beauté n'aura pas de vraie descendance. La nef centrale est célèbre pour sa voussure, un berceau transversal couvrant chaque travée et l'élévation intérieure superposant grandes arcades et fenêtres hautes. Dans cette architecture de l'aurore romane, la belle simplicité des piles rondes est rehaussée par la lumière indirectement venue des collatéraux. La crypte, l'une des plus délicates du monde roman, reprend la

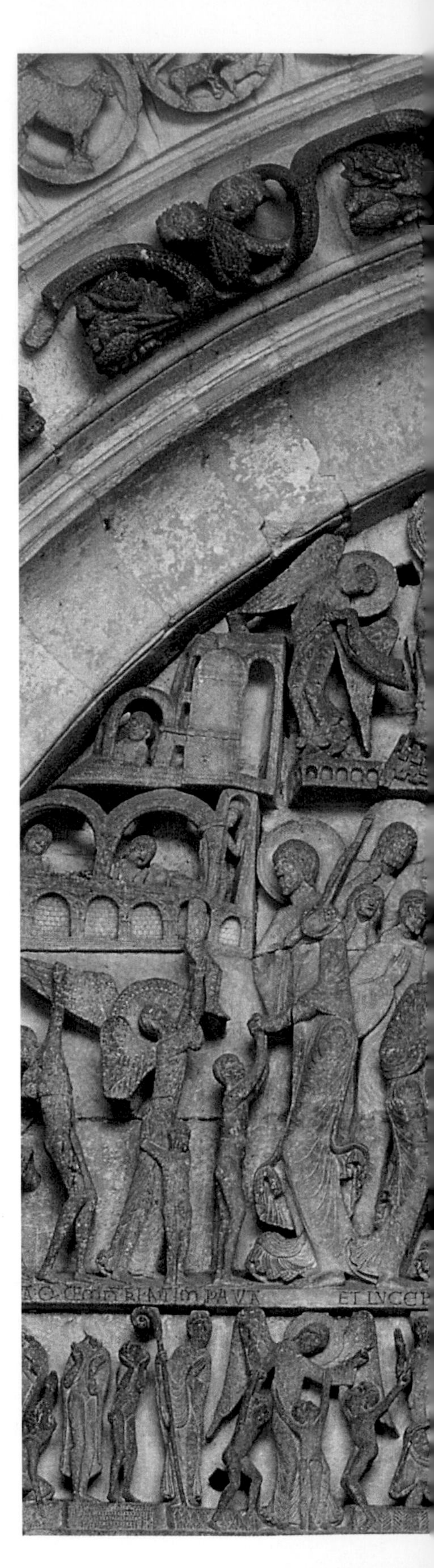

Tympan du portail de Saint-Lazare d'Autun. À la base, le linteau présente la résurrection des morts : à droite, les damnés, à gauche, les élus. Ici, des mains géantes se saisissent d'un damné, là des personnages accablés implorent en vain le Seigneur. Pour bien montrer qu'il n'est point de rachat aux péchés mortels sans confession, le sculpteur, Gislebertus, a placé, sous les pieds du Christ, un ange guerrier qui repousse impitoyablement un pécheur suppliant. Parmi les élus, l'image du bonheur quotidien est privilégiée : un homme, sa femme et son enfant se tiennent par la main, scène familiale rare dans la sculpture romane.

GISLEBERTVS HOC FECIT

La pensée romane

C'est à partir de l'âge roman (de l'an mil à 1150 environ) que l'Europe s'organise vraiment autour du dogme chrétien ; atténuant la violence, réduisant l'arbitraire féodal et assurant la protection des plus faibles, l'Église renforce son monopole sur la vie intellectuelle. Le rayonnement de l'abbaye de Cluny est ainsi fondé sur la splendeur de son architecture, l'éclat de ses arts et la richesse de sa bibliothèque. En réaction, fondée en 1098, l'abbaye de Cîteaux prône la pauvreté, l'uniformité, le travail aux champs, imposant un style architectural d'une grande austérité et d'une admirable simplicité. La pensée romane est jeune, enthousiaste, à l'image du moine Glaber qui, pour saluer la floraison d'édifices religieux du XIe siècle, exalte cette vigueur chrétienne qui couvre la terre d'une « blanche robe d'églises » !

disposition du chœur supérieur, avec trois nefs cloisonnées par de minces colonnettes et un déambulatoire à chapelles rayonnantes où se découvrent des traces de fresques.

Cluny, le géant démembré

C'est en 910 que l'abbé Odon signe la charte de fondation d'un monastère dirigé par l'abbé Bernon, à Cluny. Remplaçant l'église primitive, un nouvel édifice est consacré en 981 ; et en 1088, pour donner à son ordre un temple digne de sa gloire, l'abbé Hugues lance le chantier de Cluny III, aux dimensions colossales : 187 m de longueur, 80 m de largeur, 30 m de hauteur sous la coupole. Le plan lui-même est exceptionnel : narthex, nef centrale bordée de quatre collatéraux, double transept, chapelles latérales et absidiales, l'édifice étirant vers le ciel ses cinq tours. De tout cela, il ne reste presque rien, les affairistes de la pierre ayant démembré, sous le Consulat, l'Empire et la monarchie restaurée, le colossal édifice, dont n'a subsisté que le croisillon sud du grand transept. Destruction qui a eu pour conséquence inattendue de hisser au rang d'archétype de l'art clunisien l'église de Paray-le-Monial (1090-1109). L'élévation tripartite y favorise un symbolisme ternaire que les trois baies placées à l'étage supérieur de chacune des trois travées soulignent avec insistance. Tout ici – berceau brisé de la nef, coupole sur trompes, voûtes d'arêtes des bas-côtés, colonnes du chœur – participe du génie clunisien.

Vierge à l'Enfant dite Notre-Dame la Brune.
Réalisé pour l'abbatiale Saint-Philibert de Tournus, ce reliquaire en cèdre est roman ; d'origine auvergnate, il montre Marie portant sur ses genoux son fils, le Christ bénissant et porteur du Livre sacré. C'est seulement au XIXe siècle que cette petite statue de bois noir – origine de son surnom – a été peinte et dorée.

Saint-Philibert de Tournus, collatéral nord.
Voûté d'arêtes, ce collatéral est percé de baies discrètes créant une multiplication des sources de lumière sur le calcaire rose des murs et des piles rondes ; élancées, ces dernières témoignent d'une austérité qui touche à l'ascétisme, de simples bagues préromanes faisant office de chapiteaux.

Autun, Vézelay, l'appel mystique

Consacrée en 1130, l'église Saint-Lazare d'Autun reprend la disposition interne de Cluny, arcades, triforium et fenêtres hautes. En soi, l'édifice invite à un long voyage dans le temps : les arcades du triforium dérivent de la galerie de la porte romaine d'Arroux, la nef est romane, les chapelles des collatéraux et les parties hautes du chœur gothiques, la flèche flamboyante. L'ensemble sculpté de Saint-Lazare est l'œuvre de Gislebertus, dont le Jugement dernier, animant le tympan central, insuffle au fidèle la terreur du péché et l'espoir de la rédemption. Assis sur un trône, le Christ est cerné par les quatre évangélistes, Mathieu-homme, Luc-taureau, Marc-lion, Jean-aigle. À sa gauche, le compartiment latéral est dominé par le groupe des apôtres, dont saint Pierre, identifiable à ses énormes clés.

À Vézelay, enfin, l'église de la Madeleine, inscrite au Patrimoine mondial de l'humanité en 1979, couronne la colline du bourg. Site de départ de l'un des quatre «chemins français» menant à Saint-Jacques de Compostelle, elle constitua un lieu mystique pour les pèlerins se pressant à sa rencontre; si sa restauration par Viollet-Le-Duc a suscité la polémique, c'est par l'extraordinaire qualité de sa lumière intérieure et par la variété de sa sculpture qu'elle continue de fasciner les tenants modernes de la foi en l'homme.

Cluny, vue générale.
De l'immense édifice médiéval, ne reste plus que le croisillon sud du grand transept (au fond), dominé par le clocher de l'Eau bénite qui surplombe lui-même la tour de l'Horloge, accolée à la dernière travée et coiffée d'un bulbe original. À gauche, la tour des Fromages (anciennement tour des Fèves) forme le dernier vestige important des bâtiments conventuels primitifs, lesquels ont été remplacés par des édifices bien plus récents dont on distingue les toits réguliers; à droite enfin, la tour de l'église Notre-Dame date aussi de l'âge roman, mais elle a été remaniée au XIIIe siècle.

Chevet de Paray-le-Monial. L'élan vertical du bâtiment, construit avec une pierre dont la couleur dorée n'est pas le moindre charme, est assuré par l'étagement des toits du chevet, illustration monumentale de la «rude montée vers Dieu». La distribution extérieure des volumes permet une claire visualisation de l'intérieur de l'édifice : chapelles rayonnantes, déambulatoire, abside et chœur, le tout couronné par un clocher octogonal qui se termine par la plus belle flèche d'ardoise de l'école bourguignonne.

Venise et sa lagune LA SÉRÉNISSIME AU FLUX DE L'ADRIATIQUE

Occupant, depuis sa création, une position intermédiaire entre l'Orient et l'Occident, perle de la mer Adriatique, Venise a exploité cet avantage avec une rare intelligence diplomatique et commerciale jusqu'au XVIe siècle. Lequel marque le début de son déclin militaire et financier, mais aussi son irrésistible ascension dans le domaine artistique, la cité des Doges prenant bientôt le relais de Florence et de Rome en tant que capitale artistique de la Péninsule.

[ITALIE, CLASSÉ EN 1987]

Si une première population occupe les îlots de la lagune dès le VIe siècle, c'est seulement en 1204 que Venise s'affirme en tant que puissance méditerranéenne, aux dépens notamment de sa grande rivale, Gênes, qui ne lui livre pas moins de quatre guerres navales avant de s'avouer vaincue, en 1381. À son apogée, au XVe siècle, la grande ville sera ensuite affaiblie par sa guerre contre les Turcs et décimée par une épidémie de peste noire. Tombée aux mains de Bonaparte en 1797, elle repasse sous domination autrichienne en 1815, ne recouvrant sa liberté qu'en 1866 et se signalant fréquemment, au XXe siècle, par ses positions progressistes.

Un patrimoine millénaire

À l'extrémité du Grand Canal, la place Saint-Marc se présente comme un trapèze large de 82 m et long de 176 m, bordé au nord par les Procuratie Vecchie aux magnifiques loggias du XVIe siècle. À leur extrémité orientale se trouve la tour de l'Horloge (1495), célèbre pour son jacquemart; en face, les Procuratie Nuove ont été achevées au XVIIe siècle. À l'autre extrémité de la place s'élance l'énorme campanile (97 m), reconstruit dès 1903 après son effondrement le 14 juillet 1902.

Pour accéder à la place Saint-Marc depuis le Grand Canal, il faut franchir la Piazzetta, bordée par la Libreria Vecchia et par le palais des Doges, merveilleux édifice qui est presque accolé à la basilique Saint-Marc. C'est au XIIIe siècle que le palais vénitien type a adopté le plan en longueur, perpendiculaire au canal, avec façade ornée d'un portique surmonté d'une loggia à baies multilobées et murs de briques couverts de marbres polychromes. Mais le palais des Doges existait

Vue aérienne.
L'extrémité méridionale de Venise paraît ici dans toute sa prodigieuse richesse. Au premier plan, l'église de la Salute domine la rive droite du Grand Canal qui finit sa course au flanc du môle de la Dogana. Sur l'autre bord, c'est au campanile de la basilique Saint-Marc qu'il revient de surplomber la place homonyme et, juste en retrait de lui, le palais des Doges. Plus loin, le regard accroche encore nombre d'autres édifices, puis l'îlot San Michele, dont les arbres protègent les sépultures, l'île de Murano aux prestigieuses verreries, la lagune enfin, qui se perd dans les diaprures caractérisant la lumière de la grande cité adriatique.

préalablement, sous forme d'une forteresse, attestée depuis le IXe siècle. Plusieurs fois détruit par des incendies, il a subi au XIVe siècle un remaniement complet lui donnant son visage actuel, son architecte, qui ne nous est pas connu, ayant mis en œuvre des méthodes lombardes et toscanes. La façade méridionale, la plus ancienne, qui donne sur le quai est caractérisée par sa grande fenêtre à balcon ; le XIVe siècle voit ainsi triompher le gothique flamboyant à Venise. À l'intérieur, c'est dans la salle du Grand Conseil que se trouve la plus vaste peinture sur toile du monde, *le Paradis* de Tintoret, une pièce de 7 × 22 m !

Chef-d'œuvre byzantin-roman, la basilique Saint-Marc a été fondée en 529, et réaménagée en 828. Détruite par un incendie en 976, elle est reconstruite de 1063 à 1073, sur un plan en croix grecque, dont les quatre bras et la croisée sont surmontés de coupoles ; l'ensemble est précédé d'un portique et rythmé de niches et de colonnettes ; les mosaïques à fond d'or, commencées au XIe siècle par des artistes venus de Constantinople, seront poursuivies jusqu'au XIXe siècle. L'église abrite *la Pala d'Oro*, retable d'orfèvrerie dont les principaux émaux furent réalisés par des artistes byzantins du XIIe au XVe siècle. Ici, le remploi d'éléments anciens – fûts, chapiteaux, sculptures –, provenant des pillages perpétrés lors des croisades, est une constante. L'exemple le plus fameux de ces larcins est fourni par les quatre chevaux de Saint-Marc (dits Chevaux de Constantin Ier), bronzes romains qui décoraient l'hippodrome de Constantinople et qui furent installés en 1204 sur la loggia de la basilique.

En longeant le palais des Doges, on découvre bientôt, menant directement du palais aux anciennes prisons, le pont des Soupirs (1600), dont le nom rappelle les temps sinistres de l'Inquisition, lorsque les accusés étaient conduits devant les tribunaux après être passés dans les salles de torture où leur avaient été arrachés des aveux les conduisant inéluctablement au bûcher. Car, en matière de supplices, Venise fit toujours preuve d'une cruauté singulière qui assombrit le beau visage de cette cité à la vêture enchanteresse.

La Ca' d'Oro.
Édifiée, de 1421 à 1440, par Bartolomeo Bon et Matteo Reverti, pour le compte du procureur Mario Contarini, la « Maison d'or » est le plus célèbre édifice privé de Venise. Sa somptueuse façade sur le Grand Canal constitue une réussite parfaite de l'architecture gothique civile, avec ses revêtements de marbres polychromes, son portique sur colonnes au rez-de-chaussée, ses loggias à arcades entrelacées et ses créneaux effilés. Léguée à l'état italien en 1916, la Ca d'Oro, abrite aujourd'hui les collections de la Galerie Franchetti.

Le pont du Rialto.
D'une longueur de 48 m pour une largeur de 22,90 m et une hauteur de 7,32 m, le Rialto reste l'un des plus célèbres ponts du monde. Commencé par Antonio da Ponte en 1588, il est terminé trois ans plus tard, au prix d'un énorme effort financier. Car chaque culée a réclamé le total effarant de 6 000 pieux de soutien ! Le Rialto est divisé en trois escaliers, ses arcades latérales accueillant autant d'échoppes réservées au commerce. Du palier sommital, on dispose d'une vue exceptionnelle sur l'amont et l'aval du Grand Canal.

Quartiers, îles et canaux

Les canaux, trame de Venise, sont souvent trop étroits pour les grandes embarcations – dont les emblématiques gondoles, aux proues à six dents, symboles des quartiers de Venise – qui parcourent le Grand Canal, lien majeur de la Cité enjambé par les ponts des Scalzi, du Rialto, de l'Académie. À l'intérieur de la principale boucle du Grand Canal est nichée la partie la plus vivante, la plus familière de Venise. Ses innombrables ruelles composent un labyrinthe ouvrant sur de petites places, les Campi (San Polo, San Giacomo dell'Orio, etc.) qui prennent le nom des grands édifices religieux dont ils forment l'écrin

Venise menacée par les eaux

La visite de Venise n'est jamais plus émouvante qu'au temps des grandes marées qui menacent régulièrement la cité des Doges. C'est en hiver, de la fin octobre aux premiers jours d'avril, que les risques d'inondation sont les plus grands. Les Vénitiens n'évoquent jamais sans gravité le problème de l'*aqua alta* (la haute marée) qui menace à terme l'existence même de leur ville et constitue souvent un désastre économique. Le phénomène est dû à certaines marées d'une amplitude exceptionnelle et récurrente, qui, s'engouffrant par les trois passes d'entrée de la lagune au sein de laquelle est située Venise, provoquent l'inondation de toutes les places et rues. Par ailleurs, l'enfoncement progressif, quoique très lent et parfois contesté, du socle de la ville pourrait aggraver la situation, même si les débordements récents ne semblent pas plus graves que ceux des siècles passés.

Tête d'homme (Palais des Doges). La tension des traits, l'intensité brûlante du regard et la légère ouverture des lèvres donnent à ce portrait taillé dans la pierre une puissance expressive presque insoutenable, rappelant que la Venise ducale, dénoncée en son temps par Montesquieu, fut l'une des plus féroces dictatures de toute l'histoire européenne.

chatoyant. Dominant les chefs-d'œuvre monumentaux de cette partie de la Cité, l'église des Frari abrite la prodigieuse *Ascension* du Titien. En élargissant cet itinéraire inconstant, on voit surgir de magnifiques églises (San Giorgio Maggiore, Santa Maria della Salute…), de prestigieux musées (Correr, Scuola di San Rocco, etc.) et, bien sûr, de fastueux hôtels particuliers dont la Ca'd'Oro («Maison d'or») reste le prestigieux emblème; érigée par les architectes Bon et Reverti, de 1421 à 1440, pour le compte du procureur Contarini, elle présente une admirable façade gothique sur le Grand Canal, avec portique sur colonnes au rez-de-chaussée, revêtement de marbres polychromes, loggias à arcades entrelacées, créneaux effilés, etc. La seconde boucle du Grand Canal enclôt un ensemble d'édifices religieux et civils dont la prolifération n'a peut-être pas d'équivalent ailleurs dans le monde. Hors la place Saint-Marc, on y trouve le Campo Morosini, le quai des Schiavoni ou l'église San Zanipolo, devant laquelle se dresse le terrible groupe équestre du Colleoni, dû à Verrocchio, grand sculpteur du Quattrocento. Aux extrémités de la Cité, la paix règne sur des zones plus discrètes. Ainsi du quartier Grimani qui donne sur la lagune morte; sa mélancolique sérénité et son relatif délabrement contrastent avec l'animation parfois factice du centre de la ville, tout comme le quartier Santa Elena, au sud, formé d'immeubles récents. Accédant à l'île de Giudecca, enfin, le voyageur qui a traversé le canal homonyme se trouve plongé dans une ambiance très éloignée des fastes de la métropole ducale; entre les barres HLM se développent de petits squares et de charmants passages, quais ou ruelles rappelant que Venise est une agglomération peuplée d'hommes qui y vivent, y travaillent, et non seulement un vaste musée en plein air pour touristes chanceux. Le même sentiment nuancera la découverte des îles voisines de Murano et Burano; on y est soudain très loin de Saint-Marc, et les panoramas qu'y découvre le voyageur naviguant au cœur d'îlots inoccupés, abandonnés ou sauvages, lui rappellent l'émouvant état initial de la légendaire Cité.

La basilique Saint-Marc. Bâtie sur un plan en forme de croix grecque, l'église succède à deux édifices qui auraient été construits pour abriter, en 828, la dépouille de saint Marc, rapportée à Venise par deux marchands; ses architectes se sont à l'évidence inspirés de l'église des Saints-Apôtres à Constantinople, détruite au XVe siècle. Développée en largeur – son périmètre atteint une longueur totale de 330 m –, Saint-Marc présente une silhouette unique, dominée par l'ensemble des cinq coupoles attestant cette influence orientale.

Pise LE CHAMP DES MIRACLES

Peu d'édifices dans le monde jouissent d'une popularité aussi éclatante et profonde que la « Tour penchée » de Pise. Singularité remarquable si l'on songe que cette faveur est due au moins autant à l'indubitable échec de ses premiers constructeurs qu'au total des efforts prodigués par leurs successeurs pour tenter d'en réduire les effets. La gloire de l'édifice, par ailleurs, est telle que ses admirateurs en oublient souvent qu'elle n'est jamais que le campanile de la cathédrale voisine qui forme, avec le baptistère et le cimetière voisins, l'ensemble monumental du « champ des Miracles ».
[ITALIE, CLASSÉ EN 1987]

Pour comprendre le génie particulier de l'ère romane en Italie, il faut avant tout se rappeler que cette dernière coïncide avec l'aventure spirituelle de saint François d'Assise (v. 1182-1226), fondateur de l'ordre des Franciscains. « Il Poverello » (le petit pauvre) rompt avec sa riche famille en 1206, accueille de nombreux disciples et fait approuver en 1210 sa confrérie par le pape Innocent III, avant d'en rédiger les règles en 1221-1223 et de recevoir les stigmates en 1224. La même année, son Cantico di *Frate Sole* (cantique du frère Soleil) est le premier poème écrit en langue italienne. Ainsi naît une autonomie inédite de la sensibilité italienne, dont le roman lombard et le roman pisan, seuls à affirmer leur indépendance relativement aux modèles étrangers, notamment français, sont les plus séduisants symptômes. Si le roman pisan connaît une gloire universelle, c'est en raison directe du prestige de la place du Duomo, dit aussi *Campo dei Miracoli* (champ des Miracles), qui regroupe la cathédrale et son campanile isolé, dus respectivement aux architectes Buschetto, puis Rainaldo, et Bonnano, le baptistère érigé par Diotisalvi, et le *Campo Santo* (cimetière) de Giovanni di Simone.

La cathédrale et son baptistère

Commencée en 1063 (ou 1064) et consacrée en 1118, après un demi-siècle de travaux, la cathédrale de Pise se dresse sur le site d'une ancienne église byzantine. L'édifice, en croix latine, présente une magnifique ordonnance ; si l'intérieur s'inspire à l'évidence des basiliques paléochrétiennes, ses colonnes en granite, ses loggias et arcades lui confèrent une élégance et

La « Tour penchée ».
La tour penchée (*torre pendente* en italien), emblème universel de la petite ville toscane, ne vaut pas seulement par son inquiétante inclinaison (caractère qu'elle partage d'ailleurs, on l'oublie souvent, avec nombre d'autres édifices du même type en Italie), sa grande beauté, l'élégance de son étagement d'arcades et sa discrète polychromie en faisant l'un des chefs-d'œuvre du roman italien. Le temps n'est plus où son exploration relevait de la péripétie personnelle, une taxe étant désormais prélevée à son entrée pour l'escalade ardue (en groupe surveillé…) des quelque 293 marches menant à son sommet !

Le baptistère.
Commencé par Diotisalvi, repris en 1260 par Nicola Pisano, terminé en 1363 par Cellino di Nese, le baptistère Saint-Jean superpose cinq niveaux. Roman, le premier se signale par ses arcatures aveugles en plein cintre ; le second, gothique, enchaîne des arcades plus petites, à pinacles et gables sculptés. Vient ensuite l'étage des 20 fenêtres géminées à gables simples assurant l'éclairage intérieur. Les deux derniers paliers sont constitués par l'ample coupole et par la pyramide tronquée du sommet qui supporte la statue de saint Jean-Baptiste.

une énergie distinctives de la seule école pisane. Les traces s'en retrouveront d'ailleurs à *San Michele* de Lucques, *San Miniato* de Florence et au *Duomo* de Pistoia.

Sis devant la cathédrale, le baptistère a été commencé par Diotisalvi en 1153, mais son achèvement n'intervient qu'au XIVe siècle. Ce magnifique édifice roman est érigé sur plan circulaire, et une bonne part de sa décoration est gothique. Le marbre blanc et la serpentine s'allient pour lui conférer une distinction exceptionnelle. Culminant à 55 m, il abrite la célèbre et magnifique chaire due au talent de Nicola Pisano. Au nord de la place, enfin, le Campo Santo, construit à la fin du XIIIe siècle, se signale par ses fresques malheureusement endommagées au cours de la Seconde Guerre mondiale.

La « Tour penchée »

Le chantier du clocher (*campanile* en italien) de la cathédrale est ouvert le 9 août 1173. Cinq ans plus tard, alors que le troisième étage est atteint, un glissement de terrain provoque une première inclinaison, côté sud. Il faut attendre 1275 pour que les travaux reprennent, les quatre étages supérieurs étant élevés selon un axe diagonal pour compenser l'inclinaison des compartiments inférieurs. Après une nouvelle interruption, de 1301 à 1350, c'est seulement en 1372 que les travaux prennent fin. Un demi-millénaire plus tard, en 1838, un bassin circulaire sera agencé au pied de l'édifice pour excaver la base de ses supports.

La tour atteint une hauteur de 54,5 m pour un diamètre externe de 15,5 m à la base, et son poids total est estimé à 14 453 tonnes. Sa structure, d'une grande simplicité, est fondée sur le principe d'un espace central creux dont le diamètre interne est de 7,4 m ; est ainsi

organisé l'emboîtement de deux cylindres de pierre entre lesquels court un escalier en colimaçon, qui ne compte pas moins de 293 marches. L'essentiel de sa décoration, au hasard de ses huit étages, est constitué par les 207 colonnes de marbre blanc de Carrare et de grès qui ceinturent tous les anneaux jusqu'au clocheton terminal. L'ornementation sculpturale proprement dite déploie surtout ses fastes sur la lourde porte d'accès, aux motifs zoomorphiques et fantastiques familiers à l'art roman. C'est du sommet que se vérifie le mieux l'inclinaison de la tour vers le sud; du fait de l'angle de déclivité, le dernier étage dépasse ainsi l'aplomb de la base de plusieurs mètres. Ce n'est certes pas là une nouveauté, l'obliquité de la tour ayant permis, dans les dernières décennies du XVIe siècle la conduite d'une expérience décisive dans l'histoire de la physique moderne. À cette occasion, le génial Galilée, lançant divers objets depuis le sommet de l'édifice (en fait il les fit rouler sur un plan incliné comportant des raies en métal, la chute libre ne permettant aucune mesure sérieuse), eut beau jeu de démontrer que la vitesse de chute est identique pour tous les coprs (dans le vide, l'abstraction faite des négligeables forces de frottement de l'air), et non proportionnelle à leur poids comme les scientifiques le postulaient depuis Aristote. la modernité scientifique de l'Italie montrait ainsi sa supériorité sur l'antique sagesse de la Grèce.

Chute et redressement

Victime de l'affaissement de son socle (4° en 1817 ; 5,63° en 1993), la tour est fermée au public le 7 janvier 1990. Après expertise, un plan de sauvetage est mis en place : 860 tonnes de plomb étant coulées à la base de l'édifice pour contrebalancer son inclinaison et 18 câbles l'arrimant au sol, le processus d'écroulement est enrayé. En revanche, l'application d'un système cryogénique pour refroidir le sol et donc réduire la vitesse d'enfoncement de la tour, en 1995, ne produit aucun effet. Ce qui conduit les experts à prôner l'évidement du terrain situé au nord du bâtiment, de façon à changer l'axe de l'enfoncement (60 m^3 d'argile sont ainsi extraits sous la tour en 1999), dans le même temps qu'une armature interne en acier renforce ces dispositions et que des piliers d'une profondeur de 15 m stabilisent les fondations. Aujourd'hui redressée de plus de 40 cm d'aplomb, la tour de Pise a été réouverte le 15 décembre 2001.

Île-de-France gothique LES SEPT CATHÉDRALES PRIMITIVES

Dans la seconde moitié du XIIe siècle, l'*opus francigenum* (art francilien), supplanté au XVIe siècle par le vocable «gothique» (dû à Vasari), donne ses premiers chefs-d'œuvre dans le cadre élargi de l'actuelle région parisienne. La cathédrale gothique organise ainsi la convergence de tous ses éléments constitutifs dans le sens d'une symbolique unitaire, œuvrant dans un esprit de conquête spirituelle et d'intense jubilation créatrice.

L'affermissement de l'autorité royale en France, le déclin parallèle des autres nations et le développement du monachisme ne sont évidemment pas étrangers à cet immense cycle de mutations. Architecturalement, le destin de la construction gothique se joue sur le chantier de l'abbatiale de Saint-Denis dans le second quart du XIIe siècle. Sous l'impulsion de l'abbé Suger (1081-1151), conseiller et ministre de Louis VI et de Louis VII, un narthex et une façade aux canons architecturaux radicalement nouveaux sont greffés sur l'ancienne église carolingienne. L'originalité du style gothique n'est pas le fruit d'un processus hasardeux. Suger est parfaitement conscient d'œuvrer dans une direction nouvelle, opposant l'*opus novum* de l'église qu'il fait construire à l'*opus antiquum* de la basilique carolingienne qu'elle doit remplacer. Entrepris après 1130, le nouveau bloc occidental de l'abbatiale Saint-Denis est consacré le 11 juin 1140. La voûte d'ogives est mise à l'essai pour la couverture du narthex et la verticalité de la façade est accentuée par de puissants contreforts. Le mur est ajouré de grandes baies dont l'une reçoit la rosace chargée de dispenser, sacralisée par le vitrail, la lumière dans «le noble édifice que la nouvelle clarté envahit». L'élan fondamental étant donné, les évêques invités à la consécration du nouveau temple ont à cœur, soit de relancer les chantiers déjà existants, soit de les ouvrir, surtout dans le domaine royal. Les chefs-d'œuvre de Sens, Noyon, Senlis, Laon, Paris et Mantes attestent la fécondité de cet élan foudroyant.

Les grands jalons

Du fait de la personnalité de Suger, l'exemple de Saint-Denis éclipse trop souvent l'apport décisif de Saint-Étienne de Sens, qui a pourtant inauguré le principe de liaison de la voûte d'ogives avec le contrebutement des arcs-boutants placés à l'extérieur. Ainsi les murs déchargés d'énormes

Rosace de Notre-Dame de Paris. Au centre de la façade de Notre-Dame, la rose qui ouvre le mur laisse passer la lumière sacralisée par la traversée du vitrail; de son remplage en rayons dynamiques, on retrouve la forme dans les motifs trilobés des écoinçons, les deux baies géminées latérales complétant cette disposition. Sous la balustrade, la célèbre galerie des rois de l'Apocalypse procède à une mise en scène inédite des vingt-quatre souverains témoins de la vision transcendante de saint Jean; l'effet isocéphale est souligné par la subtile régularité des couronnes, effet illustrant la mulplicité de l'autorité temporelle soumise à la majesté spirituelle.

poussées peuvent-ils être ouverts dans leur partie supérieure. Appliquée à la totalité de la voûte, la technique de croisement des ogives reste prudente, la couverture de chaque travée étant sectionnée en six voûtains.

À Laon, le chantier de la cathédrale est probablement ouvert en 1151 et clos en 1235. Tout ici chante le génie du gigantesque ébranlement gothique : la cathédrale mesure 110 m de long, dont 45 m pour le chœur, la largeur maximale du transept étant de 30 m et la voûte culminant à 24 m. L'élévation superpose les quatre étages du gothique primitif : grandes arcades, tribune, triforium, fenêtres hautes. Extérieurement, la cathédrale de Laon est caractérisée par ses tours, au nombre de cinq : deux en façade, une sur chaque croisillon et la tour-lanterne de la croisée. La façade présente une élévation très pure avec ses trois porches abritant de profonds portails surmontés de pignons sculptés et séparés par des clochetons; juste au-dessus prennent place une vaste rosace cernée de deux grandes baies, une galerie et la zone des tours culminant à 56 m. Presque aussi imposante que celle de Laon, la cathédrale de Noyon, érigée de 1145 à 1235, se signale par sa précocité, l'austérité de son extérieur et la perfection de son élévation intérieure. Le porche de la façade a été renforcé au XIVe siècle par deux arcs-boutants surmontés de gâbles. Au-dessus des trois portails, l'étage des fenêtres est dominé par une galerie de colonnettes sous la masse des deux tours. La principale curiosité du plan demeure l'extrémité arrondie des croisillons qui offre, à partir de la croisée du transept, le spectacle magnifique d'une triple abside.

Assomption de la Vierge à Senlis. Au portail central de Notre-Dame de Senlis, le culte marial s'épanouit sous sa forme la plus familière. Ici, l'empressement du petit ange de l'Assomption, qui pousse les épaules de la Vierge, brise la rigidité du hiératisme roman pour exalter la destinée de Marie, accueillie corps et âme au ciel.

Notre-Dame de Paris, chef-d'œuvre du gothique primitif

En 1160, à l'instigation du prélat Maurice de Sully, Paris décide de se doter d'une nouvelle cathédrale. Commençant par le chevet dès le printemps 1161, le premier architecte est relayé par un confrère vers 1177; tous deux ont travaillé assez vite pour que le maître-autel soit consacré en 1182. Deux autres maîtres d'œuvre interviennent dans les premières décennies du XIIIe siècle, complétant la façade. Vers 1220-1230, un cinquième praticien ajoure les murs pour mieux éclairer l'intérieur, ce qui le conduit à lancer les arcs-boutants les plus audacieux de son temps. Enfin, dans la seconde partie du XIIIe siècle, Jean de Chelles et Pierre de Montreuil assurent la direction des derniers chantiers.

La façade de Notre-Dame enchante par son harmonie et son équilibre; les portails d'une monumentale solennité y ouvrent chacun sur l'intérieur par deux battants situés de part et d'autre d'un trumeau orné d'une statue. Entre la rosace et les tours, la galerie ajourée, chef-d'œuvre d'élégance légère, séduit par la grâce de ses colonnettes et le décor raffiné des arcs créant des effets de transparence. Quant aux tours, privées des flèches initialement prévues, elles multiplient les motifs décoratifs qui provoquent les effets de lumière et mettent en valeur la beauté de la pierre.

Notre-Dame de Paris, flanc sud et chevet. Le chevet de Notre-Dame est aujourd'hui implanté dans un agréable jardin moderne, d'où il semble surgir avec ses formes élancées vers le ciel, dont la direction est matérialisée par la flèche élancée de la croisée. C'est avec le recul, que l'on mesure l'importance de la façade du croisillon méridional, et notamment l'immensité de la rose qui en forme le plus bel ornement.

Senlis et Mantes, la floraison francilienne

Commencée en 1153, consacrée en 1191, Notre-Dame de Senlis établit l'avènement du culte marial. La façade, d'une grandeur toute simple, obéit à une division tripartite déterminée par

PARIS, CAPITALE INTELLECTUELLE AU XIIIe SIÈCLE

Le XIIIe siècle voit le développement de l'université parisienne (la vénérable Sorbonne) ; les penseurs du temps y enseignent, à l'image de Roger Bacon, Albert le Grand, Siger de Brabant, saint Thomas d'Aquin ; c'est dans ce contexte que naît la *Somme théologique* de ce dernier, qui cherche à concilier une approche sensible du monde, héritée d'Aristote, et le respect absolu du dogme. Une fois admis que les textes sacrés pourvoient à la parfaite acquisition du savoir nécessaire, saint Thomas propose d'en vérifier la perfection par le raisonnement logique, à charge pour ce dernier d'abdiquer toute prétention face au dogme en cas de contradiction. La *Somme* a aussi valeur de doctrine : définition transcendante de Dieu, principe du monde comme projection de l'être divin, hiérarchie séparant l'être immatériel de l'être matériel.

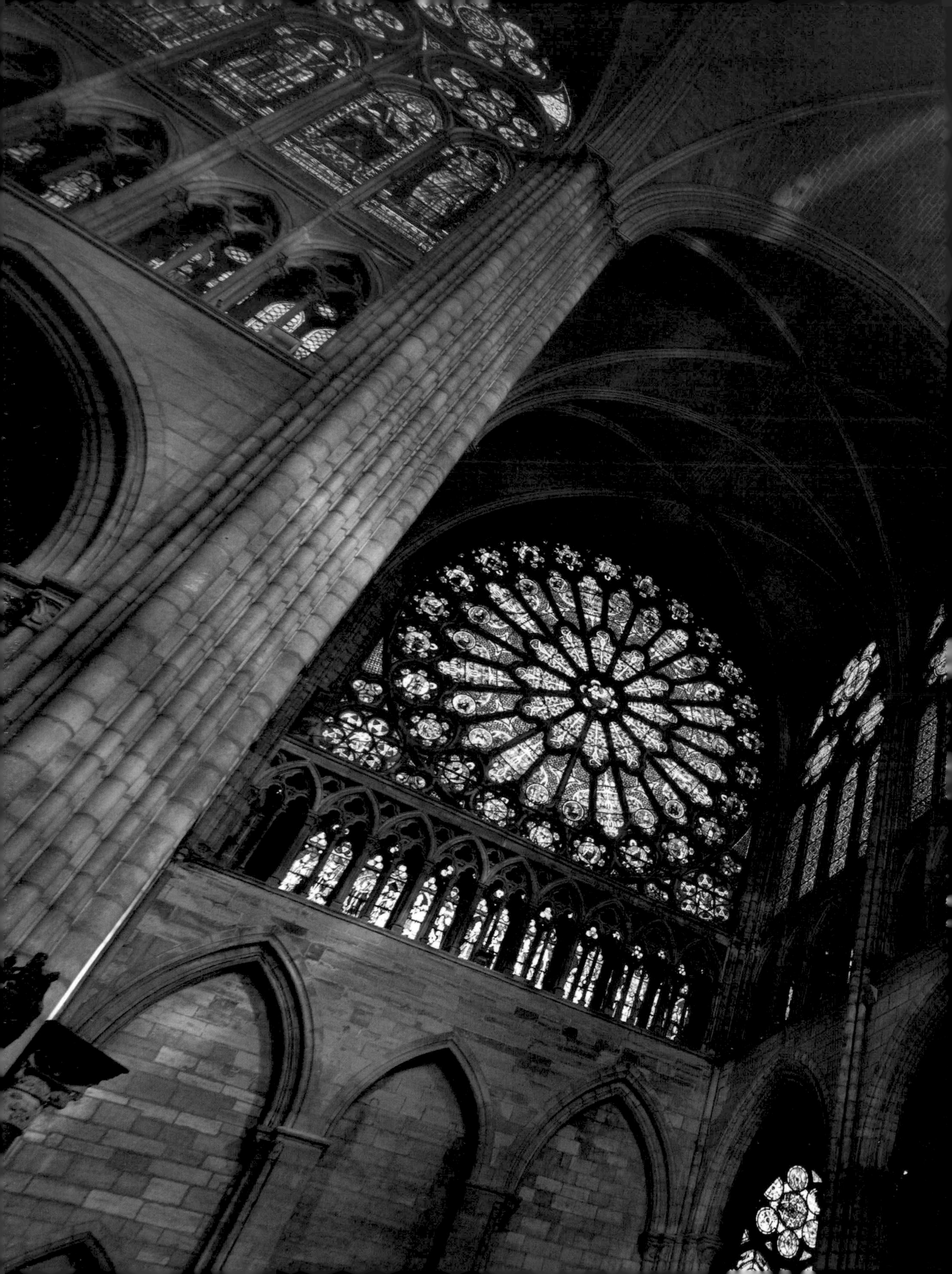

DOUBLE PAGE PRÉCÉDENTE : ***Chœur de Saint-Denis.*** Si l'élévation de la nef de Saint-Denis, en 1231, est postérieure d'un siècle à Suger, le principe d'éclairage maximal y est respecté : triforium vitré, immenses baies ouvrant le pourtour supérieur de l'édifice, roses du transept projetant leurs reflets radieux au cœur du temple de la nouvelle dévotion.

À G : ***Notre-Dame de Laon.*** Couronnant le formidable promontoire sur lequel s'est installée la cité, la cathédrale de Laon est caractérisée par ses hautes tours, au nombre de cinq : deux en façade, une sur chaque croisillon et la tour-lanterne de la croisée. Encore manque-t-il, relativement au projet initial, les tours orientales des croisillons, qui auraient porté ce total à sept. Ces tours se signalent par une surprenante légèreté, due à l'ajourement de leurs baies et à l'élégance des colonnettes d'angle.

les contreforts. C'est vers 1160-1170 que le portail central aurait été construit; son exemple sera repris par les tailleurs de maints autres édifices (Mantes, Laon…). Les piédroits et les voussures portent nombre de patriarches, prophètes, ancêtres de la Vierge, imbriqués dans un complexe arbre de Jessé, mais ce sont le linteau et le tympan qui s'imposent au regard par l'élégance de leur composition.

La collégiale de Mantes, enfin, est surtout remarquable par ses vastes dimensions, dignes d'une cathédrale : 68 m de longueur, 24 m de largeur, 54,40 m de hauteur pour les tours de façade. Érigée dans les dernières décennies du XIIe siècle et au début du XIIIe, sur le modèle de Notre-Dame de Paris, elle offre un plan sans transept. La tour du nord a été complètement refaite au XIXe siècle et le grand vaisseau de la haute nef centrale est soutenu par une ceinture d'arcs-boutants; ceux du chevet comptent parmi les plus anciens de l'âge gothique. À l'intérieur, la nef, haute de 29,90 m, est éclairée par de larges oculi qui ouvrent sur la tribune, couverte de berceaux ou d'ogives ajoutées au XIVe siècle.

À DR : ***Noyon, élévation intérieure.*** L'élévation de la nef (à droite) et de la première travée du transept (à gauche) superpose les grandes arcades en arc brisé aux supports alternativement faibles et forts, la tribune spacieuse ouvrant sur la nef par d'élégantes baies, géminées dans la nef, le triforium aux fines colonnes et les fenêtres hautes. La décoration des chapiteaux est florale, mais quelques clés de voûte ont reçu un décor figuré; sur la voûte des tribunes, de curieuses têtes humaines sont alignées entre deux nervures.

Mont-Saint-Michel LA MERVEILLE DE L'OCCIDENT

Petit îlot granitique de 78 m de hauteur pour 900 m de pourtour, éminente abbaye fortifiée, le Mont-Saint-Michel reste sans rival dans le monde en matière d'alliance du religieux et du naturel. Dressé entre la terre, la mer et le ciel au prix d'une prouesse humaine exceptionnelle, il se présente comme l'héritier transcendant d'une légende qui pourrait remonter à l'âge des mégalithes. [FRANCE, CLASSÉ EN 1979]

Dès le VIe siècle, sur ce qui était alors le «mont Tombe», des ermites chrétiens auraient construit deux chapelles, là même où de lointaines traditions situaient la présence d'un édifice mégalithique consacré à un culte local. Puis, par une nuit de l'an 708, l'apparition de saint Michel à Aubert, évêque d'Avranches, fut à l'origine de la construction du premier oratoire, consacré le 16 octobre de la même année. Mais c'est seulement au XIe siècle que débute la campagne d'édification de l'actuelle abbaye. Pour ce chantier, les moines font largement appel à des forces extérieures. Le granite est extrait aux îles Chausey, débité sur le roc par des tailleurs de pierre, monté en blocs scellés par les maçons. Charpentiers, couvreurs et ouvriers qualifiés étant rémunérés par l'abbaye, se trouvaient enfin engagés dans l'entreprise des travailleurs bénévoles et une foule de manœuvres attelés aux tâches moins spécialisées.

Du Grand Degré à la nef romane

Une fois escaladé l'escalier dit «le Grand Degré», le passage sous une arche donne un accès immédiat à la cour du Châtelet, ouvrage d'art militaire constitué de deux tours reliées par un mâchicoulis; c'est de là que part l'escalier du Gouffre, menant à la Porterie ou salle des Gardes. L'escalier abbatial, enfin, étage ses 90 marches jusqu'au portail sud de l'église. Sous la plate-forme de l'ouest se trouve Notre-Dame-sous-Terre, survivance du très ancien édifice carolingien. Érigée de 1023 à 1085, l'église romane présente une belle élévation, bien que seul le mur sud soit d'origine, l'effondrement de la paroi nord ayant exigé sa reconstruction. La nef romane, rythmée de lourds supports et de puissantes arcades, est couverte d'une charpente et les grandes arcades sont surmontées d'un triforium ouvrant sur chaque travée par des baies jumelées sous un arc

Vue aérienne du Mont-Saint-Michel. La baie du Mont-Saint-Michel participe puissamment de sa légende; alimentée par trois petits fleuves, théâtre des plus hautes marées d'Europe, elle provoque au hasard des flux et reflux une fusion exceptionnelle de la mer, de la terre et du ciel dans une somptueuse grisaille doucement teintée de camaïeux bleus et verts. Le petit îlot granitique du Mont-Saint-Michel offre ainsi un cadre idéal au développement de la plus illustre abbaye du monde, l'ingéniosité hardie et le savoir-faire des constructeurs de l'édifice se lisant jusque dans l'aménagement des fortifications entourant les bâtiments.

Le cloître du XIIIe siècle. Le cloître du Mont-Saint-Michel ne manque jamais de saisir par la délicatesse de ses supports, la richesse de sa décoration et sa situation exceptionnelle, en surplomb d'immenses horizons terrestres et maritimes. Entre ciel et terre, il semble conçu pour la seule méditation, ce à quoi incite le panorama environnant. La double rangée de colonnettes taillées dans la granulite rose confère à cet espace une légèreté surnaturelle ; le jardin de l'aire centrale complète la composition spatiale de ce lieu sacré.

en plein cintre. Dominant les grandes arcades et le triforium, les fenêtres hautes dispensent une lumière abondante, quelque peu éclipsée en son extrémité par le foyer du chœur du XVe siècle, généreusement ajouré. Construite en granite, de 1446 à 1450, la crypte des Gros Piliers (5 m de diamètre) soutient le chœur. Les deux autres cryptes, voûtées en berceau roman et dédiées à saint Martin et Notre-Dame-des-Trente-Cierges, sont antérieures (XIe s.).

Miniature du XVe siècle. Tirée des *Très Riches Heures du duc de Berry*, cette vision, due aux frères Limbourg, présente, au-dessus de l'abbaye qui lui est dédiée, le combat victorieux de l'archange Michel contre le démon, présenté sous les traits d'un dragon volant, en accord avec les superstitions populaires du temps.

La Merveille de l'Occident médiéval

C'est au sortir de l'église que l'on découvre la Merveille, superposition conçue et réalisée par l'abbé Raoul des Isles entre 1212 et 1228 de six salles sur trois niveaux. Avec ses quelque 50 m de hauteur, c'est un chef-d'œuvre d'équilibre au regard des fortes poussées qu'elle subit de la part des voûtes. Situé sur le flanc nord, ce monastère gothique est constitué de deux édifices accolés, construits simultanément. S'y font jour les trois ordres hiérarchiques de la société médiévale : en bas, les miséreux sont accueillis dans l'Aumônerie, complétée par le Cellier ; au-dessus, la salle des Hôtes de France et la salle des Chevaliers sont réservées aux voyageurs de marque ; à l'étage supérieur enfin, cloître et réfectoire sont le domaine des moines, serviteurs de Dieu. Le soir, les rayons du soleil, tamisés par les colonnettes du cloître, éclairent l'assemblée des moines réunis autour de la table. Le réfectoire ne peut prétendre à la délicatesse du cloître, mais il surprend par son austère grandeur. La lumière est distribuée dans cet espace couvert d'un grand vaisseau de bois renversé grâce à de petites fenêtres enfoncées. Quelques autres bâtiments conventuels, inaccessibles au public, sont disposés en arc de cercle autour de l'église, tel l'ancien dortoir voûté de bois qui communique directement avec elle.

Une destinée turbulente

Dès la guerre de Cent Ans, l'abbaye abrite en permanence une garnison pour laquelle une tour est construite. C'est de ce temps que datent le Châtelet contrôlant l'entrée ainsi que la ceinture de

Une vie monastique originale

De 966 à 1790, l'abbaye du Mont-Saint-Michel est restée soumise à la règle bénédictine qui équilibre prière, étude et travail manuel. Dirigés par un abbé élu à vie, les moines assistent à tous les offices liturgiques, déambulent dans le cloître voisin autour du jardin central et se rendent, selon leurs occupations, dans les différentes salles : cuisine, réfectoire, chapitre, scriptorium, dortoir. L'accueil des miséreux, pèlerins ou chevaliers, imposé par la règle, nécessite l'aménagement d'espaces spéciaux. À l'écart, se trouvent les ateliers et fermes qui assurent à l'abbaye un train de vie autarcique. La configuration spéciale et la taille du Mont ne permirent jamais un agencement traditionnel des bâtiments d'où, par exemple, la superposition des salles de la Merveille.

remparts qui cerne la base du rocher et dont la rusticité sévère est à peine atténuée par les corbeaux du mâchicoulis. Grâce à ces dispositions, le Mont résistera à tous les assauts des Anglais, devenant le symbole de la victoire française à la fin de l'interminable conflit. En reconnaissance, Louis XI y effectuera trois pèlerinages, de 1462 à 1473, transformant au passage une partie de l'abbaye en univers carcéral. S'ensuit un inéluctable déclin, dont l'abbaye, devenue notamment prison d'État de 1793 à 1863, sera sauvée par son inscription sur la liste des Monuments historiques en 1874. Restaurée, ouverte au public, elle constitue désormais l'une des plus célèbres destinations touristiques du monde, drainant chaque année des millions de pèlerins laïques, dans le même temps que de gigantesques travaux contribuent à lui restituer son insularité menacée par l'ensablement de la baie mythique.

Cathédrale de Chartres L'APOGÉE DU GÉNIE GOTHIQUE

Mise en chantier au crépuscule du XIIe siècle, la cathédrale de Chartres tire toutes les conséquences architectoniques et esthétiques des chantiers qui l'ont précédée pour imposer une conception architecturale qui fait basculer le monde médiéval dans la phase du gothique classique. Dans le même temps, elle développe un ensemble de sculptures monumentales sur lequel souffle l'esprit d'un humanisme conquérant et offre une surface de 2 000 m² de vitraux universellement salués pour leur insurpassable beauté. [FRANCE, CLASSÉ EN 1979]

En 1195, Chartres, centre universitaire et commercial de première importance, lance la construction d'une cathédrale d'un type nouveau, l'ancienne église romane ayant été ravagée par l'incendie du 10 juin 1194. Le chantier progresse rapidement, activé par la visite de Philippe Auguste en 1210. En 1220, la nef et le chœur sont voûtés, et c'est sous l'autorité de Saint Louis que se déroulera la cérémonie de dédicace, en l'an 1260. À Chartres plus que partout ailleurs, la réussite de l'entreprise a été tributaire de l'énorme effort collectif de la Cité.

Un modèle pour l'avenir

L'architecte, hélas inconnu, de la cathédrale est considéré comme l'inventeur du plan «chartrain» qui règlera désormais la plupart des grandes cathédrales gothiques : une nef voûtée d'ogives et bordée de deux collatéraux à voûtes d'arêtes, un transept à nef centrale également bordée de deux bas-côtés et un chœur à double déambulatoire flanqué de cinq chapelles. Il est cependant à noter que les cathédrales Saint-Gervais-et-Saint-Protais de Soissons (vers 1175) et Saint-Étienne de Meaux (vers 1179), bien qu'antérieures à Chartres, avaient déjà adopté ce nouveau plan. Entre les deux tours de la façade principale, le Portail royal, seul vrai vestige de l'église disparue, est occupé par une grande rose dominant les trois larges bai la galerie des Rois. Le tympan est encore roman ; en mandorle, le Christ du Jugement dernier est cerné par les quatre symboles des évangélistes ; les apôtres sont placés sous une arcature, anges et vieillards de l'Apocalypse alternant dans les voussures.

Le vitrail à la gloire de Marie.
Le vitrail exige plusieurs opérations : achat et découpage des verres colorés, application de la grisaille par couches superposées, cuisson et mise en plomb, placement des verres dans les armatures forgées. Fondamentalement, la palette fait appel aux trois couleurs primaires (bleu sombre, rouge rubis, jaune solaire) et produit de savoureux effets de contraste. Sur le grand vitrail de l'*Incarnation*, c'est par usage de ces recettes qu'est racontée la belle histoire de Marie, de gauche à droite et de bas en haut . Annonciation, Visitation, Nativité, Annonce aux bergers, Hérode recevant les Mages…

La façade sud, tout aussi monumentale, est précédée d'un perron de dix-sept marches et surmontée d'une galerie portant les dix-huit statues des rois de Juda. Elle est consacrée au Christ, la façade nord étant dédiée à la Vierge. Si les arcs-boutants restent lourds et le nombre de chapelles réduit, la remarquable hauteur de la nef (37 m) est symptomatique du désir d'affranchissement à l'endroit de la pesanteur terrestre. Quant à l'élévation intérieure, elle ne superpose plus désormais que trois étages, les grandes arcades, le triforium et les fenêtres, l'usage de la tribune étant périmé à titre définitif ; une telle disposition favorise avant tout l'impulsion verticale, ici exceptionnelle, des supports. Autre nouveauté, les croisées d'ogives déterminent des surfaces de voûte rectangulaires, divisées en quatre sections (voûtains) et non plus six. L'influence de ces aménagements, aussitôt considérable, exercera ses effets sur tous les grands édifices gothiques à venir, en France et ailleurs.

La cathédrale chantée par Péguy. Dressée vers le ciel au centre du plateau de Beauce, la cathédrale domine la cité de Chartres, capitale religieuse des Carnutes à l'époque gauloise. Surplombant les toits verts de l'édifice (couleur due à l'oxydation du cuivre), la plus haute tour, porteuse d'une flèche flamboyante qui culmine à 115 m, fut construite par Jean de Beauce, de mars 1507 à août 1513, en remplacement du clocher nord partiellement détruit par la foudre ; à gauche sur ce document, c'est à une hauteur de 105 m que se hisse le vieux clocher du XIIIe siècle.

La pierre et le verre au service du message divin

La sculpture se situe au même degré de maîtrise. Sur la droite du portail central de la façade principale, les piédroits sont porteurs de statues-colonnes impassibles et figées, héritières directes de l'esthétique monumentale romane. Prophètes et reines, issus des livres de l'Ancien Testament, sont disposés par alternance, les visages des premiers et des secondes se signalant par leur radieuse beauté et leur profonde intelligence. Ailleurs, inscrites dans les voussures du portail de la Vierge, deux amples figures féminines aux souples drapés symbolisent la musique et la grammaire, avec un naturel qui se retrouve dans les silhouettes du berger et des moutons formant, sur le tympan voisin, l'extrémité de la scène de la Nativité. Au portail du croisillon nord, la statue de saint Jean-Baptiste, dont le visage traduit une

À DR : ***Intérieur de la cathédrale.*** Dans la nef centrale dont l'élévation – grandes arcades, triforium, fenêtres hautes – apparaît ici dans sa géniale simplicité, la légèreté des supports sous la voûte (37 m) s'explique par le contrebutement extérieur des arcs-boutants, conçu pour la première fois comme constitutif de l'édifice.

À DR : ***Statues-colonnes du Portail royal.***
À l'extrémité gauche de la façade occidentale, sous le tympan du Mystère de l'Incarnation, ces trois statues-colonnes ont été mises en place, comme l'ensemble du Portail royal, vers 1145. Face à ces singulières figures, l'œil découvre une patente volonté de personnalisation des portraits, par la variété des tailles, des attitudes et des expressions.

poignante mélancolie mystique, est ouvragée avec une merveilleuse finesse. Le maître ciseleur de pierre à qui est dû ce chef-d'œuvre a restitué la profondeur d'un regard intériorisé et donné une légère ouverture à la bouche qui s'apprête à faire découvrir aux hommes la teneur du message sacré. Quant au portail sud, il se signale, sur le trumeau, par la figure du Christ enseignant qui, de sa main gauche tient le Livre, de l'autre dispense le signe de la bénédiction. Partout, les tailleurs de pierre chartrains ont réussi la troublante synthèse d'une image réaliste et d'un message idéal.

Ce sont pourtant les vitraux de la cathédrale qui demeurent son plus haut titre de gloire. Admirablement conservé et homogène, le grand œuvre de verre a été réalisé dans la première moitié du XIIIe siècle. Les quelque 146 verrières – initialement 173 – offrent une iconographie à peu près complète des Testaments, des travaux et des saisons, les plus belles pièces restant consacrées à Marie ; l'émouvante Vierge au sein nu de la nef centrale, particulièrement, est nuancée d'une élégance et d'une humanité dont Chartres est seule à avoir su capter et transmettre le secret.

Carcassonne ARCHÉTYPE DE LA CITÉ FORTIFIÉE

Ensemble monumental de trois kilomètres de remparts, quarante tours, deux grandes portes, etc., sur une acropole qui domine d'une cinquantaine de mètres la rive droite de l'Aude, Carcassonne, magnifiquement restaurée au XIXe siècle, reste l'archétype de la forteresse médiévale élargie à l'échelle d'une cité.

[FRANCE, CLASSÉ EN 1980]

L'occupation du site remonte probablement au Ve siècle av. J.-C., bien avant la création de la *colonia Julia Carcaso* par Auguste. Coïncidant avec l'actuelle enceinte intérieure, les fortifications de l'oppidum romain étaient formées d'une muraille flanquée de tours semi-circulaires et percées de petites fenêtres. Passée aux mains des Wisigoths au VIe siècle, Carcassonne sera, sept siècles plus tard, la triste victime de Simon de Montfort, bourreau des Albigeois et maître de la Cité en 1209. En 1226, la Ville revient définitivement à la couronne de France, LOUIS IX décidant alors la construction d'une seconde enceinte en 1226-1239, pour mieux assurer la sécurité de sa frontière face au royaume d'Aragon.

Force et vigilance

De nos jours comme à l'origine, c'est entre ces deux enceintes que se développe le chemin des Lices, rythmé par d'énormes tours rondes et compliqué de fortins et courtines crénelées. On pénètre ordinairement dans Carcassonne par la porte Narbonnaise, entrée monumentale qui, située au faîte d'une éminence, amène à méditer sur les circonstances historiques ayant provoqué l'érection de ce formidable appareil défensif ; ainsi deux tours en « U » pourvues d'éperons en accolade, passage à deux herses et archères à niche... Rien ne rend mieux compte de la grande peur médiévale qui conduisit la cité vigilante à consacrer beaucoup plus d'énergie à se doter d'imprenables fortifications qu'à s'aménager le cadre d'une paisible vie civile. Parmi les secteurs les plus saisissants, on relève l'austère section qui conduit de la tour des Lices à la porte d'Aude, mais aussi, lourd, imposant, adossé à la muraille et surveillant la plaine environnante, le château comtal.

Flanc nord de l'enceinte. Sur le flanc nord de l'enceinte, les accès au château ont été remaniés à diverses reprises, de façon à protéger la forteresse comtale. Ici, par exemple, l'agencement d'un couloir crénelé qui court au pied des courtines rend à peu près impossible l'accès aux portes du bâtiment seigneurial. Cette restitution presque théâtrale de l'appareil défensif atteste le génie de Viollet le Duc qui ne s'est pas contenté de relever ce qui était abattu et de reconstruire ce qui était détruit, mais qui a su également redonner à la Cité le caractère puissamment « rebutant » qui fut la règle de ses constructeurs médiévaux.

En marge de la Cité, le château

Si la datation de cet édifice relève de la gageure au regard des innombrables modifications qu'il a subies, le principal de son agencement revient à la campagne de travaux ouverte en 1226-1228 après la prise de possession de la Cité par la couronne française. Adossé à la muraille occidentale de la ville, il dresse régulièrement ses tours sur la totalité de sa ceinture ; au sommet de la tour intermédiaire entre la puissante double tour de l'entrée, prolongée par un pont de pierre jusqu'à la barbacane masquée par les maisons, et l'angle nord-est de l'enceinte, un hourd a été reconstitué de façon à restituer l'intelligence défensive du colosse de pierre.

Deux tours maîtresses, l'une à plan carré, l'autre en équerre, dominent l'ensemble, enrichi vers le milieu du XIIe siècle par la chapelle Sainte-Marie, sur le côté nord. De 1204 à 1209, le château comtal prend une nouvelle apparence du fait de la construction, côté ville, d'une grande enceinte rectangulaire englobant tous les bâtiments précédents, et ménageant au-devant d'eux une ample cour d'honneur exigeant la disparition de la chapelle. Plus avant dans le cours du XIIIe siècle, de 1228 à 1239, le château reçoit une chemise armée de créneaux et de tours rondes munies d'archères. Son périmètre d'environ 80 × 40 m est désormais protégé par une porte encadrée de tours jumelles à l'est et par une porte charretière à l'ouest. L'installation d'une garnison royale à partir de 1242 impose un nouvel agrandissement au château, avec la construction d'un nouvel étage et d'un nouveau logis comprenant une grande salle et divers appartements. Dans le même temps, le système défensif est amélioré par l'érection d'une barbacane semi-circulaire sur le fossé oriental. C'est sous cette forme que le château de Carcassonne traversera les siècles. Simple caserne sous l'Empire, il sera voué à la démolition au XIXe siècle, lorsque l'action conjuguée de Prosper Mérimée (1803-1870) et d'Eugène Viollet-le-Duc (1814-1879) le sauveront de la disparition et lui redonneront, au prix d'une reconstitution méticuleuse de tous ses éléments en 1852-1879, son visage originel.

Château comtal, entrée côté ville.
Du côté de la ville, le château est isolé par un large fossé sec, franchi par le pont de pierre datant du XVIIe siècle. L'édifice est ainsi défendu de l'intérieur comme de l'extérieur, précaution justifiée par la défiance légitime de la garnison royale à l'endroit de la population locale.

Le déclin et la sauvegarde

Car dans l'intervalle, la signature, en 1659, du traité des Pyrénées repoussant le domaine espagnol au-delà des frontières du Roussillon, avait préludé au déclin de la ville-forteresse, laquelle ne devait retrouver sa splendeur qu'au XIXe siècle grâce, précisément, à la campagne de restauration conduite par Viollet le Duc. Nombreux sont les documents, écrits et dessinés, mettant au jour toutes les difficultés de l'immense restauration entreprise par l'architecte médiéviste. Réfléchissant sur les complexités et les obscurités des temps moyenâgeux, ce dernier puise dans sa vaste culture les souvenirs lui permettant de redonner à Carcassonne son aspect initial. Il n'hésitera pas, de la sorte, à remonter les tours écroulées, à les coiffer de poivrières, à leur redonner éperons, herses, archères, etc., le tout avec une réussite que personne n'est plus désormais en mesure de lui contester.

Vue aérienne de la Cité.
Sur ce document, on distingue nettement les deux enceintes, de hauteurs différentes, entre lesquelles court la chaussée des Lices. L'enceinte intérieure, en bossages rustiques, s'est appuyée sur des soubassements antiques, avant d'être doublée par la ceinture extérieure, plus homogène et flanquée de quatorze tours circulaires. En dépit des différences de conception, le schéma général demeure identique pour les deux structures, soit l'établissement d'un mur continu régulièrement ponctué de tours.

Alhambra de Grenade L'HÉRITAGE HISPANO-MAURESQUE

Par la puissance de ses murailles comme par la somptuosité de sa décoration interne, l'Alhambra («le Château rouge», en arabe) de Grenade reste le plus somptueux témoin de l'occupation islamique en Espagne. Il se présente sous l'aspect d'un ensemble colossal de bâtiments fortifiés, sur la colline de la Sabika qui, dominant la grande cité ibérique, fut tôt protégée par la citadelle primitive de l'Alcazaba, distincte de l'enceinte de l'Alhambra.

[ESPAGNE, CLASSÉ EN 1984]

La très antique *Illiberis* fut l'une des bases méridionales les plus importantes de l'Espagne au temps de l'Empire romain. Au XIe siècle, les nouveaux occupants berbères en font la capitale de leur émirat, lequel tombe en 1090 sous la domination des Almoravides puis, en 1156, sous celle des Almohades. C'est au XIIIe siècle qu'est constitué le royaume de Grenade, dominé par la dynastie des Nasrides; la ville, couverte de somptueux édifices, est reprise par les Espagnols en 1492. Pour splendides qu'ils soient, les édifices chrétiens de la Cité (cathédrale, chapelle royale, sacristie de la Chartreuse, église Saint-Jérôme, etc.) restent éclipsés par son fabuleux héritage «hispano-mauresque», terme qui renvoie équitablement au génie ibérique et à l'invention décorative musulmane, du VIIIe au XIVe siècle. Dominée par les califes omeyyades originaires de Syrie, puis par les dynasties berbères almoravides et almohades, l'Espagne parvient cependant à se constituer un patrimoine inimitable, le style mudéjar qui caractérise l'art encore sous influence mauresque après la Reconquista (Reconquête par les «Rois Catholiques» Isabelle de Castille et Ferdinand d'Aragon des territoires occupés par les musulmans), se signalant par ses arcs outrepassés, ses motifs en arabesque, ses clochers-minarets...

Huit siècles d'histoire

L'Alhambra de Grenade a été commencé en 1238, sur le site d'une ancienne forteresse berbère, mais il faut attendre le XIVe siècle pour que cette demeure royale devienne le prodigieux palais que nous connaissons aujourd'hui. On y pénètre par la porte de la Justice (1348), pour accéder à la cour des Myrtes, embellie d'un superbe bassin dominé par la salle du Trône (1334-1354). À quelques pas de là, la cour des Lions (1377) est cernée

Colonnes de la cour des Lions. Dans cet espace d'une inoubliable beauté, on touche à la perfection de ce style hybride auquel les historiens ont accolé l'épithète de «mudéjar» pour marquer son irréductibilité à toute autre esthétique. Bien que cette prolifération ornementale paraisse sans égale au premier regard, il est cependant loisible d'observer qu'elle combine tout à la fois les leçons du génie décoratif mauresque – tout de filigranes et d'incrustations – et celles, tout aussi fécondes, d'un style gothique, plus naturaliste, ayant alors franchi la frontière septentrionale de l'Espagne, en provenance d'Île-de-France.

par une galerie légère, soutenue par de fines colonnes de marbre clair. Datant du XIVe siècle, la fontaine centrale repose sur un socle de douze lions – chiffre des constellations du zodiaque ; l'eau, recueillie dans la vasque d'albâtre, est rejetée par la gueule des fauves. La cour des Lions symbolise l'Éden, avec la fraîcheur de ses plantes constamment irriguées. Il est difficile d'attribuer les lions à un atelier déterminé, la religion musulmane interdisant à l'homme la reproduction des êtres vivants – ceux-ci étant l'œuvre du seul Créateur ; peut-être en l'occurrence la loi a-t-elle été enfreinte, sous l'influence des mœurs locales auxquelles les occupants se plièrent souvent.

La cour des Lions est cernée par quatre salles, celles des Mocárabes, des Rois, des Abencérages et des Deux Sœurs. La deuxième offre la disposition d'une longue galerie de pièces ornées de fresques, cependant que la salle des Abencérages, lieu supposé d'un massacre provoqué par l'infidélité de la sultane, servit pour les réceptions et les banquets d'hiver, son absence d'ouverture sur l'extérieur facilitant son chauffage. Directement attenante à la cour des Lions, la salle des Deux Sœurs (ainsi nommée par référence aux deux dalles de marbre entourant la fontaine) fut probablement la résidence des sultanes, ce qui expliquerait l'incroyable richesse de son ornementation, toute de marbres colorés,

Vue générale de l'Alhambra depuis San Nicolas.
Se détachant du lointain décor montagneux de la Sierra Nevada, le palais de l'Alhambra surgit en blocs massifs et harmonieusement répartis de la couverture sylvestre enveloppant la colline – au sommet de laquelle ses constructeurs l'ont placé, tant pour des raisons de prestige que par souci de sécurité. Ici, rien n'est plus frappant que le contraste entre l'austérité de cette vêture extérieure d'une sombre beauté et l'insurpassable délicatesse de l'appareil décoratif des espaces intérieurs.

La cour des Lions.
Les 124 délicates colonnes – simples, doubles, triples ou quadruples – de la cour des Lions forment une véritable futaie de pierre laiteuse. La décoration en fine dentelle sculptée enrichit toutes les arcatures qui contrastent par leur élévation jaillissante avec le bloc massif de la fontaine placée au centre du patio.

de baies géminées, de mosaïques de céramique, de bois sculpté et de stucs décoratifs. Les *mocárabes*, incrustations ornant voûtes et plafonds, y prolifèrent de telle façon que l'analogie avec les stalactites d'une grotte ne manque jamais de s'imposer aux imaginations. Aux murs de tous ces espaces, la décoration en motifs géométriques touche à un sommet de sensibilité et d'ingéniosité, étant de surcroît sacralisés par les textes du Coran, dans toute la troublante complexité de leur merveilleuse calligraphie. Ici se vérifie la justesse du mot d'Alexandre Dumas qui, ému autant qu'ébloui, découvrit dans cette accumulation de miracles, la réalité d'un «rêve pétrifié par la baguette d'un sorcier» ! Au sortir des bâtiments, divers sentiers et escaliers mènent à la partie supérieure des palais, le Generalife, célèbre pour sa sublime allée fleurie déployée entre deux pavillons autour d'un canal animé par de féeriques jeux d'eau.

Après la chute de Grenade en 1492, les Rois Catholiques respectèrent l'immense palais mauresque, en firent même leur résidence occasionnelle. Mais, avec le passage des siècles, l'ensemble devait tomber dans un semi-abandon qui fit craindre sa progressive disparition. L'époque contemporaine ne l'a pas entendu ainsi, lui offrant une éclatante réhabilitation au gré de plusieurs campagnes de restauration qui lui ont redonné toute son ancienne splendeur.

Florence FOYER DU MONDE RENAISSANT

La première Renaissance italienne, celle du Quattrocento (XVe s.), a pour cadre historique et géographique la Florence des Médicis. Des chantiers s'y ouvrent partout, la science s'y transforme en même temps que l'art et la littérature. Comme dans l'antique Athènes, la pensée dominante repose sur l'humanisme, l'homme élaborant, au miroir de ses réalisations, une image de lui-même qui tend à la perfection. [ITALIE, CLASSÉ EN 1982]

C'est en 1400, date approximative de la célèbre expérience des *tavolette* (petits tableaux dont toutes les lignes convergent vers le point de «percussion» de l'œil, ou point de fuite), que Filippo Brunelleschi (1377-1446) offre la démonstration théorique de la perspective conique. Fondant le nouvel ordre sur ses souvenirs de la Grèce classique et de la Rome antique ainsi que sur les données du roman toscan, ce génie singulier marie austérité mystique et humanisme profane, confiance en la raison et respect de l'irrationnel, clarté mathématique et fascination pour l'ésotérisme. Son chef-d'œuvre demeure le dôme de la cathédrale florentine Santa Maria del Fiore (1420-1436), entièrement calculé avant son érection sur l'immense ouverture de la croisée dont le diamètre n'est pas inférieur à 42 m.

Au seuil des temps modernes

Après la mort d'Arnolfo di Cambio (vers 1245-v. 1302), auteur du plan et directeur du premier chantier à partir de 1292, la cathédrale avait tumultueusement traversé le Trecento, déchirée entre fidélité au modèle gothique et prénotions renaissantes. Le dessin du campanile est largement dû à Giotto, en 1334, le remaniement du plan d'Arnolfo par Pisano et Talenti intervenant en 1451. Sollicité dès 1404, Brunelleschi obtient la conduite du chantier de la coupole couvrant la croisée le 16 avril 1420, une longue réflexion l'ayant conduit à imaginer une combinaison de deux coques séparées par une distance de quatre pieds, structure plus légère qu'une coque pleine. Si le tour de force est avant tout technique, la beauté de l'œuvre reste primordiale, cette seconde coque devant couvrir la première de façon somptueuse et ample (*magnifica e gonfiata*). Quant à la machinerie de levage des matériaux, dite *stella della cupola*, elle

Santa Maria del Fiore. De gauche à droite, on distingue le baptistère octogonal, le campanile à peine détaché du corps de l'édifice et le dôme, chef-d'œuvre de Brunelleschi, érigé de 1420 à 1436. Calculé avant son érection, il assemble deux coques qui constituent une structure plus légère qu'une coque pleine; les nervures principales sont au nombre de huit, relayées par seize nervures intermédiaires, les intervalles étant remplis de panneaux de briques. Seule la perspective a pu autoriser l'idée de ce projet révolutionnaire, et seule elle illumine la cathédrale de sa grâce surnaturelle et de sa sérénité rationnelle.

provoqua un enthousiasme si unanime qu'on en conserva des parties à faire apprécier aux spécialistes longtemps après la fin du chantier. Reste à admirer le couronnement du dôme par une lanterne dont la délicatesse ne laisse rien deviner des énormes poussées, exercées par les nervures de la coupole sur le socle de son anneau. Brunelleschi en a donné la maquette le 31 décembre 1436, mais n'en verra pas l'achèvement du fait de sa disparition en 1446. De son génie spéculatif, le maître florentin a laissé bien d'autres traces dans sa cité : le portique de l'hôpital des Innocents (1419), les églises San Lorenzo (1421-1429) et Santo Spirito (1436), ou encore l'extraordinaire chapelle des Pazzi (vers 1445) tous ouvrages dont le dessin est réglé par un module neuf, qui induit une organisation de l'espace relevant de la pure mathématique.

Les façades de l'avenir

Cadet de Brunelleschi, mais égal par le talent, Leon-Battista Alberti (1404-1472) est avant tout un grand humaniste qui, confiant dans le génie de l'homme, conçoit l'architecture comme point de convergence et d'accomplissement de la cité. À la base de sa pensée, nourrie de l'héritage antique de Vitruve, un postulat essentiel : la beauté dépend plus des proportions que des formes. En 1446, sur la façade du palais Rucellai (construit par Bernardo Rossellini), il opère la superposition, destinée à une immense fortune ultérieure, des ordres antiques.

Le Jugement dernier de la coupole de Santa Maria del Fiore. Cette vision dantesque, due aux brosses de Giorgio Vasari (1511-1574) et Federico Zuccari (v. 1540-1609), a demandé sept ans d'efforts aux deux hommes, de 1572 à 1579. N'appartenant plus au cycle de la Renaissance, elle relève des préméditations avancées du génie baroque, la compartimentation des scènes et la vigueur anatomique des personnages dérivant directement de Michel-Ange et de ses fresques de la chapelle Sixtine qui ont tout autant bouleversé l'histoire de la peinture que celle de la sensibilité européenne.

Ponte Vecchio. Succédant au premier pont de pierre (vers 1117) détruit par la crue de 1333, et au second (1345), le Ponte Vecchio (Pont vieux) franchit l'Arno par trois arches dont la massivité contraste avec l'élégance de sa galerie couverte, le Corridoio Vasariano (1565), long couloir reliant le palais Pitti au bâtiment des Offices. Aux ateliers et échoppes de bouchers du XVe siècle, ont succédé, au XVIIe siècle, les boutiques et arrière-boutiques d'orfèvres et de joailliers donnant à l'édifice sa physionomie définitive.

Cet élan vers la discipline de l'élégance, en rupture avec l'imaginaire médiéval, ne laisse rien au hasard, un module unique (la moitié de la largeur d'une colonne) assurant l'unité de l'ensemble, principe repris pour la façade de l'église Santa Maria Novella (1456).
Le troisième grand architecte florentin du temps, Michelozzo di Bartolomeo (1396-1472), élabore pour sa part la typologie du «palais-bloc» florentin, dont le meilleur exemple demeure le palais Medici-Riccardi (ou palais Médicis, 1444-1460), avec sa façade en amalgame de styles disparates : bossage irrégulier au rez-de-chaussée, arcades transformées en fenêtres, corniche supérieure (qui succède à l'auvent médiéval) saillante. La colonnade du *cortile* (cour intérieure) vaut autant par sa grâce exquise que par son étonnante légèreté, la frise des médaillons et camées créant par ailleurs un décor d'une allègre simplicité.

La naissance de l'artiste

Acteur déterminant du premier âge renaissant, Filippo Brunelleschi est à l'origine de la naissance de l'architecte, dans l'acception moderne du terme : non plus seulement constructeur des âges antiques et médiévaux, maître d'œuvre ou simple compagnon, mais artiste doublé d'un intellectuel. L'architecte sera désormais le seul décideur du chantier, celui qui battra en brèche les dogmes obsolètes, qui imposera sa vision personnelle contre les canons avérés de la tradition. En son temps, le prestige de Brunelleschi fut considérable mais équivoque, ses projets visionnaires amenant les autorités municipales à douter de son équilibre mental ! Il restera pourtant, devant l'histoire, comme le premier maître européen à avoir postulé la primauté de l'invention dans la genèse du chantier monumental.

Modelage et peinture de l'homme nouveau

En 1401, un concours étant ouvert pour un second jeu de portes du baptistère, Lorenzo Ghiberti (1377-1455) l'emporte devant six concurrents, dont Brunelleschi et Jacopo della Quercia, initiateur du mouvement conduisant du gothique international à la Renaissance. Pour Ghiberti, l'occasion est belle, avec les paysages boisés et les groupes de personnages qui caractérisent ce chef-d'œuvre, d'introduire dans la sculpture de nouvelles valeurs spatiales fondées sur la toute nouvelle perspective, dont son disciple Donatello sera le grand diffuseur. Mais c'est surtout dans le troisième jeu de portes (1425-1452) – Portes du paradis selon

Michel-Ange – que Ghiberti élabore une nouvelle image du monde, unifiant la composition par la perspective qui, ouverte par un point de fuite au cœur des groupes assemblés, crée l'illusion d'une énorme distance. On trouve jusqu'à cent personnages par panneau, formant une foule d'une insolite vigueur dans *Esaü* et *Jacob*, tandis que pour *Josué à Jéricho*, l'éloignement est obtenu par un aplatissement de la vision ouvrant l'espace du cortège, le plus beau tour de force perspectif revenant toutefois aux architectures de *Salomon et la Reine de Saba*. Donatello, bien sûr, mais aussi Luca della Robbia et Verrocchio ne cesseront, au cours du siècle, d'amplifier et d'approfondir les conséquences de cette prodigieuse leçon.

La peinture ne se situe pas en marge de ce cercle de métamorphoses. C'est aussi à Florence que deux artistes de génie, Fra Angelico et Masaccio, déterminent le nouvel espace plastique issu des lois de la perspective. Dans ses fresques du couvent San Marco, Guido di Pietro, Fra Giovanni, dit Fra Angelico (vers 1400-1455) offre à ses figures renaissantes le cadre spéculatif d'un espace illuminé par le Verbe sacré, cependant qu'à la Chapelle Brancacci de l'église du Carmine, l'une des plus discrètes de la cité, Tommaso di Giovanni, dit Masaccio (1401-1428), s'efforce de comprendre et d'appliquer à son art les nouvelles lois de la perspective, tout en nourrissant sa vision de la puissante humanité qu'il a découverte chez le sculpteur Donatello (vers 1386-1466). Dramatisant les scènes de son cycle narratif [*Paiement du tribut, Pierre guérissant par son ombre, Adam et Ève chassés du Paradis*, etc.], Masaccio redonne ainsi, à l'homme fautif et fragile, une grandeur directement puisée aux canons classiques. Transfigurés par la force d'un traitement inédit, ses personnages apparaissent de la sorte, aux yeux du visiteur émerveillé, comme la marque idéale d'un nouvel âge délivré de la toute superstition médiévale, un âge dont les contributions plus tardives de Piero della Francesca (vers 1412/20-1492), [cycle de *La Légende de la Vraie Croix, La Flagellation*] et de Sandro Botticelli (1445-1510), [*Le Printemps, La Naissance de Vénus*] fixeront à jamais la glorieuse marque florentine.

Sans préjudice des autres merveilles que la capitale toscane dispense au regard du flâneur, des jardins Boboli au Palazzo Vecchio, du musée du Bargello au couvent San Marco, du Ponte Vecchio au palais Strozzi, etc., force est de reconnaître qu'elle reste avant tout le vivier de l'Europe inventant sa modernité. Au point que son déclin ultérieur, à l'occasion illuminé par le génie d'un Michel-Ange (Bibliothèque laurentienne, chapelle des Médicis, etc.), n'altérera en rien son éblouissante aura de premier foyer de la Renaissance.

À DR : ***Palazzo Vecchio (campanile).***
Érigé à partir de 1332, le Palazzo Vecchio (Palais vieux) reste le plus beau témoignage du génie médiéval de Florence ; conçu comme un bloc impénétrable placé sous la surveillance de sa haute tour, il inspirera, un siècle plus tard, le prototype du palais florentin développé par Michelozzo.

L'Aurore de Michel-Ange.
Ornant le sarcophage de Laurent de Médicis dans la nouvelle sacristie de l'église San Lorenzo, cette admirable figure allégorique de l'Aurore, taillée en 1531 par Michel-Ange – orphelin de mère à l'âge de six ans –, exalte la troublante et féconde sensualité de la femme idéale, source vitale de l'humanité.

Moscou LA CITADELLE AUX COUPOLES D'OR

Mentionnée dès 1147, c'est en 1480, après l'invasion mongole, que Moscou a fédéré les principautés russes, avant d'établir sa prééminence commerciale grâce à ses relations avec l'Europe de l'Ouest, le monde méditerranéen, le Caucase, l'Asie centrale, l'Inde et la Perse. Le destin de la Cité sera ensuite turbulent : invasion française en 1812, révolutions de 1905 et de 1917, résistance héroïque aux armées allemandes en 1941. [RUSSIE, CLASSÉ EN 1990]

Au centre de la capitale russe, le Kremlin et la place Rouge constituent respectivement une formidable citadelle, dominée par la tour du Sauveur, et une immense esplanade, théâtre des grandes manifestations officielles de la vie locale.

La place Rouge, cœur battant de la Cité

Lieu de réunion de l'important marché de la ville dès le XVe siècle, la bien nommée place Rouge (en russe, *krasnaïa* signifie tout à la fois «rouge» et «belle») peut s'enorgueillir d'être flanquée par les plus prestigieux édifices de la cité : murailles et tours du Kremlin, collégiale Basile-le-Bienheureux, magasin Goum, musée national d'Histoire, mausolée de Lénine... Ayant troqué son ancien nom de place de La Trinité pour son actuelle dénomination au XVIIe siècle, l'esplanade semble s'être placée tout naturellement sous la protection de la tour du Sauveur, entrée d'honneur des ambassadeurs et seuil des processions sortant du Kremlin; pour accentuer sa majesté, une structure pyramidale ornée de colonnettes ouvrées, de tourelles blanches et d'animaux fantastiques, lui a été ajoutée au XVIIe siècle.

Près de la tour du Sauveur, sur le côté sud de la place, jaillissent les bulbes polychromes de l'église de l'Intercession, dite Basile-le-Bienheureux. Composée de neuf chapelles, elle a été construite sur l'ordre d'Ivan IV le Terrible entre 1555 et 1561 pour commémorer la victoire (1502) des Tatars de Crimée sur la Horde d'Or; la légende affirme que le tsar fit crever les yeux des architectes Barma et Postnik pour les empêcher de reproduire ailleurs leur chef-d'œuvre... Cet édifice constitue l'apothéose du style «en tente», inspiré de l'architecture de bois; hormis

Le couvent Novodevichy.
À longer les murailles qui fortifient les rives de la Moskova, on comprend pourquoi l'indomptable nation russe triompha, au hasard des siècles, de tous les guerriers lancés à sa conquête ! Sans rien abdiquer de cette exigence artistique qui en a fait l'une des plus belles capitales du monde et dont le couvent Novodevichy («nouveau couvent des Vierges»), fondé en 1524 par Vassili III, reste le plus riche fleuron, avec sa cathédrale Notre-Dame-de-Smolensk, ses églises de l'Intercession, de la Transfiguration, ses cimetières, ses fresques du XVIe s., ses collections, réparties entre divers musées et édifices religieux, d'icônes, de bijoux et de vêtements.

l'élément central, haut de 57 m, toutes les tours sont coiffées d'un dôme en forme d'oignon dominé par de grandes croix dorées. La croix grecque gouverne le plan de l'église, avec une nef centrale flanquée de quatre chapelles cardinales, entre lesquelles s'insèrent quatre volumes plus petits.

Fermant la place Rouge côté nord, se dresse le Musée historique, le flanc est étant bordé par le long édifice des Riady (Galeries supérieures) occupées par le plus grand magasin de la capitale, connu sous son appellation abrégée de Goum. En 1930, dans l'écrin sacré de la Place, le long du mur protecteur du Kremlin, les autorités décidèrent enfin, honneur suprême, d'édifier à Lénine, père fondateur de l'Union soviétique, un mausolée aux formes austères.

Les cathédrales du Kremlin. La très ancienne place des cathédrales, fleuron de l'architecture religieuse du Kremlin, regroupe les magnifiques églises de l'Assomption (ou de la Dormition), de l'Annonciation, de l'Archange Saint-Michel, ainsi que les bâtiments sacrés du Palais des Térems. Dominant la forêt des hauts bulbes dorés gardés par les murailles rouges de la forteresse, le clocher d'Ivan-le-Grand en constitue le point sommital.

Le Kremlin, résidence fortifiée des tsars

Cernée par le cours sinueux de la Moskova, la citadelle du Kremlin (du russe *kreml*, «forteresse») a succédé à l'enceinte en bois du XIIe siècle. C'est vers 1453, la chute de Constantinople ayant fait de Moscou la capitale religieuse de l'aire orthodoxe, que le tsar Ivan III décide la construction de ce palais-citadelle doublé d'un sanctuaire. Dans ce dessein, il fait appel à des architectes italiens, qui respectent le style russe pour les édifices religieux et s'inspirent de la Renaissance ultramontaine pour le palais et la citadelle. Des trois cathédrales du lieu, la plus vaste est celle de la Dormition, érigée en 1475-1479

Basile-le-Bienheureux sous la neige.
Au sud de la place Rouge jaillissent les bulbes polychromes de l'église de l'Intercession, dite Basile-le-Bienheureux – du nom d'un simple d'esprit inhumé en son sein. Emblème du génie russe, l'édifice a été l'objet d'un travail de restauration exemplaire au lendemain de la Seconde Guerre mondiale.

par l'architecte Fioravanti. Toute proche, la cathédrale de Saint-Michel-archange (1505-1509), dressée par Alevisio Novi et ornée d'une façade vénitienne, abrite le tombeau du trop célèbre Ivan IV le Terrible. Seule la cathédrale de l'Annonciation (1489) relève du pur génie russe. Jaillissant vers le ciel, la tour d'Ivan III le Grand domine cet ensemble de ses quelque 97 m; commencée en 1505, elle abrita longtemps d'énormes cloches dont «la Reine», d'un poids supérieur à 210 tonnes.

Solennelle et dissuasive, la façade du Grand Palais (1838-1849) surplombe les rives de la Moskova. Plus singulier par sa facture proprement italienne, le palais à Facettes (1487-1491) séduit par sa façade à pointes de diamant et par son immense salle de réception dont la voûte repose sur un pilier central polychrome. En contraste complet, le charmant palais des Terems (XVIIe s.) est formé d'un labyrinthe de couloirs et vestibules ouvrant sur de petites pièces. Seraient encore à citer le palais des Armures (1849-1851), siège d'un superbe musée, et le palais de l'Arsenal (1702-1736), dont la vocation est également devenue culturelle.

À partir du règne de Pierre le Grand, les tsars ont déserté le Kremlin, ce dernier ne retrouvant un rôle politique important qu'après la révolution d'Octobre, de nouveaux bâtiments y étant édifiés dont le palais Præsidium du Soviet suprême en 1932, et le palais des Congrès en 1961.

Le Vatican UNE MÉMOIRE DE VINGT SIÈCLES

Sur une superficie de 44 hectares – ce qui en fait le plus petit État souverain du monde –, le Vatican comprend l'esplanade et la basilique Saint-Pierre, le palais pontifical et ses annexes, le musée, les jardins. Son histoire deux fois millénaire et son statut d'atelier de la Renaissance romaine – celle du XVIe siècle – l'ont laissé riche d'un trésor artistique dont l'opulence défie l'imagination.
[ITALIE, CLASSÉ EN 1984]

De ce fabuleux patrimoine, dominé par la chapelle Sixtine, la chapelle Pauline, les Chambres et les Loges de Raphaël, etc., la part la plus précieuse forme le fonds de musées parmi les plus fastueux de la planète. Fondée en 1932 par Pie XI, la Pinacothèque rassemble près de 500 tableaux, du XIe au XVIIIe siècle, le musée Pio Clementino possédant pour sa part de magnifiques sculptures antiques (*Torse du Belvédère*, *Vénus de Cnide*, *Laocoon*, *Apollon du Belvédère*, *Hermès*, etc.), collection avantageusement complétée par celle du musée Chiaramonti, dont l'architecture est due à Bramante. Quant aux musées égyptien et étrusque, créés par Grégoire XVI, ils conservent respectivement une statue de la reine Tuaa (1300 av. J.-C.) ainsi qu'une salle souterraine reconstituée d'un tombeau de la Vallée des Rois et des objets de fouilles mis au jour dans les nécropoles de l'Étrurie méridionale. Ouvert au public en 1970, le Musée grégorien profane abrite une collection d'antiquités réunie par Grégoire XIV au palais du Latran, cependant que le musée chrétien expose des œuvres provenant des catacombes; inauguré par Paul VI en 1973, enfin, le musée d'Art sacré moderne illustre, par son éclectisme, tous les mouvements du XXe siècle.

La vénérable modernité de Saint-Pierre de Rome

Disciple spirituel d'Alberti, Bramante est sollicité par le pape Jules II (1503-1513) pour construire la nouvelle basilique Saint-Pierre, dont la première pierre est posée le 18 avril 1506. Le plan en est d'une ingénieuse simplicité : une croix grecque surmontée d'une énorme coupole et ouverte par quatre façades monumentales; les maîtres-piliers ainsi que les arcs et pendentifs soutenant la coupole à une hauteur de quelque 60 m, sont

Intérieur de la nef de Saint-Pierre. En soi, l'immensité intérieure de la basilique Saint-Pierre constitue un véritable défi, la gageure d'une esthétique fondée sur la spéculation intellectuelle et soutenue par l'autorité d'un pape, Jules II, qui a exigé, contre l'avis de ses cardinaux, la destruction de l'église de Constantin. L'église papale reste la plus haute démonstration du «grand style» de Bramante, architecte de la dévotion moderne qui, pour concevoir l'édifice religieux le plus représentatif de son siècle, le plus vaste, le plus neuf, n'a pas hésité à puiser ses modèles formels dans le répertoire de l'Antiquité romaine.

FIDES
MVNDO

déjà en place lorsque survient la mort de l'architecte, en 1514. Champion de la «résurrection de l'antique», Bramante a inventé tous ses éléments formels, n'en a copié aucun sur les monuments de la Ville éternelle, attaché à en restituer la grandeur souveraine et à offrir, par analogie, une leçon d'audace à tous ses successeurs. Après sa mort, Raphaël opte pour la forme de la croix latine, un bras plus long que les trois autres; puis Antonio da Sangallo dirige le chantier jusqu'en 1546, Michel-Ange prenant le relais et transformant le dessin de la coupole. Ligorio et Vignola lui succèdent, puis, en 1573, Giacomo della Porta et Fontana, auteur de la lanterne sommitale. Carlo Maderno intervient en 1602 pour prolonger la basilique, achevée en 1614; auteur du baldaquin à colonnes torses, enfin, Le Bernin dispose en ellipse la colonnade de la place Saint-Pierre, clôturant le chantier en 1666.

« L'Incendie du Bourg » par Raphaël (1514-1517).
Depuis la loge des Bénédictions de l'ancienne église Saint-Pierre, le pape Léon IV apaise d'un signe de croix l'incendie dévastant le quartier du Borgo, en l'an 847; en figurant Énée, son fils Ascagne à son côté, son père Anchise sur ses épaules, Raphaël associe ce haut fait chrétien à l'antique légende troyenne.

La marque de Michel-Ange et l'empreinte de Raphaël

Plus directement encore que celui de Bramante, l'apprentissage du jeune Michel-Ange a été placé sous le signe de l'art antique; recevant en 1497 la commande d'une Pietà, il relève un singulier défi : traiter le thème de prédilection du crépuscule médiéval de telle façon que le savoir-faire des sculpteurs grecs classiques y cède à l'évidence d'une pratique virtuose inédite. Face à cette merveilleuse réalisation, qui reste le plus bel ornement intérieur de la basilique Saint-Pierre, le visiteur est surtout frappé par son atemporalité, le visage des deux protagonistes restant exempt de toute trace expressive... sommeil apparent du Christ, résignation mélancolique de Marie. Taillé dans un seul bloc de marbre, le groupe s'inscrit pourtant dans le cadre dynamique du triangle pyramidal dont Vinci a mis en évidence les propriétés unitaires.

Si la surpuissance de Michel-Ange nuance aussi bien le modelé de ses sculptures que celui de ses fresques, surtout à la chapelle Sixtine, c'est à l'exaltation mystique que convient les compositions monumentales de Raphaël aux Chambres et Loges du Vatican. Cabinet de travail et bibliothèque du pape Jules II, la chambre de la Signature est ainsi ornée de fresques qui, exécutées entre 1508 et 1511, symbolisent le Bien (*Vertus cardinales et théologales*), le Beau (*Parnasse*), le Vrai surnaturel (*Dispute du Très Saint Sacrement*) et le Vrai rationnel (*École d'Athènes*). Techniquement, la fresque use, pour ces évocations idéales, des techniques les plus modernes : le point de fuite, centre de la composition, est placé entre les personnages principaux, les couleurs dominantes sont rehaussées par un savant jeu de clair-obscur. La leçon en est claire : c'est aux héritiers chrétiens de la sagesse antique qu'il revient de définir le Vrai et le Beau procédant de la révélation divine. L'homme moderne devient le vrai modèle du monde, son reflet comme son miroir, phénomène qui avait déjà joué pour la conception de la basilique Saint-Pierre, concrétisation d'un idéal conceptuel nourri des plus anciennes traditions mais ouvert aux plus hardies spéculations. Là se situe le véritable génie de la Renaissance romaine, dont le Vatican reste le haut sanctuaire.

Vue aérienne de Saint-Pierre.
Devant l'église Saint-Pierre, dont le chevet rappelle mieux que la façade le plan initial tracé par Bramante au début du XVIe siècle, s'ouvre la vaste et célèbre esplanade homonyme, aménagée à partir de 1656 et cernée par les deux bras en arc de cercle de la colonnade du Bernin. En 1585, l'obélisque du Ier siècle av. J.-C. y a été dressé par Domenico Fontana, à l'initiative de Sixte Quint. Reconnu en tant que chef temporel par les accords du Latran (1929), le pape dispose ici de tous les pouvoirs.

Le Val de Loire UN DOMAINE CASTRAL SANS RIVAL

Au cœur paisible de la France provinciale, le Val de Loire conserve, de Sully-sur-Loire à Chalonnes, un patrimoine monumental aussi précieux que varié, dominé par l'ensemble magistral des «châteaux de la Loire» qui, d'Ussé à Chambord, d'Amboise à Azay-le-Rideau, de Blois à Chenonceau, est resté sans équivalent dans le reste du monde. [FRANCE, CLASSÉ EN 2000; 1981 POUR CHAMBORD]

Au seuil de cet immense domaine, la découverte s'ouvre néanmoins sous le signe de la religion, avec les deux sites très anciens de Germigny-des-Prés, rare témoignage de l'art carolingien, et de Saint-Benoît-sur-Loire, église romane précédée d'un magnifique clocher-porche. C'est au sortir des cités d'Orléans et de Beaugency que se déploie la carte d'un patrimoine castral dont les racines sont médiévales, le Val de Loire ne valant pas que par la richesse de ses joyaux renaissants. Avec ses 17 tours d'enceinte, la forteresse d'Angers est ainsi l'une des plus impressionnantes d'Europe, le château de Chaumont présentant, pour sa part, l'archétype d'un édifice de transition : miroir des derniers reflets du Moyen Âge, il ouvre sur les visions d'une Renaissance appelée à transformer le visage de l'Europe. À Ussé, enfin, la forteresse du XIe siècle a été remplacée par le château du XVe siècle qui, à l'écart des troubles du temps, préfigure directement les fastes de l'esthétique nouvelle.

Les deux laboratoires : Amboise et Blois

Tout à la fois descendant de la forteresse médiévale et laboratoire précoce de la demeure renaissante, le château d'Amboise se situe à la frontière qui sépare le Moyen Âge de la modernité. C'est à la campagne italienne (1494-1496) de Charles VIII qu'il doit ce statut, le souverain français exigeant à son retour la refonte d'un édifice déjà riche de plusieurs parties gothiques (rampe de la tour des Minimes, chapelle Saint-Hubert, logis de la Reine). Charles VIII disparu, Gatien Fordebraz termine, à partir de 1501, les tours et la galerie à arcades bordant le jardin. L'agencement des tours d'angle, la décoration des pinacles couronnant les fenêtres hautes et la persistance des éléments fortifiés confèrent un cachet flamboyant à l'ensemble. Le logis du Roi, en revanche, présente une façade renaissante aux pilastres et aux baies précédés par un

Château de Chenonceau. Du château fort médiéval, il ne subsiste –sur la gauche– que la tour, dite de Marques en mémoire des anciens seigneurs du lieu, donjon féodal par quoi le possesseur de Chenonceau signifiait son importance. Quant au château renaissant, on en voit au centre le premier état, un élégant bâtiment régulier cantonné de tourelles aux quatre angles. Diane de Poitiers, favorite d'Henri II, ayant lancé la construction du pont qui enjambe le Cher, c'est à sa rivale Catherine de Médicis qu'il reviendra d'ordonner la construction de la galerie à double étage qui, longue de 60 m, repose sur cinq arches.

La tour-lanterne de Chambord. Joyau de Chambord, l'escalier central se termine – au niveau des terrasses, juste au-dessus des salles des gardes – par le puits de lumière de la célèbre lanterne, couronnement de huit arcades surmontées d'autant de colonnes formant un belvédère que couvre un dôme couronné par une fleur de lys. Ici, les génies respectifs du gothique (pilastres, fenêtres, coquilles, etc.) et de la Renaissance (caissons, putti, salamandres, etc.) s'allient pour créer l'une des plus saisissantes visions du XVIe siècle français.

garde-corps métallique inédit en France ; quant aux hautes lucarnes, surmontées de gables et rythmées de clochetons, elles s'alignent en retrait d'une délicate balustrade de pierre. S'il est usuel de présenter Amboise comme le seuil de la prestigieuse lignée des « châteaux de la Loire », le grand édifice incarne avant tout les rêves d'une monarchie française qui, éprise de luxe et de grandeur, vient d'en trouver le modèle en Italie.

Quelques kilomètres en amont, le château de Blois enchaîne une aile flamboyante (Louis XII) à une autre d'esprit Renaissance (François Ier), la troisième (Gaston d'Orléans) relevant du classicisme. Louis XII n'exige l'application de la leçon italienne que lorsqu'elle peut servir son dessein de grandeur ; ainsi la façade de son aile reçoit-elle un réseau de moulures horizontales et verticales en rupture avec l'inégalité gothique des baies. En 1515, François Ier ouvre, sur l'aile nord, un chantier plus conforme à ses goûts. Les travaux, confiés à Jacques Sourdeau, s'étendent sur une longue période, de 1515 à 1524. Rien de plus révélateur que la comparaison de ces deux ailes quant à l'évolution des formes architecturales ! Sur la façade externe des loges, on retrouve ainsi le principe des travées rythmiques inventé par Bramante, mais la répartition des ouvertures et des balcons répond à une préoccupation bien française, celle d'assurer aux seigneurs et à leurs dames la meilleure vision des fêtes et autres joyeux défilés. Viendra enfin, au XVIIe siècle, la réalisation de l'aile Gaston d'Orléans, complément saisissant d'un chantier en quête constante de perfection formelle.

Vers l'accomplissement, Chenonceau et Azay-le-Rideau

Du fait de sa complète reconstruction à partir de 1513, le château de Chenonceau ouvre définitivement l'ère de la Renaissance française, sa conception s'inspirant des préceptes inaugurés à Amboise et à Blois. À cette différence près qu'ici il ne s'agit plus de remanier un édifice mais de le reconstruire complètement. Qui a présidé à cette éclosion architecturale ? Un nom

Azay-le-Rideau sous la neige. Ayant pour vocation d'offrir un havre de paix à leurs occupants, les châteaux du Val de Loire n'ont conservé trace des éléments défensifs qu'en raison de leur attrait ornemental, l'une des plus captivantes particularités de ces joyaux restant l'harmonieuse intégration de leurs formes au cadre naturel. C'est dans les froidures lumineuses de l'hiver que cette fusion exerce sa plus intense séduction, lorsque la désertion des visiteurs en place l'effet sous le signe d'une ensorcelante atemporalité.

a souvent été avancé, celui de Pierre Neveu, dit Trinqueau, qui œuvrera aussi à Chambord. Le château a pris définitivement son nouveau visage dès 1522 ; mais, de sa belle demeure, le riche Thomas Bohier ne profitera guère, mourant en 1524 dans le Milanais. François Ier entre alors en scène, dénonçant opportunément les malversations de la famille Bohier qui a contracté une énorme dette envers le Trésor ; un arrangement est conclu avec Jean, fils de Thomas, et le souverain prend possession du château en 1535 – il y recevra même son grand rival, Charles Quint, en 1539.

À quelque distance, le château d'Azay-le-Rideau constitue le prototype du nouvel idéal de l'architecture française. Construit de 1518 à 1524 sur les rives de l'Indre, il s'est imposé,

Le château d'Ussé.
Sur les rives de l'Indre, à faible distance de la Loire, le château d'Ussé dresse sa silhouette d'un charme unique au sein d'un décor sylvestre lui assurant une paix presque surnaturelle. Comment s'étonner, dans ces conditions, qu'il ait inspiré à Charles Perrault le conte de la Belle au bois dormant ?

Porc-épic du château de Blois
C'est en 1393, que Louis Ier d'Orléans, grand-père du roi Louis XII, a institué l'ordre du «Porc-épic», animal qui a fait de ses piquants une arme redoutable et une infrangible protection. Emblème du souverain, ce dernier constitue un élément original du décor de Blois.

au-delà de toutes les frontières, comme le modèle d'une certaine élégance française qui se défie de la monumentalité autant que de la préciosité et spécule sur les seuls effets du génie des formes. Les deux grands logis qui le composent sont disposés en «L» et cernés par les bras de l'Indre qui alimente les douves; leurs extrémités sont soulignées par des tourelles rondes en encorbellement, fruit d'une restauration hâtive au XIXe siècle qui a conduit à la démolition de l'échauguette et de la tour médiévale, survivances de l'ancien édifice. À l'intérieur, la décoration monumentale, notamment celle des caissons sur arcs diaphragmes du grand escalier à rampes droites à l'italienne – en rupture avec la vis gothique – fut longtemps complétée par de splendides œuvres d'art, pièces de mobilier et autres tapisseries chargées d'habiller dignement les bals et banquets du temps.

Le chef-d'œuvre, Chambord

Sur le domaine de Chambord baigné par les rives du Cosson, François Ier ouvre en 1519 le chantier du «bel et somptueux édifice» qu'il a confié à l'architecte François de Pontbriant et aux maçons Sourdeau, Neveu et Coqueau, tous praticiens français qui privilégient l'héritage gothique. La tour haute polygonale qui occupe le centre du donjon est inspirée de l'escalier du château de Blois, dont elle reprend les pilastres, le schéma hélicoïdal et la distribution des balcons. Quatre pavillons quadrangulaires s'agrègent autour de cette tour, avec leurs salles des gardes et les deux escaliers ajourés de hautes baies, métaphore du pouvoir monarchique, l'axe vertical gouvernant les plans horizontaux. L'organisation de l'espace intérieur est d'une rare complexité, les quelque 440 pièces étant chauffées par 365 cheminées et desservies par 13 escaliers. L'une des originalités de Chambord tient à ses terrasses qui offrent une vue exceptionnelle sur la nature environnante et sur les parties hautes, où la fantaisie médiévale joue à plein, dans une prolifération de motifs aussi raffinés qu'inventifs. Si le donjon de Chambord symbolise de la sorte le sanctuaire de la majesté royale, fondé sur la dynamique ascensionnelle et non plus sur la seule superposition des étages, les espaces intérieurs en illustrent, pour leur part et en tous leurs éléments, la grandeur olympienne.

La favorite et la reine

La belle Diane de Poitiers, maîtresse d'Henri II, fut longtemps le cauchemar de Catherine de Médicis, épouse régulière et souveraine en titre. Lorsque le roi Henri II offre à sa favorite le château de Chenonceau, en 1547, cette dernière triomphe bruyamment et exige un luxe ostentatoire pour sa chambre, où tout doit rappeler sa bonne fortune; détail significatif, les initiales des deux amants se lisent sur le manteau de la magnifique cheminée, due à Jean Goujon. Mais la mort d'Henri II, en 1559, sonne l'heure de la revanche pour la reine humiliée; contrainte au départ vers Chaumont, Diane doit renoncer à son projet de galerie-jetée sur le Cher; il faudra attendre la fin du XVIe siècle pour que s'en ouvre le chantier, selon le projet de Catherine, dont la longue patience sera ainsi délectablement récompensée.

Versailles LE CHÂTEAU ABSOLU

Miroir de l'absolutisme royal autant qu'archétype monumental du classicisme, le château de Versailles fut pensé dès l'origine comme une énorme «machine de cour» au service d'un souverain refusant de partager la moindre parcelle de son pouvoir. Pour exercer un contrôle total sur tous les serviteurs de l'État, il ne fallait rien moins que cet immense édifice, propre à loger la cour selon une répartition strictement hiérarchique. [FRANCE, CLASSÉ EN 1979]

Du simple rendez-vous de chasse, érigé sur ordre de Louis XIII en septembre 1623 puis transformé en manoir de campagne en 1634, l'évolution jusqu'au Versailles de Louis XIV est foudroyante. Marquée par les affrontements de la Fronde (1648-1652) et par le délabrement du Louvre, l'enfance du nouveau roi parvient à son terme lors de la célèbre fête de Vaux-le-Vicomte en 1661, occasion pour lui de découvrir l'univers d'un château fastueux qu'il rêve de surpasser. Les conditions historiques de l'éclosion versaillaise étant réunies, l'arrestation de Fouquet, le 5 septembre 1661, en marque le véritable départ.

Quatre campagnes pour un chef-d'œuvre

D'emblée, Louis XIV exige de Le Vau un simple embellissement du manoir initial et de Le Nôtre une conception monumentale du parc. Avant-scène du palais, la cour de Marbre doit son nom au matériau de son dallage, le marbre qui, chargé dans l'esprit de Le Vau de rehausser la majesté du palais, est aussi sollicité pour les colonnes. Mais l'architecte doit renoncer à supprimer l'appareil de pierre et de brique, relief du château de Louis XIII que Louis XIV tient obstinément à conserver. L'attique, la balustrade, les statues des corniches et les toits, plus tardifs puisque revenant à Jules Hardouin-Mansart, restent également fidèles à l'esprit du premier bâtiment.

Le chantier du nouveau palais s'ouvre en octobre 1668, lorsque le souverain ordonne à Le Vau de vêtir la noble bâtisse d'une enveloppe de pierre, tout en réaménageant la distribution des espaces intérieurs. Une nouvelle étape, décisive, est franchie en 1677, lorsque Louis XIV décide de fixer sa résidence à Versailles. Hardouin-Mansart reçoit alors l'ordre d'ouvrir

Versailles vu du Parterre d'eau. Dans les bassins rectangulaires à angles arrondis du Parterre d'eau, la silhouette du corps central du château se reflète de façon constamment mouvante au gré des heures et des saisons. Les rebords en sont ornés de groupes sculptés, figurant les grands fleuves de France, représentés par un homme, et leur principal affluent, illustré par une femme. Ainsi trouve-t-on les couples de la Seine et de la Marne, de la Loire et du Loiret, de la Garonne et de la Dordogne, du Rhône et de la Saône. L'immense façade du palais évite tout risque de monotonie par divers effets : couronnement de la balustrade, rupture des avant-corps aux pilastres ioniques, décrochement des portiques, disposition sommitale des trophées.

une troisième campagne de construction, sous le signe de l'agrandissement gigantesque nécessité par la venue de la cour ; à l'occasion, la Grande Galerie au parement continu de glaces remplace la terrasse initiale de Le Vau, d'herculéens travaux autorisant par ailleurs l'alimentation des bassins du parc et le fonctionnement des jeux d'eau, élément magique de l'apparat décoratif royal. Désireux de montrer en tout sa puissance, Louis XIV commande à Hardouin-Mansart la construction d'une orangerie sur un parterre établi en 1684, encadré par deux grands escaliers faisant office de remparts contre le vent et orné en son milieu d'une pièce d'eau circulaire. À l'intérieur de l'Orangerie, 2 000 caisses d'orangers attestent la puissance du roi, cet arbre exotique n'ayant été introduit en France qu'au début du XVIe siècle. Ne pouvant être sortis qu'à la saison chaude, ils couvrent, en compagnie des palmiers, l'esplanade au-delà de laquelle la pièce d'eau des Suisses prolonge le regard. À la suite de la quatrième et dernière campagne de travaux, dont la pièce magistrale demeure la chapelle, le château apparaît sous son visage définitif, dans son double axe, vertical d'ouest en est et horizontal du sud au nord, le centre de sa composition avec la cour ouverte rappelant l'ordonnance initiale, héritière de la tradition du château seigneurial. Mais, de part et d'autre, les ailes attestent que, loin de se limiter à son rôle d'habitat royal, l'édifice eut pour fonction essentielle de loger la cour.

Galerie des Glaces, plafond de Le Brun. Mêlant mythologie et histoire, le plafond peint de Charles Le Brun hisse Louis XIV au rang de souverain céleste. De la conquête de la Franche-Comté à celle de la Hollande, le roi devient ainsi pur symbole de bravoure et de vertu, avec d'autant plus de force que ses traits sont fidèlement reproduits par l'artiste.

Galerie des Glaces. C'est à Jules Hardouin-Mansart qu'il est revenu de réaliser, de 1678 à 1686 et sous la direction de Charles Le Brun, la Grande Galerie, rebaptisée «Galerie des Glaces» au XIXe siècle. Les miroirs, motif en mode depuis le début du siècle dans les demeures aristocratiques, sont placés en vis-à-vis des fenêtres, de façon à refléter tout à la fois les étendues du parc à la lumière du jour, et les illuminations de ses fêtes nocturnes. Pour sa part, Charles Le Brun a utilisé toute la longueur de la voûte (75 mètres) pour offrir une vision idéale du règne de Louis XIV, lointain successeur d'Alexandre le Grand.

Au miroir de l'illusion

La rutilance décorative des intérieurs de Versailles ne le cède en rien à son faste extérieur. Associant le chatoiement des marbres aux dorures des statues ou les ciselures des bronzes au trompe-l'œil des plafonds, les praticiens de ce prodigieux décor créent un théâtre de l'illusion tout en bridant la tentation baroquisante par une singulière association du luxe froid et de la volupté sensuelle. On retrouve ici les traces sublimées de l'esthétique classique dont Le Brun s'est fait le champion. Ainsi parvient-il à conserver à toutes ses réalisations un cachet spécifiquement français, à l'image de ce qu'ont déjà réalisé Le Vau et Le Nôtre pour l'édifice et pour son parc. Non que les artistes français ignorent le génie italien, bien au contraire. Mais c'est pour servir la gloire de la nation et de son roi qu'ils développent des principes puisés à la source antique, en rupture avec l'esthétique du Bernin – dont le séjour à Paris, de juin à octobre 1665, s'est conclu par un double échec : son projet pour la façade du Louvre a été refusé, et la statue de Louis XIV (réalisée d'après l'un de ses dessins) reléguée au fond des jardins ! De cette volonté souveraine d'exalter le génie national, l'un des plus remarquables témoignages reste celui de la colonnade érigée dans le parc par Hardouin-Mansart, en 1684, et destinée aux fêtes extérieures. L'ensemble, qui se veut français jusque dans ses matériaux (un marbre blanc conjugué à la

L'animation aquatique de Versailles

Réparties au hasard de tous les recoins du parc, les surfaces d'eau constituent un charme majeur de l'ensemble palatial versaillais. À mi-chemin entre le plus célèbre d'entre eux, celui d'Apollon et le bâtiment du château, quatre bassins fastueux symbolisent les saisons en célébrant la mythologie gréco-romaine : à Saturne l'hiver, à Flore le printemps, à Cérès l'été, à Bacchus l'automne. Par ailleurs, les bassins rectangulaires à angles arrondis du parterre d'Eau (1685-1694) sont ornés de groupes sculptés figurant les grands fleuves de France, chacun représenté par un homme, et leur principal affluent, illustré par une femme, disposition rappelant celle des frontons antiques. De façon plus générale, l'importance de l'eau et de ses jeux fut toujours considérable dans cet immense théâtre du pouvoir, notamment à l'occasion des fêtes données par le souverain.

brèche violette et au bleu turquin, provenant des carrières du Languedoc), est constitué d'un anneau d'arcades formé de trente-deux colonnes, et dressé à la gloire du «plus magnifique prince de la terre». Ne reculant en l'occurrence devant aucune flatterie, l'architecte lui a donné la forme de ces solennels temples hypètres, dont les constructeurs antiques laissaient la cour ouverte sous le ciel.

Après 1700, Versailles vieillit tristement avec un souverain devenu dévot, dont l'humeur ne cesse de s'assombrir; au point que dès la mort du roi, le 1er septembre 1715, l'aristocratie quittera sans regret le grand palais pour regagner ses hôtels parisiens, plus propices à l'exercice d'une vie de plaisirs variés et d'oisiveté voluptueuse.

Cour de marbre. La cour de marbre doit son nom à son dallage; le marbre, chargé dans l'esprit de Le Vau de rehausser la majesté de ce premier édifice, est aussi sollicité pour les colonnes. Mais l'architecte dut renoncer à supprimer l'appareil de pierre et de brique, relief du château de Louis XIII que Louis XIV tint obstinément à conserver. L'attique, la balustrade, les statues des corniches et les toits sont nettement plus tardifs, revenant à Jules Hardouin-Mansart, mais ils restent fidèles à l'esprit du premier bâtiment.

Temple de l'Amour
Dressé par Richard Mique, sur une petite île des jardins de Trianon, le temple de l'Amour est composé de douze colonnes corinthiennes couvertes d'un dôme. L'édifice abrite *L'Amour taillant son arc dans la massue d'Hercule* (1750), œuvre de Bouchardon, dont l'original est conservé au Louvre.

EN BAS : ***Bassin de Bacchus***
Le bassin de Bacchus, dit aussi «bassin de l'Automne», a été réalisé entre 1672 et 1675 par Gaspard et Balthazar Marsy ; on y découvre un Bacchus gaîment oisif, entouré de quatre petits satyres, et allongé sur la belle île de l'Automne, couverte de raisins au temps de la vendange.

Sans-souci LE VISAGE ALLEMAND DES LUMIÈRES

Ce ne sont pas moins de 150 édifices, parcs et demeures palatiales, qui agrémentent le site de la ville de Potsdam, sur une surface d'environ 500 hectares, les premières constructions remontant à 1730, les dernières ayant été achevées durant la Première Guerre mondiale. De toutes ces réalisations, la plus illustre demeure la résidence Sans-Souci, édifiée en 1745-1757 par Georg Wenceslas von Knobelsdorff pour Frédéric II, dont le long règne (1740-1786) aura aussi bien favorisé l'éclosion des arts que celle de la pensée humaniste. [ALLEMAGNE, CLASSÉ EN 1990]

Ici, il est loisible à chacun de relever l'inébranlable volonté de respecter un cadre naturel propice à tous les rêves d'architectes, secret de l'unité de cet ensemble, complété par le patrimoine de Berlin-Zehlendorf qui, moins célèbre mais tout aussi beau, déploie ses châteaux et ses parcs sur les rives de la Havel et du lac de Glienicke.

Sur l'ensemble du domaine de Potsdam, dont Frédéric II, Grand Électeur, décida de faire le «Versailles prussien» du XVIIIe siècle, le legs monumental est inestimable, indépendamment même de la résidence Sans-Souci : Nouveau Palais (1763-1769), portes de Nauen et Brandebourg (1770), palais de Marbre (1787-1791), châteaux de Charlottenhof (1826-1829) et de Babelsberg (1834-1849), église de la Paix (1845-1848), belvédère du Pfingstberg (1849-1863), etc.

La résidence Sans-Souci

C'est en 1744 que Frédéric II découvre le site envoûtant du Wüster Berg, siège idéal d'un repos «sans souci» (en allemand, *ohne Sorge*) : dès le 14 avril 1745, la première pierre du château est posée, le chantier étant clos deux ans plus tard. Sans réduire le mérite personnel de Knobelsdorff, il est patent que l'influence directe de Frédéric a donné une orientation inédite au palais et lui a conféré un inimitable cachet. Au nord, l'accès est assuré par un portique en hémicycle donnant sur les étendues boisées; au sud, une brève terrasse précède l'agencement monumental du parc en six terrasses conduisant à la fontaine, joyau baroque d'une élégante discrétion. Impossible d'imaginer un cadre plus propice à l'exercice du loisir artistique et de la méditation philosophique.

La résidence Sans-Souci, corps central. Le pavillon central de la résidence Sans-Souci (l'inscription française apparaît sur le bandeau inférieur de l'entablement) se signale par la course elliptique de ses lignes, par l'ampleur de ses baies ouvrant régulièrement sur le parc et par la rigoureuse horizontalité de sa modénature, mais aussi par l'exubérance ornementale de ses pots à flamme, de ses bacchantes en couples. Classicisme et baroque s'allient ici avec une grande subtilité pour créer un style original, sous le sceau d'un génie rococo purement allemand.

SANS, SOUCI.

Les terrasses de Sans-Souci. Au sommet du parc de Sans-Souci, réaménagé au XIXe siècle par Lenné, la résidence palatiale domine de son unique étage l'immense escalier des six terrasses, cadre rêvé de toutes les activités du cœur et de l'esprit.

C'est à l'intérieur que l'influence française s'affirme avec le plus d'éclat, aussi bien dans les peintures de Nicolas Lancret (1690-1743) et de Jean-Baptiste Pater (1695-1736), que par les collections de la bibliothèque. En revanche, c'est à une vision très allemande du style rococo que convie la délicieuse salle de musique. Espace central du palais, la salle de Marbre, foyer des «soupers philosophiques» donnés par Frédéric II, est couronnée d'une ample coupole ovale, pavée de marbre de Silésie et de Carrare et ornée de figures allégoriques (Peinture, Musique, Astronomie, Architecture, etc.).

Le souverain allemand attache un prix égal à son palais et à son parc; ce qui explique le soin avec lequel en sont traités tous les éléments. Ainsi de la galerie de tableaux qui conserve quelque 124 toiles de maîtres flamands, hollandais et italiens, de la nouvelle et italianisante Orangerie, longue de 330 m, des grottes et des fabriques (fausses ruines) dispersées au hasard des bosquets et des massifs formant l'écrin de verdure de Sans-Souci. Le plus étrange élément de cet ensemble reste cependant le Salon de thé chinois, érigé par l'architecte Johann Gottfried Büring, dans le goût exotique qui faisait fureur à l'époque. Dominé par un curieux corps circulaire, il vaut surtout par les étranges colonnes en palmiers de son portique; à leur pied, nombre de statues de bronze doré figurent toute une population de nymphes décoratives.

Voltaire à Potsdam

Lorsque Voltaire arrive à Potsdam le 21 juillet 1750, à l'invitation de Frédéric II, son enthousiasme est grand. Dans ce «paradis des philosophes», tout semble dédié aux arts, à la musique, au théâtre... sous le signe de la pensée et de la langue françaises. Très vite cependant, le philosophe se heurte à certaines inimitiés, dont celle du président – français – de l'académie de Berlin, Pierre Louis Moreau de Maupertuis (1698-1759), mathématicien, physicien et biologiste. S'y ajoutent la querelle avec Baculard d'Arnaud et son «procès avec le juif Hirschel»! Bien des soucis pour notre homme qui, travaillant à son *Siècle de Louis XIV* et à son *Micromégas*, trouve pourtant là des conditions idéales; mais la rupture spectaculaire avec Frédéric II provoque son retour prématuré en France, le 26 mars 1753.

La bibliothèque de Sans-Souci. Conservés dans l'admirable bibliothèque du palais, dont les lambris font largement appel au bois de cèdre et aux bronzes dorés, ce ne sont pas moins de 2 200 ouvrages qui tapissent les rayons de ce sanctuaire francophile de la pensée des Lumières.

Du Nouveau Palais au château de Cecilienhof

Au sortir de la catastrophique guerre de Sept ans (1756-1763), Frédéric II ordonne aux architectes Johann Gottfried Büring et Carl von Gontard la construction d'un nouvel édifice, qui sera le plus imposant du domaine de Sans-Souci. Sous le nom de Nouveau Palais, ce chef-d'œuvre du baroque allemand sera le fruit d'une construction de six ans ; superposant ses trois niveaux sur une longueur de 220 m, il souffre, relativement à la première résidence, d'un faste ostentatoire dont rend fidèlement compte la fière devise que ses concepteurs ont gravée dans la pierre : « Non soli cedit » (Il ne cède pas au soleil). Ses 200 pièces, richement ornées de marbre et de pierres précieuses laissent assez voir à quel point Frédéric oublie ici ses idéaux humanistes au profit d'une ivresse absolutiste autorisant tous ses caprices.

Après lui, le domaine s'enrichit de constructions nouvelles, aimables, ingénieuses. Ainsi voit-on, au XIXe siècle, Frédéric-Guillaume V solliciter les architectes Schinckel, Persius et Lenné pour redonner un cachet antique à ses châteaux, en multipliant décors « pompéiens » et fausses ruines. Par ailleurs, diverses églises (de la Paix, du Rédempteur) s'agrègent à ce complexe desservi par la Kaiserbahnhof (gare de l'Empereur), érigée de 1905 à 1908. C'est avec le palais de Cecilienhof, proche du cottage anglais et terminé en 1916, que se clôt le cycle de cette longue campagne de construction palatiale.

Paris MÉTROPOLE EN MIROIR DU MONDE

La gloire de Paris tient autant à la richesse de son patrimoine monumental qu'à son rayonnement dans les domaines de l'art, de la mode, des sciences, de la pensée, etc. «Fille du roi et de la Seine», la capitale française est traversée par l'artère vitale du fleuve qui, roulant à moins de 30 m au-dessus du niveau de la mer, la traverse au gré d'une paisible flânerie de quelque 13 km. [FRANCE, CLASSÉ EN 1992]

Nul itinéraire, ainsi, n'est plus révélateur des beautés profondes de Paris que sa traversée fluviale, de préférence d'aval en amont, singulière promenade qui, ouverte par le passage sous le pont faisant frontière entre Paris et Boulogne-Billancourt, s'engage au milieu d'usines à béton et de dépôts à matériaux, dans l'atmosphère d'un Paris discret aux allures encore provinciales. Très vite se profile la silhouette du pont Mirabeau immortalisé par Apollinaire : «Sous le pont Mirabeau coule la Seine/Et nos amours/Faut-il qu'il m'en souvienne/La joie venait toujours après la peine/[...]» Étrange contraste alors que celui des deux rives, entre la calme et bourgeoise élégance des collines d'Auteuil d'un côté, le modernisme joyeusement conquérant du Front de Seine de l'autre. La statue de la Liberté, ensuite; non point celle de New York, mais sa réplique, offerte à Paris par sa communauté américaine, à l'extrémité de la troisième île, oubliée, de la capitale, la délicieuse allée des Cygnes, créée en 1827, sur 850 m de longueur pour 11 m de largeur... un peu plus loin encore, la rotonde de la Maison de la Radio qui consacra en son temps le nouveau pouvoir de l'information.

De la tour Eiffel à Notre-Dame

Le temps de saluer le pont Bir-Hakeim, d'admirer les immeubles haussmanniens de la colline de Chaillot, de rencontrer les premiers bateaux-mouches et voici que se dresse, lancée à l'assaut des nuées, l'immensité de la tour Eiffel, construite pour l'Exposition universelle de 1889, du 16 janvier 1887 au 31 mars 1889. Le prodige magistral de l'édifice, sensible au premier regard, n'est autre que sa légèreté; n'ayant jamais dépassé

Vue générale.
La richesse de Paris en monuments célèbres est telle qu'il faut renoncer à simplement en donner une idée en quelques pages. Mais diverses réalisations ont dépassé leur destin local pour toucher à l'universel, à l'image de Notre-Dame de Paris, dont Victor Hugo a fait la plus célèbre église du monde, de la Tour Eiffel, monument le plus universellement connu, de l'arc de triomphe de l'Étoile, du Sacré-Cœur ou de l'Opéra, autres symboles du rayonnement international de la capitale française. Quelques vestiges de pirogues retrouvés naguère à Bercy attestent l'occupation des lieux dès le néolithique. Les îles, nombreuses autrefois, ont facilité l'échange entre les deux rives autant que l'installation de postes fortifiés; ce sont les nombreuses terrasses – proches du fleuve, surtout sur la rive droite, notamment du pont Notre-Dame au Pont-Neuf – qui ont principalement permis l'extension de la ville tout au long de la période médiévale.

le poids de 10 000 tonnes, il exerce une pression de 4 kg/cm², à peine celle d'un adulte assis sur un siège ! Cette légèreté presque surnaturelle est encore soulignée par l'usage de la structure métallique qui n'offre aucune vraie prise à l'air et laisse filer le regard vers les nuées. L'œil saisit presque dans le même temps le Champ-de-Mars, la colline du Trocadéro, puis la silhouette du Zouave du pont de l'Alma, seul survivant des quatre soldats originels et sentinelle de toutes les inondations. À la hauteur du pont Alexandre-III, le Grand Palais et les Invalides rivalisent de majesté au-delà des rives. On entre alors dans le Paris monumental, celui de la place de la Concorde et du parc des Tuileries, du Louvre et de l'Institut… voici d'ailleurs que se profile, dominée par le Pont-Neuf (le plus vieux de Paris !) la pointe occidentale de l'île de la Cité, premier vivier de l'antique cité et lieu sacré dominé par l'altière silhouette de Notre-Dame.

Du Châtelet à l'extrémité orientale

Il est alors loisible de choisir la branche septentrionale du fleuve pour saluer le décor non exempt de grandiloquence du Châtelet qui, masquant le quartier des Halles, laisse entrevoir

La Conciergerie.
Palais des Capétiens dès le Xe siècle, cette austère forteresse prend au XIIe siècle le nom de «Conciergerie», son gouverneur (le Concierge) assurant les fonctions de police et de justice à Paris. Déserté à la fin du XIVe siècle, l'édifice est transformé en prison par des monarques qui en seront, par un singulier retournement de l'histoire, les derniers occupants !

Vision nocturne de l'Institut.
Sur la rive gauche de la Seine, ici franchie par la passerelle des Arts, l'actuel palais qui abrite l'Institut de France, n'est autre que le magistral édifice dit «Collège des Quatre Nations» voulu par Mazarin et construit par Louis Le Vau, dans le dessein de servir équitablement la grandeur nationale et le progrès des connaissances.

la tour Saint-Jacques. À quelques pas de là, l'Hôtel de Ville, incendié par la Commune en 1871, reconstruit par Théodore Ballu et Édouard Deperthes en 1873, ouvre sur la place par un avant-corps central et deux pavillons flanqués d'une tour carrée. Au-delà, la silhouette bariolée du Centre national d'art et de culture Georges-Pompidou, due à Renzo Piano et Richard Rogers (1977), continue de donner corps à l'utopie de la « culture pour tous ». Haut de 42 m, long de 166 m et large de 60 m, le bâtiment, caractérisé par son grand escalier mécanique qui serpente de palier en palier, se résume pour l'essentiel à une mégastructure métallique, constituée de quatorze portiques sur lesquels prennent appui les longues poutres d'acier qui soutiennent les plateaux horizontaux des niveaux intermédiaires. Pour qui a choisi la voie méridionale du fleuve, ce sont les toits et les façades du Quartier latin qui font miroir aux calmes rives de l'île Saint-Louis, site idéal d'une déambulation toute de mélancolique rêverie. À droite, les hauteurs modestes de la montagne Sainte-Geneviève, à gauche les beaux édifices du Marais, dont l'hôtel de Sens, seul grand bâtiment civil gothique de la capitale remontant au XVe siècle, avec l'hôtel de Cluny. Inéluctablement, le voyage touche à sa fin, en dépit d'ultimes et harmonieuses ouvertures, vers la Bastille notamment, ou sur le Jardin des Plantes précédé par l'exotique et moderne silhouette de l'Institut du monde arabe. Puis viennent le campanile baroque de la Gare de Lyon, les quatre hautes tours de la Bibliothèque nationale de France, l'aménagement colossal et moderne de Bercy, enfin. Et c'est très naturellement que réapparaissent, pour clore à l'est ce trajet au cœur vivant de Paris, les entrepôts et usines qui avaient initié le parcours à l'ouest.

La tour Eiffel (vue du pont de Bir Hakeim). Reine insolite du patrimoine touristique de Paris, la tour Eiffel semble vouloir défier les sévères préceptes du baron Haussmann qui prônaient la mise en perspective horizontale des vastes places et grandes avenues balisant le nouveau cadre citadin. Son premier étage se situe à 57 m (une hauteur supérieure à celle du pont du Gard !), le second à 115 m. Au sommet de la flèche terminale – aujourd'hui hissée à 320,75 m par l'adjonction de la tour de télévision –, Gustave Eiffel fit aménager un appartement où il aimait à recevoir quelques invités de marque, au prix d'une escalade de 1 802 marches ouvrant sur d'inédits et vertigineux horizons.

Le Grand Palais (vu du pont Alexandre-III). Symbole de l'amitié franco-russe, le pont Alexandre-III, construit de 1897 à 1900 par Jean Résal, conduit au Grand Palais, hangar de métal et de verre enfermé par Charles Girault dans un corset de pierre sur 4,5 hectares et qui, depuis l'Exposition internationale de 1937, abrite aussi le palais de la Découverte.

Quais de la Seine et Pont-Neuf. Lancé sur la Seine, en 1578 par Androuet Du Cerceau, le Pont-Neuf a été inauguré par Henri IV en 1607. Premier pont de pierre sans maison, pourvu de trottoirs protégeant les piétons de la boue et des chevaux, il est enrichi de terrasses semi-circulaires, permettant aux badauds de contempler le paysage. Nous sommes là au cœur paisible de la grande cité irriguée par le fleuve, dont elle demeure la fille prestigieuse.

Le Havre DE LA CITÉ MARTYRE À LA VILLE RÉINVENTÉE

Au lendemain de la Seconde Guerre mondiale, plus de 500 000 bâtiments ont été détruits en France par les bombardements anglo-américains de 1944-1945. Face à ce désastre, parfois total comme à Brest ou au Havre, l'État sollicite ses architectes, au premier rang desquels Auguste Perret. Soucieux d'éviter les erreurs de la reconstruction de 1919, encouragé par Raoul Dautry, ministre de la Reconstruction et de l'Urbanisme, Perret se lance donc dans l'étonnante aventure de faire renaître Le Havre, à la tête d'une équipe travaillant selon ses directives et en harmonie avec sa conception générale. [FRANCE, CLASSÉ EN 2005]

Âgé de 71 ans lorsque débutent les travaux, le grand architecte disparaîtra en 1954 sans en avoir vu l'achèvement. Au Havre, sa principale préoccupation aura été de concilier l'avenir d'une population meurtrie avec un long passé anéanti par les années de guerre. Ouvrant de larges perspectives sur la mer, amplifiant les principales avenues, éclairant au maximum toutes les unités d'habitation, concevant de vastes édifices publics, il réaffirme ainsi, au soir de sa vie, sa foi en un classicisme fondé sur l'harmonie des proportions et l'élégance des formes.

L'appel à la technologie contemporaine

Florissante au XIXe siècle, prospère au XXe, la ville a donc disparu sous les bombes de la Seconde Guerre mondiale, les Anglais ne se faisant pas faute d'anéantir la base marine des Allemands, tout en écartant un futur rival pour leurs propres ports marchands une fois la paix revenue.

Le visiteur contemporain déambule de la sorte dans un des complexes urbains les plus jeunes et les plus audacieux d'Europe. Ce qui fait la spécificité de cette ville magnifiquement moderne, c'est avant tout une heureuse conjonction : celle des conceptions les plus neuves en matière d'urbanisme contemporain et du respect à l'endroit des dispositions citadines antérieures. Reconstruisant une cité anéantie, Perret doit la réinventer sans la trahir, tâche dont il s'acquitte avec une exceptionnelle habileté.

Pour mener à bien un tel projet, il se tourne vers ce que la technologie contemporaine peut offrir de plus performant : le béton armé et précontraint,

Le Havre, front de mer. Dominée par la haute tour de l'église Saint-Joseph, la ville déploie ses nombreux édifices réalisés d'après le module de Perret. La réussite esthétique est indéniable, mais la vocation utilitaire n'a pas été oubliée, les immeubles abritant d'innombrables appartements, réservés dans un premier temps aux foyers les plus modestes. Les espaces d'habitation y sont conçus de façon à offrir à leurs occupants une visibilité maximale et un éclairage optimal.

La Porte Océane.
À l'extrémité de l'avenue Foch, ce massif monumental assure la transition de la ville à la mer. Ses deux hautes tours et ses immeubles sont dressés face à la houle du grand large, son immense ouverture donnant sur la plage et sur le port de plaisance. Plutôt que pour un passage couvert, les concepteurs de l'ensemble ont opté pour la coupure nette du bâtiment horizontal en son milieu, ouvrant ainsi, pour les promeneurs venus du cœur de la ville, une perspective infinie sur les horizons maritimes.

À DR : ***L'église Saint-Joseph.*** Souhaitant que ce nouvel édifice cultuel soit dédié aux victimes des guerres, Auguste Perret en a dessiné les plans mais la mort l'a empêché de conduire le chantier à terme. C'est donc à l'architecte Georges Brochard que l'on doit cette tour-lanterne haute de 107 m. Réalisés par Marguerite Huré, les vitraux déclinent de nombreuses nuances lumineuses à forte connotation symbolique.

la préfabrication, la systématisation d'un module unique mais variable. Sa tâche est cependant facilitée, dès le départ, par une circonstance historique particulière ; de toutes les grandes villes de France, Le Havre est la plus récente, n'ayant vu le jour qu'au début du XVIe siècle avant de s'agrandir aux dimensions d'un vrai port, sur ordre de François Ier, à partir de 1541. Ainsi, dès le départ, la cité normande avait-elle été conçue sur le plan en damier cher à la Renaissance, ordonnance ne pouvant que favoriser le dessein rationnel de Perret.

Une ville à la mesure de l'homme

Sur l'ancien terrain marécageux, drainé au XVIe siècle, le grand architecte songe d'abord à un colossal socle de béton qui assurerait l'inébranlabilité des immeubles. Projet grandiose, mais irréalisable, faute de crédits au lendemain de la guerre. Il se rabat donc sur une option moins avant-gardiste, fondant son projet sur une gigantesque trame régulière formée par des carrés de 6,24 m de côté. L'harmonie naîtra ainsi des proportions bien plus que des formes, un idéal qui, dérivé de la théorie musicale du temps, était aussi celui des architectes du *Quattrocento*, et plus particulièrement de Leon Battista Alberti. Une fois ce principe posé, Auguste Perret délègue l'essentiel des plans et dessins à ses collaborateurs, se réservant les plus importants édifices publics. L'hôtel de ville est un parfait exemple de la règle imposée par l'architecte. Au fond d'une esplanade animée par des jeux d'eau, sa façade monumentale se déploie sous la tour centrale qui, haute de 70 m,

De tous les maîtres du béton armé, Auguste Perret (1874-1954) demeure peut-être celui qui a su le mieux concilier précocité, invention et rationalisme. Fils d'un tailleur de pierre communard exilé à Bruxelles, associé à ses deux frères, auteur dès 1903 d'un immeuble de rapport à Paris, il dédie toute sa carrière au renouvellement de la construction par l'alliance logique de la structure portante et des zones de remplissage. Un grand nombre d'édifices témoigne de sa capacité à mettre le béton au service de l'invention : Théâtre des Champs-Élysées (1910-1913), Notre-Dame du Raincy (1922-1923), Mobilier national (1934-1936), Musée des Travaux publics (1936) Considéré comme le père du classicisme structurel, il a réalisé plusieurs chefs-d'œuvre fonctionnels et artistiques, contribuant définitivement, avec son ultime et gigantesque chantier havrais, à donner au béton armé ses lettres de noblesse.

EN HAUT À DR : ***Le Volcan, Maison de la Culture.***
Sur l'emplacement du grand théâtre détruit par les bombardements anglais de 1944, Oscar Niemeyer a conçu un complexe comprenant deux salles de spectacles et une salle de cinéma. Évocatrices de la forme volcanique, les courbes de l'édifice tranchent avec la rectitude des lignes architectoniques dues à Perret. Tel est le défi de l'adéquation des formes et des structures de l'urbanisme aux aspirations des habitants de la cité que relève brillamment un praticien de génie.

ne superpose pas moins de dix-huit étages. De cette place part, droit vers la mer, l'ample avenue Foch qui longe le square Saint-Roch, aménagé sur l'emplacement d'un ancien cimetière, avant de croiser en biais l'autre grand axe rectiligne de la ville, le boulevard François Ier. Quelques pas encore et c'est la Porte Océane – peut-être la plus haute réussite de tout le complexe urbain – qui ouvre sur le littoral. Partout où porte le regard, sur la verticalité des façades comme sur la profondeur des voies et des places, règne le sentiment d'une harmonie profonde, secrète, d'un classicisme revu au filtre de la modernité.

À la suite du premier colloque international des villes reconstruites, tenu à Brest en 1983, il a enfin été reconnu que, loin d'avoir spéculé sur la « table rase », Perret a fondé tout son projet sur une mémoire parfois transfigurée mais jamais trahie. En 2005, fruit des efforts de nombreux acteurs, l'inscription de la ville sur la liste du Patrimoine mondial de l'Unesco a offert à cette réalisation une reconnaissance mondiale. Distinction que la cité normande partage, en tant que création postérieure à la Seconde Guerre mondiale, avec la seule Brasília.

CONCLUSION

L'aventure du Patrimoine mondial de l'humanité est en plein essor. Indépendamment du classement opéré par l'Unesco – et chaque année enrichi de nouveaux sites –, c'est une véritable fièvre de préservation, de protection, de réhabilitation et d'entretien qui s'est emparée de presque tous les États. Sans doute n'en sommes-nous qu'à l'aube de ce gigantesque mouvement dont l'effet le plus spectaculaire sera peut-être la formation, à l'échelle planétaire, d'une mémoire collective et fraternelle.

Toutefois, à l'instant de laisser le lecteur poursuivre – par toutes les voies qu'il lui plaira de reconnaître – sa propre exploration des hauts lieux monumentaux ou naturels du monde, quelques ultimes données documentaires, puisées au hasard de divers chantiers significatifs, peuvent jeter de nouvelles lueurs sur l'évolution de la politique patrimoniale de notre siècle.

Faisceau des compétences et solidarité financière

Le temps est révolu, par exemple, de l'appel systématique à des équipes d'archéologues et d'architectes en provenance exclusive des nations dotées d'une riche économie et d'une savante technologie. Désormais, les notions d'échanges mutuels et de compétences complémentaires priment. D'où la formation de plus en plus fréquente d'équipes internationales intervenant aux quatre coins du monde. À Angkor, pour nous en tenir à cet exemple, il est revenu à un groupe de travail chinois, mandaté par son gouvernement, de mener à bien la restauration du temple Chau Say Tevoda, l'un des plus endommagés du lieu. Officiellement placé sous la direction de l'archéologue Sheng Yang en 1999, le chantier s'est rapidement transformé en mise à l'épreuve, à l'échelon mondial, des techniques de restauration avec matériaux d'origine, sous les yeux et avec la collaboration d'experts venus de divers pays : Allemagne, France, Inde, Japon, Italie... Rien de plus réconfortant, de plus fécond, que ce type de collaboration soudant des liens neufs et forts entre communautés lointaines. Internationalisme et coopération, mais aussi interdisciplinarité et réciprocité ont ainsi été à l'ordre du jour dans le cadre d'un sauvetage également enrichissant pour tous ses protagonistes. Non seulement l'équipe chinoise a reçu l'approbation entière de l'Unesco, mais encore les autorités cambodgiennes l'ont-elles honorée de ses plus hautes distinctions, fait sans précédent dans les annales du royaume.

En une autre contrée du monde, la Grèce antique, dont le prestige archéologique reste sans égal, c'est à l'exercice des mêmes valeurs et des mêmes principes qu'est dû le succès d'un plan de restauration aussi ambitieux que coûteux. À Némée comme à Épidaure, au cœur du Péloponnèse comme dans les Cyclades, le temps de l'anastylose (reconstruction à l'identique) a succédé à celui des simples fouilles, selon des méthodes qui ont fait leurs preuves sur l'Acropole d'Athènes, dont la réfection totale a, depuis longtemps, été programmée pour juin 2008. Or, là encore, le travail scientifique effectué sur le Parthénon, l'Erechthéion, les Propylées et le temple d'Athéna Nikê est le fait d'équipes internationales où l'on trouve aussi bien la Corée du sud que l'Italie, le Mexique que la Chine. Même norme de solidarité au chapitre des finances ;

les sommes colossales dépensées de 1999 à 2006 (environ 40 millions d'euros) ont été couvertes à 86 % par les fonds communautaires, dans le même temps que le Trésor grec consentait un effort considérable en versant 2 millions d'euros.

Vigilance et concertation

La tâche la plus délicate de l'Unesco reste peut-être la détermination des dangers menaçant les sites les plus fragiles, surtout après une première campagne de restauration ayant permis une réhabilitation provisoire. Ce qui explique la constitution d'une liste particulière, celle des sites «en péril». Récemment, par exemple, diverses menaces portant sur l'agglomération malienne de Tombouctou ont sollicité l'attention des responsables du Patrimoine mondial. Inscrite en 1988, la cité africaine a bénéficié de versements réguliers (105 500 $ de 1989 à 1996, plus 85 000 $ en fonds extrabudgétaires) de la part de l'Unesco, qui n'a pas mandaté moins de quatre missions (2002, 2004, 2005, 2006) pour s'assurer du correct usage de ces fonds. Apparemment, cette initiative a été couronnée de succès, le site ayant été jugé hors de péril en 2005; mais demeurent les risques de défaut de gestion, d'urbanisme anarchique et d'inondation, voire de pollution par les déchets locaux. Une extrême vigilance reste donc de rigueur, à Tombouctou comme sur d'innombrables autres sites, particulièrement lorsque ces derniers appartiennent à des États frappés par la malédiction de la pauvreté matérielle. Dans tous les cas, les autorités, politiques et religieuses, sont systématiquement consultées, aucun résultat sérieux n'étant envisageable sans leur collaboration. À Tombouctou, l'assistante technique fournie par l'Italie n'a ainsi montré son efficacité qu'au sein d'une action concertée avec les responsables communaux, administratifs et religieux, tous agissant uniment sous l'autorité du gouvernement malien. Plus récemment encore (en avril 2007), c'est du côté de l'Amérique andine que l'Unesco a tourné son regard, confiant à une mission le soin d'évaluer l'état de conservation de Machu Picchu, sanctuaire historique et archéologique inscrit sur la liste du Patrimoine mondial dès 1983. Là également, rien de strictement directif; les membres de la mission – au sein de laquelle étaient représentés l'Union mondiale pour la nature et le Conseil international des monuments et des sites – ont rencontré les représentants des communautés locales et divers officiels gouvernementaux. Pour l'essentiel, il s'est agi d'évaluer l'extension de la ville d'Aguas Calientes au pied du site, les inconvénients d'un afflux touristique toujours croissant et l'applicabilité d'un plan anti-catastrophe naturelle, à la suite de coulées de boue et autres incendies dévastateurs.

Pour une autre mondialisation

Lors même que guerres économiques, conflits militaires, affrontements ethniques, combats religieux et autres désastreuses occurrences de la belligérance internationale semblent aiguiser la tribalisation rampante des esprits, n'est-il pas réconfortant que la «mondialisation» puisse offrir, avec le patrimoine universel, un autre visage, moins terrifiant, moins consternant? Car rien ne témoigne avec plus d'évidence et d'opportunité des deux caractères premiers de l'aventure humaine – irréductibilité des particularismes locaux et communauté des destinées terrestres – que ce patrimoine forgé, dès sa lointaine origine, par le peuple des hommes.

ORIENTATION BIBLIOGRAPHIQUE

Adam Jean-Pierre, Ziegler Christiane, *les Pyramides d'Égypte*, Paris, Hachette, 1999.

Ayvazian Simon et alii, *Maisons d'Ispahan*, Paris, Maisonneuve & Larose, 2002.

Bachelot Luc, Joannès Francis, Michel Cécile, *Dictionnaire de la civilisation mésopotamienne*, Paris, Robert Laffont, 2001.

Beach Milo C., Behl Benoy K., Ajanta Caves : *Ancient Paintings of Buddhist India*, Londres, Thames & Hudson, 2005.

Beaumont Hervé, *Guatemala : Copan (Honduras) et Belize*, Paris, Marcus, 2007.

Bertrand Claudine, Chopard Roland, Claudel Philippe, *La Habana*, Paris, Errance, 2000.

Bettaïeb Mohamed-Salah, *Ghadamès : la porte du désert*, Paris, Paris-Méditerranée, 1997.

Bingham Hiram, *la Fabuleuse Découverte de la cité perdue des Incas*, Paris, Pygmalion, 1997.

Bonnenfant Paul, *Sanaa : Architecture domestique et société*, Paris, CNRS, 1995.

Boyer Alain Michel, «*Architecture et statuaire du Zimbabwe*», dans Arts & culture, 2001, n° 2, p. 93-103.

Brian Pierre, *l'Archéologie de l'Empire achéménide : nouvelles recherches*, Paris, De Boccard, 2005.

Brulé Pierre, Périclès : *l'apogée d'Athènes*, Paris, Gallimard, 1991.

Calvesi Maurizio, *les Trésors du Vatican*, Genève, Skira, 1996.

Chaillou Aurore, *Shintoïsme & bouddhisme au fil des temples japonais*, Paris, l'Harmattan, 2003.

Chippindale Christopher, *Stonehenge Complete*, Londres, Thames & Hudson, 2005.

Clavijo Ruy González de, Kehren Lucien, Mollat du Jourdin Michel, *la Route de Samarkand au temps de Tamerlan*, Arles, Actes Sud, 2006.

«*Comment construisaient les Égyptiens*», Dossiers d'archéologie, n° 265, juillet-août 2001.

Degeorge Gérard, *Palmyre*, Imprimerie nationale, Paris, 2001.

Delluc Brigitte et Gilles, Delvert Ray, *Lascaux*, Bordeaux, Éditions Sud-Ouest, 2006.

Demarest Arthur A., *les Mayas : Grandeur et chute d'une civilisation*, trad. Simon Duran et Denis Armand Canala, Paris, Tallandier, 2007.

Dodeman Jean-Louis, Thibault Joël, Saint-Chamas Elsie de *Bandiagara*, Paris, Épigones, 2003.

Dumarcay Jacques, *Histoire Architecturale du Borobudur*, Paris, EFEO, 2005.

Étienne-Steiner Claire, Saunier Frédéric, *Le Havre : un port, des villes neuves*, Paris, Centre des monuments nationaux, 2005.

Fromonot Françoise, *Jorn Utzon et l'Opéra de Sydney*, Paris, Gallimard, 1998.

Giteau Madeleine, *Histoire d'Angkor*, Paris, Kailash, 1999.

Golvin Jean-Claude, Laronde André, *l'Afrique antique : histoire et monuments (Libye, Tunisie, Algérie, Maroc)*, Paris, Tallandier, 2001.

Golvin Jean-Claude, Traunecker Claude, *Karnak, résurrection d'un site*, Fribourg, Office du livre, 1984.

Grant Noble David (sous la dir. de), *The Mesa Verde World : Explorations in Ancestral Pueblo Archaeology*, Santa Fe, New Mexico, School of Amer. Research Pr., 2006.

Jan Michel, *la Grande Muraille de Chine*, Paris, Payot, 2003.

Kokelberg Jean, *Toscane : Florence, Pise, Sienne*, Tournai, La Renaissance du livre, 2003.

Kurmann Brigitte et Peter, *Chartres, la cathédrale*, La Pierre-Qui-Vire, Zodiaque, 2001.

Lassus Jean, *Forteresse byzantine de Thamugadi : fouilles à Timgad*, 1938-1956, Paris, CNRS, 1998.

Lauffray Jean, *Karnak d'Égypte, domaine du divin*, Paris, CNRS, 1979.

Leloup Daniel, *le Village du Mont-Saint-Michel : histoire d'un patrimoine mondial*, Rennes, Douarnenez, Éditions du Chasse-Marée, 2004.

Lessard Michel, *Québec, ville du patrimoine mondial*, Québec, Éditions de l'Homme, 1999.

Matos Moctezuma Eduardo, *Teotihuacán*, Paris, CNRS, 1993.

Monnier Gérard et alii, *Brasilia : l'épanouissement d'une capitale*, Paris, Picard, 2006.

Morel Olga et alii, *Moscou, mémoire d'une ville*, Paris, Imprimerie nationale, 2002.

Musée du Petit Palais, *la Cité interdite*, Paris-Musées, 1998.

Nappo Salvatore, Kastner Marie-Odile, *Pompéi : Guide de la cité antique*, Paris, Gründ, 2005.

Nash Eric P., Willis Carol, McGrath Norman, *Manhattan Skyscrapers*, Princeton Architectural Press, 2006.

Nehmé Laïla, Villeveuve François, *Pétra, métropole de l'Arabie antique*, Paris, Seuil, 1999.

Ojalvo Catherine et alii, *Pérou : de l'art de Chavin aux Incas*, Paris, Paris-Musées, 2006.

Orliac Michel et Catherine, *l'Île de Pâques – Des dieux regardent les étoiles*, Paris, Gallimard, 2004.

Padenou Guy-H., Barrué-Pastor Monique, *Architecture, société et paysage bétammaribé au Togo : contribution à l'anthropologie de l'habitat*, Toulouse, Presses universitaires du Mirail, 2006.

Paolucci Antonio et alii, *Florence : art et civilisation*, Paris, Mengès, 2005.

Pérouse de Montclos Jean-Marie, Césarin Cécile, *Guide du patrimoine : Paris*, Paris, Hachette, 1994.

Pérouse de Montclos Jean-Marie, *les Châteaux du Val de Loire*, Paris, Place des Victoires, 2000.

Pétri Christiane, *Potsdam und Umgebung*, Berlin, Dumont Reise Verlag, 2005.

Raymond André, *Le Caire*, Paris, Fayard, 1993.

Recht Roland, Le Goff Jacques, *les Bâtisseurs des cathédrales gothiques*, Musées de Strasbourg, 1989.

Saili Ganesh, *Taj Mahal*, trad. Virginie Troit et David Amehame, Paris, Éditions de Lodi, 2004.

Sanday John, *les Monuments de la vallée de Katmandou*, Paris, Unesco, 1980.

Sapin Christian et alii, *Bourgogne romane*, Dijon, Faton, 2006.

Solnon Jean-François, *Histoire de Versailles*, Paris, Perrin, 2003.

Stierlin Anne et Henri, *Alhambra*, Paris, Imprimerie nationale, 2001.

Stierlin Henri, *l'Art et l'islam en Orient. D'Ispahan au Taj Mahal*, Paris, Gründ, 2002.

Stierlin Henri, *l'Inde hindoue : temples et sanctuaires de Khajuraho à Madurai*, Berlin, Taschen, 2002.

Thompson Éric, *Grandeur et décadence de la civilisation maya*, trad. René Jouan, Paris, Payot, 2003.

Unesco, *Cuzco : la capitale Inca (DVD)*, Paris, Unesco, 2005.

Unesco, *l'Héritage de l'humanité : splendeurs du patrimoine mondial*, Paris, Economica, 2004.

Unesco, *Patrimoine mondial : défis pour le millénaire*, Paris, Centre du Patrimoine mondial de l'Unesco, janvier 2007.

Valode Philippe, *la Rome antique*, Paris, De Vecchi, 2007.

Varia Matteo, *Venise : cité d'Art*, Paris, Gründ, 2007.

Viollet-le-Duc Eugène, *la Cité de Carcassonne*, Malakoff, Éditions SRES Vérités anciennes, 1982 (1re éd. 1953).

Voisin Jean-Claude, *le Temps des forteresses en Syrie du nord : VIe-XVe siècles*, Beyrouth, Terre du Liban, 2000

Yerasimos Stéphane, *Constantinople : de Byzance à Istanbul*, Paris, Place des Victoires, 2005.

LISTE DU PATRIMOINE MONDIAL

La Liste du patrimoine mondial de l'Unesco comporte 936 biens (725 biens culturels, 183 naturels et 28 mixtes situés dans 153 Etats parties) constituant le patrimoine culturel et naturel que le Comité du patrimoine mondial considère comme ayant une valeur universelle exceptionnelle.

Afghanistan
- Minaret et vestiges archéologiques de Djam (2002)
- Paysage culturel et vestiges archéologiques de la vallée de Bamiyan (2003)

Afrique du Sud
- Parc de la zone humide d'Isimagaliso (1999)
- Robben Island (1999)
- Sites des hominidés fossiles de Sterkfontein, Swartkrans, Kromdraai et les environs (1999, 2005)
- Khahlamba / Parc du Drakensberg (2000)
- Paysage culturel de Mapungubwe (2003)
- Aires protégées de la Région florale du Cap (2004)
- Dôme de Vredefort (2005)
- Paysage culturel et botanique de Richtersveld (2005)

Albanie
- Butrint (1992, 1999)
- Ville-musée de Berat et de Gjirokastra (2005)

Algérie
- La Kalâa des Béni Hammad (1980)
- Djémila (1982)
- Tassili n'Ajjer (1982) #
- Timgad (1982)
- Tipasa (1982)
- Vallée du M'Zab (1982)
- Casbah d'Alger (1992)

Allemagne
- Cathédrale d'Aix-la-Chapelle (1978)
- Cathédrale de Spire (1981)
- Résidence de Wurtzbourg avec les jardins de la Cour et la place de la Résidence (1981)
- Église de pèlerinage de Wies (1983)
- Châteaux d'Augustusburg et de Falkenlust à Brühl (1984)
- Cathédrale Sainte-Marie et église Saint-Michel d'Hildesheim (1985)
- Trèves – monuments romains, cathédrale Saint-Pierre et église Notre-Dame (1986)
- Frontières de l'Empire romain (1987, 2005) * [1]
- Ville hanséatique de Lübeck (1987)
- Châteaux et parcs de Potsdam et Berlin (1990, 1992, 1999)
- Abbaye et Altenmünster de Lorsch (1991)
- Mines de Rammelsberg et la ville historique de Goslar (1992)
- Monastère de Maulbronn (1993)
- Ville de Bamberg (1993)
- Collégiale, château et vieille ville de Quedlinburg (1994)
- Usine sidérugique de Völklingen (1994)
- Site fossilifère de Messel (1995)
- Cathédrale de Cologne (1996)
- Le Bauhaus et ses sites à Weimar et Dessau (1996)
- Monuments commémoratifs de Luther à Eisleben et Wittenberg (1996)
- Weimar classique (1998)
- La Wartburg (1999)
- Museumsinsel (Île des musées), Berlin (1999)
- Île monastique de Reichenau (2000)
- Le royaume des jardins de Dessau-Wörlitz (2000)
- Complexe industriel de la mine de charbon de Zollverein à Essen (2001)
- Centres historiques de Stralsund et Wismar (2002)
- Vallée du Haut-Rhin moyen (2002)
- Hôtel de ville et la statue de Roland sur la place du marché de Brême (2004)
- Parc de Muskau / Parc Muzakowski (2004) *
- Vieille ville de Ratisbonne et Stadtamhof (2006)
- Forêts primaires de hêtres des Carpates et forêts anciennes de hêtres d'Allemagne (2007)
- Cités du modernisme de Berlin (2008)
- La mer des Wadden (2009)
- Sites palafittiques préhistoriques autour des Alpes (2011)
- Usine Fagus à Alfeld (2011)

Andorre
- La Vallée du Madriu-Perafita-Claror (2004, 2006)

Arabie saoudite
- Site archéologique de Al-Hjir (Madain Salih) (2008)
- District d'at-Turaif à ad-Dir'iyah (2010)

Argentine
- Los Glaciares (1981) #
- Missions jésuites des Guaranis : San Ignacio Mini, Santa Ana, Nuestra Señora de Loreto et Santa Maria Mayor (Argentine), ruines de Sao Miguel das Missoes (Brésil) (1983, 1984) *
- Parc national de l'Iguazu (1984)
- Cueva de las Manos, Río Pinturas (1999)
- Presqu'île de Valdés (1999)
- Ensemble et les estancias jésuites de Córdoba (2000)
- Parcs naturels d'Ischigualasto / Talampaya (2000)
- Quebrada de Humahuaca (2003)

Arménie
- Monastères de Haghbat et de Sanahin (1996, 2000)
- Cathédrale et les églises d'Etchmiadzine et le site archéologique de Zvarnotz (2000)
- Monastère de Gherart et la Haute vallée de l'Azat (2000)

Australie
- La Grande Barrière (1981)
- Parc national de Kakadu (1981, 1987, 1992)
- Région des lacs Willandra (1981)
- Îles Lord Howe (1982)
- Zone de nature sauvage de Tasmanie (1982, 1989)
- Réserves des forêts ombrophiles centre-orientales de l'Australie (1986, 1994) [2]
- Parc national d'Uluru-Kata Tjuta (1987, 1994) [3]
- Tropiques humides de Queensland (1988)
- Baie Shark, Australie occidentale (1991)
- Île Fraser (1992)
- Sites fossilifères de mammifères d'Australie (Riversleigh / Naracoorte) (1994)
- Île Macquarie (1997)
- Îles Heard et McDonald (1997)
- Région des montagnes Bleues (2000)
- Parc national de Purnululu (2003)
- Palais royal des expositions et jardins Carlton (2004)
- Opéra de Sidney (2007)
- Sites de bagnes australiens (2010)
- Côte de Ningaloo (2011)

Autriche
- Centre historique de la ville de Salzbourg (1996)
- Palais et jardins de Schönbrunn (1996)
- Paysage culturel de Hallstatt-Dachstein / Salzkammergut (1997)
- Ligne de chemin de fer de Semmering (1998)
- Ville de Graz – Centre historique (1999)
- Paysage culturel de la Wachau (2000)
- Centre historique de Vienne (2001)
- Paysage culturel de Fertö / Neusiedlersee (2001) *
- Sites palafittiques préhistoriques autour des Alpes (2011)

Azerbaïdjan
- Cité fortifiée de Bakou avec le palais des Chahs de Chirvan et la tour de la Vierge (2000)
- Paysage culturel d'art rupestre de Gobustan (2007)

Bahreïn
- Qal'at al-Bahreïn – ancien port et capitale de Dilmun (2005)

Barbade
- Centre historique de Bridgetown et sa garnison (2011)

Bangladesh
- Ruines du Vihara bouddhique de Paharpur (1985)
- Ville-mosquée historique de Bagerhat (1985)
- Les Sundarbans (1997)

Bélarus
- Fôret Belovezhskaya Pushcha / Bialowieza (1979, 1992) *
- Ensemble du château de Mir (2000)
- Arc géodésique de Struve (2005) *

- Ensemble architectural, résidentiel et culturel de la famille Radziwill à Nesvizh (2005)

Belgique
- Béguinages flamands (1998)
- La Grand-Place de Bruxelles (1998)
- Les quatre ascenseurs du canal du Centre et leur site, La Louvière et Le Roeulx (Hainault) (1998)
- Beffrois de Belgique et de France (1999, 2005) * [4]
- Cathédrale Notre-Dame de Tournai (2000)
- Habitations majeures de l'architecte Victor Horta (Bruxelles) (2000)
- Le centre historique de Bruges (2000)
- Minières néolithiques de silex de Spiennes (Mons) (2000)
- Complexe Maison-Ateliers-Musée Plantin-Moretus (2005)
- Palais Stoclet (2011)

Belize
- Réseau de réserves du récif de la barrière du Belize (1996)

Bénin
- Palais royaux d'Abomey (1985)

Bolivie
- Ville de Potosí (1987)
- Missions jésuites de Chiquitos (1990)
- Ville historique de Sucre (1991)
- Fort de Samaipata (1998)
- Parc national Noel Kempff Mercado (2000)
- Tiwanaku : centre spirituel et politique de la culture tiwanaku (2000)

Bosnie-Herzégovine
- Quartier du Vieux pont de la vieille ville de Mostar (2005)
- Pont Mehmed Pacha Sokolović de Višegrad (2007)

Botswana
- Tsodilo (2001)

Brésil
- Ville historique d'Ouro Preto (1980)
- Centre historique de la ville d'Olinda (1982)
- Missions jésuites des Guaranis : San Ignacio Mini, Santa Ana, Nuestra Señora de Loreto et Santa Maria Mayor (Argentine), ruines de Sao Miguel das Missoes (Brésil) (1983, 1984) *
- Centre historique de Salvador de Bahia (1985)
- Sanctuaire du Bon Jésus à Congonhas (1985)
- Parc national d'Iguaçu (1986)
- Brasilia (1987)
- Parc national de Serra da Capivara (1991)
- Centre historique de São Luís (1997)
- Centre historique de la ville de Diamantina (1999)
- Côte de la découverte – Réserves de la forêt atlantique (1999)
- Forêt atlantique – Réserves du sud-est (1999)
- Aire de conservation du Pantanal (2000)
- Complexe de conservation de l'Amazonie centrale (2000, 2003) [5]
- Aires protégées du Cerrado : Parcs nationaux Chapada dos Veadeiros et Emas (2001)
- Centre historique de la ville de Goiás (2001)
- Îles atlantiques brésiliennes, réserves de Fernando de Noronha et de l'atol das Rocas (2001)
- Place São Francisco dans la ville de São Cristóvão (2010)

Bulgarie
- Cavalier de Madara (1979)
- Église de Boyana (1979)
- Églises rupestres d'Ivanovo (1979)
- Tombe thrace de Kazanlak (1979)
- Ancienne cité de Nessebar (1983)
- Monastère de Rila (1983)
- Parc national de Pirin (1983)
- Réserve naturelle de Srébarna (1983)
- Tombeau thrace de Svechtari (1985)

Burkina Faso
- Ruines de Loropéni (2009)

Cambodge
- Angkor (1992)
- Temple de Preah Vihear (2008)

Cameroun
- Réserve de faune du Dja (1987)

Canada
- Lieu historique national de L'Anse aux Meadows (1978)
- Parc national Nahanni (1978) #
- Kluane / Wrangell-St Elias / Glacier Bay / Tatshenshini-Alsek (1979, 1992, 1994) # * [6]
- Parc provincial Dinosaur (1979)
- Le précipice à bisons Head-Smashed-In (1981)
- SGang Gwaay (1981)
- Parc national Wood Buffalo (1983)
- Parcs des montagnes Rocheuses canadiennes (1984, 1990) # [7]
- Arrondissement historique du Vieux-Québec (1985)
- Parc national du Gros-Morne (1987)
- Le Vieux Lunenburg (1995)
- Parc international de la paix Waterton-Glacier (1995) *
- Parc national de Miguasha (1999)
- Canal Rideau (2007)
- Falaises fossilifères de Joggins (2008)

Cap-Vert
- Cidade Velha, centre historique de Ribeira Grande (2009)

Chili
- Parc national de Rapa Nui (1995)
- Églises de Chiloé (2000)
- Quartier historique de la ville portuaire de Valparaiso (2003)
- Usines de salpêtre de Humberstone et de Santa Laura (2005)
- Ville minière de Sewell (2006)

Chine
- Grottes de Mogao (1987)
- La Grande Muraille (1987)
- Mausolée du premier empereur Qin (1987)
- Mont Taishan (1987)
- Palais impériaux des dynasties Ming et Qing à Beijing et à Shenyang (1987, 2004)
- Site de l'homme de Pékin à Zhoukoudian (1987)
- Mont Huangshan (1990)
- Région d'intérêt panoramique et historique de Huanglong (1992)
- Région d'intérêt panoramique et historique de la vallée de Jiuzhaigou (1992)
- Région d'intérêt panoramique et historique de Wulingyuan (1992)
- Ensemble de bâtiments anciens des montagnes de Wudang (1994)
- Ensemble historique du Palais du Potala, Lhasa (1994, 2000, 2001) [8]
- Résidence de montagne et temples avoisinants à Chengde (1994)
- Temple et cimetière de Confucius et résidence de la famille Kong à Qufu (1994)
- Parc national de Lushan (1996)
- Paysage panoramique du mont Emei, incluant le paysage panoramique du grand Bouddha de Leshan (1996)
- Jardins classiques de Suzhou (1997, 2000)
- Vieille ville de Lijiang (1997)
- Vieille ville de Ping Yao (1997)
- Palais d'Été, Jardin impérial de Beijing (1998)
- Temple du Ciel, autel sacrificiel impérial à Beijing (1998)
- Mont Wuyi (1999)
- Sculptures rupestres de Dazu (1999)
- Anciens villages du sud du Anhui – Xidi et Hongcun (2000)
- Grottes de Longmen (2000)
- Mont Qingcheng et système d'irrigation de Dujiangyan (2000)
- Tombes impériales des dynasties Ming et Qing (2000, 2003, 2004)
- Grottes de Yungang (2001)
- Aires protégées des trois fleuves parallèles au Yunnan (2003)
- Capitales et tombes de l'ancien royaume de Koguryo (2004)
- Centre historique de Macao (2005)
- Sanctuaires du grand panda du Sichuan (2006)
- Yin Xu (2006)
- Dialou et villages de Kaiping (2007)
- Karst de Chine du Sud (2007)
- Tulou du Fujian (2008)
- Parc national du mont Sanqingshan (2008)
- Mont Wutai (2009)
- Danxia de Chine (2010)
- Monuments historiques de Dengfeng au « centre du ciel et de la terre » (2010)
- Paysage culturel du lac de l'Ouest de Hangzhou (2011)

Chypre
- Paphos (1980)
- Eglises peintes de la région de Troodos (1985, 2001)
- Choirokoitia (1998)

Colombie
- Port, forteresses et ensemble monumental de Carthagène (1984)
- Parc national de Los Katíos (1994)

- Centre historique de Santa Cruz de Mompox (1995)
- Parc archéologique de San Agustín (1995)
- Parc archéologique national de Tierradentro (1995)
- Sanctuaire de faune et de flore de Malpelo (2006)
- Paysage culturel du café de la Colombie (2011)

Corée, République de
- Grotte de Seokguram et temple Bulguksa (1995)
- Sanctuaire de Jongmyo (1995)
- Temple d'Haeinsa Janggyeong Panjeon, dépôts des tablettes du Tripitaka Koreana (1995)
- Ensemble du palais de Changdeokgung (1997)
- Forteresse de Hwaseong (1997)
- Sites de dolmens de Gochang, Hwasun et Ganghwa (2000)
- Zones historiques de Gyeongju (2000)
- Île volcanique et tunnels de lave de Jeju (2007)
- Tombes royales de la dynastie Joseon (2009)
- Villes historiques de Corée : Hahoe et Yangdong (2010)

Corée, République populaire de Koguryo
- Ensemble des tombes de Koguryo (2004)

Costa Rica
- Réserves de la cordillère de Talamanca-La Amistad / Parc national La Amistad (1983, 1990)
- Parc national de l'île Cocos (1997, 2002)
- Zone de conservation de Guanacaste (1999, 2004)

Côte d'Ivoire
- Réserve naturelle intégrale du mont Nimba (1981, 1982) *
- Parc national de Taï (1982)
- Parc national de la Comoé (1983)

Croatie
- Noyau historique de Split avec le palais de Dioclétien (1979)
- Parc national Plitvice (1979, 2000) #
- Vieille ville de Dubrovnik (1979, 1994)
- Ensemble épiscopal de la basilique euphrasienne dans le centre historique de Poreč (1997)
- Ville historique de Trogir (1997)
- Cathédrale Saint-Jacques de Šibenik (2000)
- Plaine de Stari Grad (2008)

Cuba
- Vieille ville de La Havane et son système de fortifications (1982)
- Trinidad et la vallée de Los Ingenios (1988)
- Château de San Pedro de la Roca, Santiago de Cuba (1997)
- Parc national Desembarco del Granma (1999)
- Vallée de Viñales (1999)
- Paysage archéologique des premières plantations de café du sud-est de Cuba (2000)
- Parc national Alejandro de Humboldt (2001)
- Centre historique urbain de Cienfuegos (2005)
- Centre historique de Camagüey (2008)

Danemark
- Tumulus, pierres runiques et église de Jelling (1994)
- Cathédrale de Roskilde (1995)
- Château de Kronborg (2000)
- Fjord glacé d'Ilulissat (2004)

Dominique
- Parc national de Morne Trois Pitons (1997)

Égypte
- Abou Mena (1979)
- Le Caire islamique (1979)
- Memphis et sa nécropole – les zones des pyramides de Guizeh à Dahchour (1979)
- Monuments de Nubie d'Abou Simbel à Philae (1979)
- Thèbes antique et sa nécropole (1979)
- Zone Sainte-Catherine (2002)
- Wadi Al-Hitan (La vallée des Baleines) (2005)

El Salvador
- Site archéologique de Joya de Ceren (1993)

Émirats Arabes Unis
- Sites culturels d'Al Aïn (Hafit, Hili, Bidaa Bint Saud et les oasis) (2011)

Équateur
- Îles Galápagos (1978, 2001)
- Ville de Quito (1978)
- Parc national Sangay (1983) #
- Centre historique de Santa Ana de los Ríos de Cuenca (1999)

Espagne
- Alhambra, Generalife et Albayzín, Grenade (1984, 1994)[9]
- Cathédrale de Burgos (1984)
- Centre historique de Cordoue (1984, 1994) [10]
- Monastère et site de l'Escurial (Madrid) (1984)
- Parc national de Doñana (1984, 2005)
- Œuvres d'Antoni Gaudí (1984, 2005) [11]
- Grotte d'Altamira (1985)
- Monuments d'Oviedo et du royaume des Asturies (1985, 1998) [12]
- Vieille ville d'Ávila avec ses églises extra-muros (1985)
- Vieille ville de Saint-Jacques-de-Compostelle (1985)
- Vieille ville de Ségovie et son aqueduc (1985)
- Architecture mudéjare d'Aragon (1986, 2001) [13]
- Parc national de Garajonay (1986)
- Vieille ville de Caceres (1986)
- Ville historique de Tolède (1986)
- La Cathédrale, l'Alcázar et l'Archivo de Indias de Séville (1987)
- Vieille ville de Salamanque (1988)
- Monastère de Poblet (1991)
- Chemin de Saint-Jacques-de-Compostelle (1993)
- Ensemble archéologique de Mérida (1993)
- Monastère royal de Santa María de Guadalupe (1993)
- La Lonja de la Seda de Valence (1996)
- Ville historique fortifiée de Cuenca (1996)
- Las Médulas (1997)
- Monastères de San Millán de Yuso et de Suso (1997)
- Palais de la musique catalane et hôpital de Sant Pau, Barcelone (1997)
- Pyrénées - Mont Perdu (1997, 1999) *
- Art rupestre du bassin méditerranéen de la péninsule Ibérique (1998)
- Université et quartier historique d'Alcalá de Henares (1998)
- Ibiza, biodiversité et culture (1999)
- San Cristóbal de la Laguna (1999)
- Églises romanes catalanes de la Vall de Boí (2000)
- Ensemble archéologique de Tarragone (2000)
- Palmeraie d'Elche (2000)
- Remparts romains de Lugo (2000)
- Site archéologique d'Atapuerca (2000)
- Paysage culturel d'Aranjuez (2001)
- Ensembles monumentaux Renaissance de Úbeda et Baeza (2003)
- Pont Vizcaya (2006)
- Parc national de Teide (2007)
- Tour d'Hercule (2009)
- Paysage culturel de la Serra de Tramuntana (2011)

Estonie
- Centre historique (vieille ville) de Tallin (1997)
- Arc géodésique de Struve (2005) *

Etats-Unis d'Amérique
- Parc national de Mesa Verde (1978)
- Parc national de Yellowstone (1978)
- Independence Hall (1979)
- Kluane / Wrangell-St Elias / Glacier Bay / Tatshenshini-Alsek (1979, 1992, 1994) # * [14]
- Parc national des Everglades (1979)
- Parc national du Grand Canyon (1979)
- Parcs d'État et national Redwood (1980)
- Parc national de Mammoth Cave (1981)
- Parc national Olympique (1981)
- Site historique d'Etat des Cahokia Mounds (1982)
- La Fortaleza et le site historique national de San Juan à Porto Rico (1983)
- Parc national des Great Smoky Mountains (1983)
- Parc national de Yosemite (1984) #
- Statue de la Liberté (1984)
- La culture chaco (1987)
- Monticello et Université de Virginie à Charlottesville (1987)
- Parc national des volcans d'Hawaï (1987) #
- Pueblo de Taos (1992)
- Parc international de la paix Waterton-Glacier (1995) *
- Parc national des grottes de Carlsbad (1995)
- Papahānaumokuākea (2010)

Éthiopie
- Églises creusées dans le roc de Lalibela (1978)
- Parc national du Simien (1978)
- Fasil Ghebi (1979)

- Axoum (1980)
- Basse vallée de l'Aouache (1980)
- Basse vallée de l'Omo (1980)
- Tiya (1980)
- Harar Jugol, la ville historique fortifiée (2006)
- Paysage culturel du pays konso (2011)

Ex-République Yougoslave de Macédoine
- Patrimoine naturel et culturel de la région d'Ohrid (1979, 1980) [15]

Fédération de Russie
- Centre historique de Saint-Pétersbourg et ensembles monumentaux annexes (1990)
- Kizhi Pogost (1990)
- Le Kremlin et la place Rouge, Moscou (1990)
- Ensemble historique, culturel et naturel des îles Solovetsky (1992)
- Monuments de Vladimir et de Souzdal (1992)
- Monuments historiques de Novgorod et de ses environs (1992)
- Ensemble architectural de la laure de la Trinité-Saint-Serge à Serguiev Posad (1993)
- Église de l'Ascension à Kolomenskoye (1994)
- Forêts vierges de Komi (1995)
- Lac Baïkal (1996)
- Volcans du Kamchatka (1996, 2001) [16]
- Montagnes dorées de l'Altaï (1998)
- Caucase de l'Ouest (1999)
- Ensemble du monastère de Ferapontov (2000)
- Ensemble historique et architectural du Kremlin de Kazan (2000)
- Isthme de Courlande (2000) *
- Sikhote-Aline central (2001)
- Bassin d'Ubs Nuur (2003) *
- Citadelle, vieille ville et forteresse de Derbent (2003)
- Ensemble du couvent Novodievitchi (2004)
- Système naturel de la Réserve de l'île Wrangel (2004)
- Arc géodésique de Struve (2005) *
- Centre historique de la ville de Yaroslavl (2005)
- Plateau de Putorana (2010)

Finlande
- Ancienne Rauma (1991)
- Forteresse de Suomenlinna (1991)
- Vieille église de Petäjävesi (1994)
- Usine de traitement du bois et de carton de Verla (1996)
- Site funéraire de l'âge du bronze de Sammallahdenmäki (1999)
- Archipel de Kvarken / Haute Côte (2000, 2006)
- Arc géodésique de Struve (2005) *

France
- Basilique et colline de Vézelay (1979)
- Cathédrale de Chartres (1979)
- Mont-Saint-Michel et sa baie (1979)
- Palais et parc de Versailles (1979)
- Sites préhistoriques et grottes ornées de la vallée de la Vézère (1979)
- Abbaye cistercienne de Fontenay (1981)
- Arles, monuments romains et romans (1981)
- Cathédrale d'Amiens (1981)
- Palais et parc de Fontainebleau (1981)
- Théâtre antique et ses abords et Arc de Triomphe d'Orange (1981)
- Saline royale d'Arc-et-Senans (1982)
- Abbatiale de Saint-Savin sur Gartempe (1983)
- Golfe de Porto : calanche de Piana, golfe de Girolata, réserve de Scandola (1983) #
- Places Stanislas, de la Carrière et d'Alliance à Nancy (1983)
- Pont du Gard (1985)
- Strasbourg – Grande île (1988)
- Cathédrale Notre-Dame, ancienne abbaye Saint-Remi et palais de Tau, Reims (1991)
- Paris, rives de la Seine (1991)
- Cathédrale de Bourges (1992)
- Centre historique d'Avignon : Palais des papes, ensemble épiscopal, Pont d'Avignon (1995)
- Canal du Midi (1996)
- Pyrénées - Mont Perdu (1997, 1999) *
- Ville fortifiée historique de Carcassonne (1997)
- Chemins de Saint-Jacques-de-Compostelle en France (1998)
- Site historique de Lyon (1998)
- Beffrois de Belgique et de France (1999, 2005) * [17]
- Juridiction de Saint-Émilion (1999)
- Val de Loire entre Sully-sur-Loire et Chalonnes (2000) [18]
- Provins, ville de foire médiévale (2001)
- Le Havre, la ville reconstruite par Auguste Perret (2005)
- Bordeaux, Port de la Lune (2007)
- Fortifications de Vauban (2008) [19]
- Le Lagons de Nouvelle-Calédonie : diversité récifale et écosystèmes associés (2008)
- Cité épiscopale d'Albi (2010)
- Pitons, cirques et remparts de l'île de la Réunion (2010)
- Les Causses et les Cévennes, paysage culturel de l'agro-pastoralisme méditerranéen (2011)
- Sites palafittiques préhistoriques autour des Alpes (2011) *

Gabon
- Écosystème et paysage culturel relique de Lopé-Okanda (2007)

Gambie
- Île James et sites associés (2003)
- Cercles mégalithiques de Sénégambie (2006)

Géorgie
- Cathédrale de Bagrati et monastère de Ghélati (1994)
- Monuments historiques de Mtskheta (1994)
- Haut Svaneti (1996)

Ghana
- Forts et châteaux de Volta, d'Accra et ses environs et des régions centrale et ouest (1979)
- Bâtiments traditionnnels ashanti (1980)

Grèce
- Temple d'Apollon Épikourios à Bassae (1986)
- Acropole d'Athènes (1987)
- Site archéologique de Delphes (1987)
- Météores (1988)
- Mont Athos (1988)
- Monuments paléochrétiens et byzantins de Thessalonique (1988)
- Site archéologique d'Épidaure (1988)
- Ville médiévale de Rhodes (1988)
- Mystras (1989)
- Site archéologique d'Olympie (1989)
- Délos (1990)
- Monastères de Daphni, Hossios Luckas et Nea Moni de Chios (1990)
- Pythagoreion et Heraion de Samos (1992)
- Site archéologique de Vergina (1996)
- Centre historique (Chorá) avec le monastère de Saint Jean « le théologien » et la grotte de l'Apocalypse sur l'île de Patmos (1999)
- Sites archéologiques de Mycènes et de Tirynthe (1999)
- Vieille ville de Corfou (2007)

Guatemala
- Antigua Guatemala (1979)
- Parc national de Tikal (1979)
- Parc archéologique et ruines de Quirigua (1981)

Guinée
- Réserve naturelle intégrale du mont Nimba (1981, 1982) *
- Réserve de la biosphère Río Plátano (1982)

Haïti
- Parc national historique – Citadelle, Sans Souci, Ramiers (1982)

Honduras
- Site maya de Copán (1980)
- Réserve de la biosphère Río Plátano (1982)

Hongrie
- Budapest, avec les rives du Danube, le quartier du château de Buda et l'avenue Andrássy (1987, 2002)
- Hollókö, le vieux village et son environnement (1987)
- Grottes du karst d'Aggtelek et du karst de Slovaquie (1995, 2000) *
- Abbaye bénédictine millénaire de Pannonhalma et son environnement naturel (1996)
- Parc national de Hortobágy – la *Puszta* (1999)
- Nécropole paléochrétienne de Pécs (Sopianae) (2000)
- Paysage culturel de Fertö / Neusiedlersee (2001) *
- Paysage culturel historique de la région viticole de Tokaj (2002)

Iles Marshall
- Site d'essais nucléaires de l'atoll de Bikini (2010)

Iles Salomon
- Rennell Est (1998)

Inde
- Fort d'Agra (1983)
- Grottes d'Ajanta (1983)
- Grottes d'Ellora (1983)
- Le Taj Mahal (1983)
- Ensemble de monuments de Mahabalipuram (1984)
- Temple du Soleil à Konârak (1984)
- Parc national de Kaziranga (1985)
- Parc national de Keoladeo (1985)
- Sanctuaire de faune de Manas (1985)
- Églises et couvents de Goa (1986)
- Ensemble monumental de Hampi (1986)
- Ensemble monumental de Khajuraho (1986)
- Fatehpur Sikri (1986)
- Ensemble de monuments de Pattadakal (1987)
- Grottes d'Elephanta (1987)
- Les grands temples vivants Chola (1987, 2004) [19]
- Parc national des Sundarbans (1987)
- Parcs nationaux de Nanda Devi et de la Vallée des fleurs (1988, 2005)
- Monuments bouddhiques de Sânchî (1989)
- Qutb Minar et ses monuments, Delhi (1993)
- Tombe de Humayun, Delhi (1993)
- Chemins de fer de montagne en Inde (1999, 2005) [20]
- Ensemble du temple de la Mahabodhi à Bodhgaya (2002)
- Abris sous-roche du Bhimbetka (2003)
- Gare Chhatrapati Shivaji (anciennement gare Victoria) (2004)
- Parc archéologique de Champaner-Pavagadh (2004)
- Ensemble du Fort Rouge (2007)
- Jantar Mantar, Jaipur (2010)

Indonésie
- Ensemble de Borobudur (1991)
- Ensemble de Prambanan (1991)
- Parc national de Komodo (1991)
- Parc national de Ujung Kulon (1991)
- Site des premiers hommes de Sangiran (1996)
- Parc national de Lorentz (1999)
- Patrimoine des forêts tropicales ombrophiles de Sumatra (2004)

Iran (République islamique d')
- Meidan Emam, Ispahan (1979)
- Persépolis (1979)
- Tchoga Zanbil (1979)
- Takht-e Sulaiman (2003)
- Bam et son paysage culturel (2004)
- Pasargades (2004)
- Soltaniyeh (2005)
- Behistun (2006)
- Ensembles monastiques arméniens de l'Iran (2008)
- Système hydraulique historique de Shushtar (2009)
- Ensemble du bazar historique de Tabriz (2010)
- Ensemble du Khānegāh et du sanctuaire de Cheikh Safi al-Din à Ardabil (2010)
- Le jardin persan (2011)

Iraq
- Hatra (1985)
- Assour (Qal'at Cherqat) (2003)
- Ville archéologique de Samarra (2007)

Irlande
- Ensemble archéologique de la vallée de la Boyne (1993)
- Skellig Michael (1996)

Islande
- Parc national de Thingvellir (2004).
- Surtsey (2010).

Israël
- Masada (2001)
- Vieille ville d'Acre (2001)
- Ville blanche de Tel-Aviv – le mouvement moderne (2003)
- Route de l'encens – Villes du désert du Néguev (2005)
- Tels bibliques – Megiddo, Hazor, Beer-Sheba (2005)
- Lieux saints bahá'is à Haïfa et en Galilée occidentale (2008)

Italie
- Art rupestre du Valcamonica (1979)
- Centre historique de Rome, les biens du Saint-Siège situés dans cette ville bénéficiant des droits d'extra-territorialité et Saint-Paul-hors-les-Murs (1980, 1990) * [21]
- L'église et le couvent dominicain de Santa Maria delle Grazie avec *La Cène* de Léonard de Vinci (1980)
- Centre historique de Florence (1982)
- Piazza del Duomo à Pise (1987)
- Venise et sa lagune (1987)
- Centre historique de San Gimignano (1990)
- I Sassi di Matera (1993)
- Ville de Vicence et les villas de Palladio en Vénétie (1994, 1996)
- Centre historique de Naples (1995)
- Centre historique de Sienne (1995)
- Crespi d'Adda (1995)
- Ferrare, ville de la Renaissance, et son delta du Pô (1995, 1999) [22]
- Castel del Monte (1996)
- Centre historique de la ville de Pienza (1996)
- Les *trulli* d'Alberobello (1996)
- Monuments paléochrétiens de Ravenne (1996)
- Cathédrale, Torre Civica et Piazza Grande, Modène (1997)
- Côte amalfitaine (1997)
- Jardin botanique (Orto botanico), Padoue (1997)
- Palais royal du XVIIIe siècle de Caserte avec le parc, l'aqueduc de Vanvitelli et l'ensemble de San Leucio (1997)
- Portovenere, Cinque Terre et les îles (Palmaria, Tino et Tinetto) (1997)
- Résidences des Savoie (1997)
- Su Nuraxi de Barumini (1997)
- Villa romaine du Casale (1997)
- Zone archéologique d'Agrigente (1997)
- Zones archéologiques de Pompéi, Herculanum et Torre Annunziata (1997)
- Centre historique d'Urbino (1998)
- Parc national du Cilento et du Vallo Diano, avec les sites archéologiques de Paestum et Velia et la Chartreuse de Padula (1998)
- Zone archéologique et la basilique patriarcale d'Aquilée (1998)
- Villa Adriana (Tivoli) (1999)
- Assise, la Basilique de San Francesco et autres sites franciscains (2000)
- Isole Eolie (Îles Eoliennes) (2000)
- Ville de Vérone (2000)
- Villa d'Este, Tivoli (2001)
- Villes du baroque tardif de la vallée de Noto (sud-est de la Sicile) (2002)
- *Sacri Monti* du Piémont et de Lombardie (2003)
- Nécropoles étrusques de Cerveteri et de Tarquinia (2004)
- Vallée de l'Orcia (2004)
- Syracuse et la nécropole rocheuse de Pantalica (2005)
- Gênes, les *Strade Nuove* et le système des palais des *Rolli* (2006)
- Chemin de fer rhétique dans les paysages de l'Albula et de la Bernina (2008) *
- Mantoue et Sabbioneta (2008)
- Les Dolomites (2009)
- Les Lombards en Italie. Lieux de pouvoir (568-774 après J.-C.) (2011)
- Sites palafittiques préhistoriques autour des Alpes (2011) *

Japon
- Himeji-jo (1993)
- Monuments bouddhiques de la région d'Horyu-ji (1993)
- Shirakami-Sanchi (1993)
- Yakushima (1993)
- Monuments historiques de l'ancienne Kyoto (villes de Kyoto, Uji et Otsu) (1994)
- Villages historiques de Shirakawa-go et Gokayama (1995)
- Mémorial de la paix d'Hiroshima (Dôme de Genbaku) (1996)
- Sanctuaire shinto d'Itsukushima (1996)
- Monuments historiques de l'ancienne Nara (1998)
- Sanctuaires et temples de Nikko (1999)
- Sites Gusuku et biens associés du royaume des Ryukyu (2000)
- Sites sacrés et chemins de pèlerinage dans les monts Kii (2004)
- Shiretoko (2005)
- Mine d'argent d'Iwami Ginzan et son paysage culturel (2007)
- Hiraizumi. Temples, jardins et sites archéologiques représentant la Terre Pure bouddhiste (2011)
- Îles d'Ogasawara (2011)

Jérusalem (site proposé par la Jordanie)
- Vieille ville de Jérusalem et ses remparts (1981)

Jordanie
- Petra (1985)
- Qusair Amra (1985)
- Um er-Rasas (Kastrom Mefa'a) (2004)
- Zone protégée du Wadi Rum (2011)

Kazakhstan
- Mausolée de Khoja Ahmad Yasawi (2003)
- Pétroglyphes du paysage archéologique de Tamgaly (2004)
- Saryaka. Steppe et lacs du Kazakhstan septentrional (2008)

Kenya
- Parc national/Forêt naturelle du mont Kenya (1997)
- Parcs nationaux du Lac Turkana (1997, 2001)
- Vieille ville de Lamu (2001)
- Forêts sacrées de kayas des Mijikenda (2008)
- Fort Jésus, Mombasa (2011)
- Réseau des lacs du Kenya dans la vallée du Grand Rift (2011)

Kirghizistan
- Montagne sacrée de Sulaiman-Too (2009)

Kiribati
- Aire protégée des îles Phoenix (2010)

Lettonie
- Centre historique de Riga (1997)
- Arc géodésique de Struve (2005) *

Liban
- Anjar (1984)
- Baalbek (1984)
- Byblos (1984)
- Tyr (1984)
- Ouadi Qadisha ou Vallée sainte et forêt des cèdres de Dieu (Horsh Arz el-Rab) (1998)

Lituanie
- Centre historique de Vilnius (1994)
- Isthme de Courlande (2000) *
- Site archéologique de Kernave (Réserve culturelle de Kernave) (2004)
- Arc géodésique de Struve (2005) *

Luxembourg
- Ville de Luxembourg : vieux quartiers et fortifications (1994)

Lybie
- Site archéologique de Cyrène (1982)
- Site archéologique de Leptis Magna (1982)
- Site archéologique de Sabratha (1982)
- Sites rupestres du Tadrart Acacus (1985)
- Ancienne ville de Ghadamès (1986)

Madagascar
- Réserve naturelle intégrale du Tsingy de Bemaraha (1990)
- Colline royale d'Ambohimanga (2001)
- Forêts humides de l'Atsinanana (2007)

Malaisie
- Parc du Kinabalu (2000)
- Parc national du Gunung Mulu (2000)
- Melaka et George Town, villes historiques du détroit de Malacca (2008)

Malawi
- Parc national du lac Malawi (1984)
- Art rupestre de Chongoni (2006)

Mali
- Tombouctou (1988)
- Villes anciennes de Djenné (1988)
- Falaises de Bandiagara (pays dogon) (1989)
- Tombeau des Askia (2004)

Malte
- Hypogée de Hal Safliéni (1980)
- Temples mégalithiques de Malte (1980, 1992) [23]
- Ville de La Valette (1980)

Maroc
- Médina de Fès (1981)
- Médina de Marrakech (1985)
- Ksar d'Aït-Ben-Haddou (1987)
- Ville historique de Meknès (1996)
- Médina de Tétouan (ancienne Titawin) (1997)
- Site archéologique de Volubilis (1997)
- Médina d'Essaouira (ancienne Mogador) (2001)
- Ville portugaise de Mazagan (El Jadida) (2004)

Maurice
- Aapravasi Ghat (2006)
- Paysage culturel du Morne (2008)

Mauritanie
- Parc national du banc d'Arguin (1989)
- Anciens *ksour* de Ouadane, Chinguetti, Tichitt et Oualata (1996)

Mexique
- Centre historique de Mexico et Xochimilco (1987)
- Centre historique de Oaxaca et zone archéologique de Monte Alban (1987)
- Centre historique de Puebla (1987)
- Cité préhispanique de Teotihuacan (1987)
- Cité préhispanique et parc national de Palenque (1987)
- Sian Ka'an (1987)
- Ville historique de Guanajuato et mines adjacentes (1988)
- Ville préhispanique de Chichen - Itza (1988)
- Centre historique de Morelia (1991)
- El Tajin, cité préhispanique (1992)
- Centre historique de Zacatecas (1993)
- Peintures rupestres de la Sierra de San Francisco (1993)
- Sanctuaire de baleines d'El Vizcaino (1993)
- Premiers monastères du XVIe siècle sur les versants du Popocatepetl (1994)
- Ville précolombienne d'Uxmal (1996)
- Zone de monuments historiques de Querétaro (1996)
- Hospice Cabañas, Guadalajara (1997)
- Zone archéologique de Paquimé, Casas Grandes (1998)
- Zone de monuments historiques de Tlacotalpan (1998)
- Ville historique fortifiée de Campeche (1999)
- Zone de monuments archéologiques de Xochicalco (1999)
- Ancienne cité maya de Calakmul, Campeche (2002)
- Missions franciscaines de la Sierra Gorda de Querétaro (2003)
- Maison-atelier de Luis Barragán (2004)
- Îles et aires protégées du Golfe de Californie (2005)
- Paysage d'agaves et anciennes installations industrielles de Tequila (2006)
- Campus central de la cité universitaire de l'Universidad Nacional Autónoma de Mexico (UNAM) (2007)
- Réserve de biosphère du papillon monarque (2008)
- Ville protégée de San Miguel et sanctuaire de Jésus Nazareno de Atotonilco (2008)
- Camino Real de Tierra Adentro (2010)
- Grottes préhistoriques de Yagul et Mitla au centre de la vallée de Oaxaca (2010)

Mongolie
- Bassin d'Ubs Nuur (2003) *
- Paysage culturel de la vallée de l'Orkhon (2004)
- Ensemble de pétroglyphes de l'Altaï mongol (2011)

Monténégro
- Contrée naturelle et culturo-historique de Kotor (1979)
- Parc national de Durmitor (1980, 2005)

Mozambique
- Île de Mozambique (1991)

Namibie
- Twyfelfontein ou /Ui-//aes (2007)

Népal
- Parc national de Sagarmatha (1979)
- Vallée de Kathmandu (1979, 2006)
- Parc national de Royal Chitwan (1984)
- Lumbini, lieu de naissance du Bouddha (1997)

Nicaragua
- Ruines de León Viejo (2000)
- Cathédrale de León (2011)

Niger
- Réserves naturelles de l'Aïr et du Ténéré (1991)
- Parc national du W du Niger (1996)

Nigéria
- Paysage culturel de Sukur (1999)
- Forêt sacrée d'Osun-Oshogbo (2005)

Norvège
- Quartier de « Bryggen » dans la ville de Bergen (1979)
- « Stavkirke » d'Urnes (1979)
- Ville minière de Røros (1980)
- Art rupestre d'Alta (1985)
- Vegaøyan – Archipel de Vega (2004)

- Arc géodésique de Struve (2005) *
- Fjords de l'Ouest de la Norvège – Geirangerfjord et Nærøyfjord (2005)

Nouvelle-Zélande
- Parc national de Tongariro (1990, 1993) #
- Te Wahipounamu – zone sud-ouest de la Nouvelle-Zélande (1990) [24]
- Îles sub-antarctiques de Nouvelle-Zélande (1998)

Oman
- Fort de Bahla (1987)
- Sites archéologiques de Bat, Al-Khutm et Al-Ayn (1988)
- Sanctuaire de l'oryx arabe (1994)
- Terre de l'encens (2000)
- Systèmes d'irrigation *aflaj* d'Oman (2006)

Ouganda
- Forêt impénétrable de Bwindi (1994)
- Monts Rwenzori (1994)
- Tombes des rois du Buganda à Kasubi (2001)

Ouzbékistan
- Itchan Kala (1990)
- Centre historique de Boukhara (1993)
- Centre historique de Shakhrisyabz (2000)
- Samarkand – carrefour de cultures (2001)

Pakistan
- Ruines archéologiques de Mohenjo Daro (1980)
- Ruines bouddhiques de Takht-i-Bahi et vestiges de Sahr-i-Bahlol (1980)
- Taxila (1980)
- Fort et jardins de Shalimar à Lahore (1981)
- Monuments historiques de Thatta (1981)
- Fort de Rohtas (1997)

Panama
- Fortifications de la côte caraïbe du Panama : Portobelo, San Lorenzo (1980)
- Parc national du Darien (1981)
- Réserves de la cordillère de Talamanca-La Amistad / Parc national La Amistad (1983, 1990)
- Site archéologique de Panamá Viejo et district historique de Panamá (1997, 2003)
- Parc national de Coiba et sa zone spéciale de protection marine (2005)

Papouasie-Nouvelle Guinée
- Ancien site agricole de Kuk (2008)

Paraguay
- Missions jésuites de la Santísima Trinidad de Paraná et Jesús de Tavarangue (1993)

Pays-Bas
- Schokland et ses environs (1995)
- Ligne de défense d'Amsterdam (1996)
- Réseau des moulins de Kinderdijk-Elshout (1997)
Zone historique de Willemstad, centre ville et port, Antilles néerlandaises (1997)
- Ir. D.F. Woudagemaal (station de pompage à la vapeur de D.F. Wouda) (1998)
- Droogmakerij de Beemster (Polder de Beemster) (1999)
- Rietveld Schröderhuis (Maison Schröder de Rietveld) (2000)
- La mer des Wadden (2009)
- Zone des canaux concentriques du 17e siècle à l'intérieur du Singelgracht à Amsterdam (2010)

Pérou
- Sanctuaire historique de Machu Picchu (1983)
- Ville de Cuzco (1983)
- Parc national de Huascarán (1985) #
- Site archéologique de Chavin (1985)
- Zone archéologique de Chan Chan (1986)
- Parc national de Manú (1987)
- Centre historique de Lima (1988, 1991) [25]
- Parc national Río Abiseo (1990, 1992)
- Lignes et géoglyphes de Nasca et de Pampas de Jumana (1994)
- Centre historique de la ville d'Arequipa (2000)
- Ville sacrée de Caral-Supe (2009)

Philippines
- Églises baroques des Philippines (1993)
- Parc marin du récif de Tubbataha (1993)
- Rizières en terrasses des cordillères des Philippines (1995)
- Parc national de la rivière souterraine de Puerto Princesa (1999)
- Ville historique de Vigan (1999)

Pologne
- Centre historique de Cracovie (1978)
- Mines de sel de Wieliczka (1978)
- Camp de concentration d'Auschwitz (1979)
- Fôret Belovezhskaya Pushcha / Bialowieza (1979, 1992) *
- Centre historique de Varsovie (1980)
- Vieille ville de Zamos'c' (1992)
- Château de l'ordre Teutonique de Malbork (1997)
- Ville médiévale de Torun' (1997)
- Kalwaria Zebrzydowska : ensemble architectural maniériste et paysager et parc de pèlerinage (1999)
- Églises de la Paix à Jawor et Swidnica (2001)
- Églises en bois du sud de la Petite Pologne (2003)
- Parc de Muskau / Parc Muzakowski (2004) *
- Halle du Centenaire de Wroclaw (2006)

Portugal
- Centre d'Angra do Heroismo aux Açores (1983)
- Couvent du Christ à Tomar (1983)
- Monastère de Batalha (1983)
- Monastère des Hiéronymites et tour de Belém à Lisbonne (1983)
- Centre historique d'Évora (1986)
- Monastère d'Alcobaça (1989)
- Paysage culturel de Sintra (1995)
- Centre historique de Porto (1996)
- Sites d'art rupestre préhistorique de la vallée de Côa (1998)
- Forêt Laurifière de Madère (1999)
- Centre historique de Guimarães (2001)
- Région viticole du Haut-Douro (2001)
- Paysage viticole de l'île du Pico (2004)

République arabe syrienne
- Ancienne ville de Damas (1979)
- Ancienne ville de Bosra (1980)
- Site de Palmyre (1980)
- Ancienne ville d'Alep (1986)
- Crac des Chevaliers et Qal'at Salah El-Din (2006)
- Villages antiques du Nord de la Syrie (2011)

République centrafricaine
- Parc national du Manovo-Gounda St Floris (1988)

République de Moldova
- Arc géodésique de Struve (2005) *

République démocratique du Congo
- Parc national des Virunga (1979) #
- Parc national de Kahuzi-Biega (1980)
- Parc national de la Garamba (1980)
- Parc national de la Salonga (1984)
- Réserve de faune à okapis (1996)

République démocratique populaire lao
- Ville de Luang Prabang (1995)
- Vat Phou et les anciens établissements associés du paysage culturel de Champassak (2001)

République dominicaine
- Ville coloniale de Saint-Domingue (1990)

République tchèque
- Centre historique de Český Krumlov (1992)
- Centre historique de Prague (1992)
- Centre historique de Telč (1992)
- Église Saint-Jean-Népomucène, lieu de pèlerinage à Zelená Hora (1994)
- Kutná Hora : le centre historique de la ville avec l'église Sainte-Barbe et la cathédrale Notre-Dame de Sedlec (1995)
- Paysage culturel de Lednice-Valtice (1996)
- Jardins et château de Kroměříž (1998)
- Réserve du village historique d'Holašovice (1998)
- Château de Litomyšl (1999)
- Colonne de la Sainte Trinité à Olomouc (2000)
- Villa Tugendhat à Brno (2001)
- Le quartier juif et la basilique Saint-Procope de Třebíč (2003)

Roumanie
- Delta du Danube (1991)
- Églises de Moldavie (1993)
- Monastère de Horezu (1993)
- Sites villageois avec églises fortifiées de Transylvanie (1993, 1999) [26]
- Centre historique de Sighişoara (1999)
- Forteresses daces des monts d'Orastie (1999)
- Centre historique de Sighişoara (1999)
- Ensemble « Églises en bois de Maramureş » (1999)

Royaume-Uni de Grande Bretagne et d'Irlande du Nord
- Cathédrale et château de Durham (1986)
- Châteaux forts et enceintes du roi Édouard Ier dans l'ancienne principauté de Gwynedd (1986)
- Chaussée des Géants et sa côte (1986)
- Gorge d'Ironbridge (1986)
- Île de St Kilda (1986, 2004, 2005)
- Parc de Studley Royal avec les ruines de l'abbaye de Fountains (1986)
- Stonehenge, Avebury et sites associés (1986)
- Frontières de l'Empire romain (1987, 2005) * [27]
- Palais de Blenheim (1987)
- Palais de Westminster, l'abbaye de Westminster et l'église Sainte-Marguerite (1987)
- Ville de Bath (1987)
- Cathédrale, abbaye Saint-Augustin et église Saint-Martin à Cantorbéry (1988)
- Île d'Henderson (1988)
- Tour de Londres (1988)
- Îles de Gough et Inaccessible (1995, 2004) [28]
- Vieille ville et Nouvelle ville d'Edimbourg (1995)
- Maritime Greenwich (1997)
- Coeur néolithique des Orcades (1999)
- Paysage industriel de Blaenavon (2000)
- Ville historique de St George et les fortifications associées, aux Bermudes (2000)
- Littoral du Dorset et de l'est du Devon (2001)
- New Lanark (2001)
- Saltaire (2001)
- Usines de la vallée de la Derwent (2001)
- Jardins botaniques royaux de Kew (2003)
- Liverpool – Port marchand (2004)
- Paysage minier des Cornouailles et de l'ouest du Devon (2006)
- Pont-canal et canal de Pontcysyllte (2009)

Saint-Marin
- Centre historique de Saint-Marin et mont Titano (2008)

Saint-Kitts-et-Nevis
- Parc national de la forteresse de Brimstone Hill (1999)

Saint-Siège
- Centre historique de Rome, les biens du Saint-Siège situés dans cette ville bénéficiant des droits d'extra-territorialité et Saint-Paul-hors-les-Murs (1980, 1990) * [29]
- Cité du Vatican (1984)

Sainte-Lucie
- Zone de gestion des Pitons (2004)

Sénégal
- Île de Gorée (1978)
- Parc national des oiseaux du Djoudj (1981)
- Parc national du Niokolo-Koba (1981)
- Île de Saint-Louis (2000)
- Cercles mégalithiques de Sénégambie (2006)
- Delta du Saloum (2011)

Serbie
- Vieux Ras avec Sopoc'ani (1979)
- Monastère de Studenica (1986)
- Monuments médiévaux au Kosovo (2004, 2006)
- Gamzigrad-Romuliana, palais de Galère (2007)

Seychelles
- Atoll d'Aldabra (1982)
- Réserve naturelle de la vallée de Mai (1983)

Slovaquie
- Spišský Hrad et les monuments culturels associés (1993)
- Ville historique de Banská Štiavnica et les monuments techniques des environs (1993)
- Vlkolínec (1993)
- Grottes du karst d'Aggtelek et du karst de Slovaquie (1995, 2000) *
- Réserve de conservation de la ville de Bardejov (2000)
- Forêts primaires de hêtres des Carpates et forêts anciennes de hêtres d'Allemagne (2007)
- Églises en bois de la partie slovaque de la zone des Carpates (2008)

Slovénie
- Grottes de Škocjan (1986) #
- Sites palafittiques préhistoriques autour des Alpes (2011)*

Soudan
- Gebel Barkal et les sites de la région napatéenne (2003)
- Sites archéologiques de l'île de Méroé (2011)

Sri Lanka
- Cité historique de Polonnaruwa (1982)
- Ville ancienne de Sigiriya (1982)
- Ville sainte d'Anuradhapura (1982)
- Réserve forestière de Sinharaja (1988)
- Vieille ville de Galle et ses fortifications (1988)
- Ville sacrée de Kandy (1988)
- Temple d'Or de Dambulla (1991)
- Hauts plateaux du centre de Sri Lanka (2010)

Suède
- Domaine royal de Drottningholm (1991)
- Birka et Hovgården (1993)
- Forges d'Engelsberg (1993)
- Gravures rupestres de Tanum (1994)
- Skogskyrkogården (1994)
- Ville hanséatique de Visby (1995)
- Région de Laponie (1996)
- Village-église de Gammelstad, Luleå (1996)
- Port naval de Karlskrona (1998)
- Archipel de Kvarken / Haute Côte (2000, 2006)
- Paysage agricole du sud d'Öland (2000)
- Zone d'exploitation minière de la grande montagne de cuivre de Falun (2001)
- Station radio Varberg (2004)
- Arc géodésique de Struve (2005) *

Suisse
- Couvent bénédictin Saint-Jean-des-Sœurs à Müstair (1983)
- Couvent de Saint-Gall (1983)
- Vieille ville de Berne (1983)
- Trois châteaux, muraille et remparts du bourg de Bellinzone (2000)
- Jungfrau-Aletsch-Bietschhorn (2001)
- Monte San Giorgio (2003)
- Lavaux, vignoble en terrasses (2007)
- Chemin de fer rhétique dans les paysages de l'Albula et de la Bernina (2008) *
- Haut lieu tectonique suisse Sardona (2008)
- La Chaux-de-Fonds / Le Locle, urbanisme horloger (2009)
- Sites palafittiques préhistoriques autour des Alpes (2011) *

Suriname
- Réserve naturelle du Suriname central (2000)
- Centre ville historique de Paramaribo (2002)

Tadjikistan
- Sarazm (2010)

Tanzanie, République-Unie
- Zone de conservation de Ngorongoro (1979) #
- Parc national de Serengeti (1981)
- Ruines de Kilwa Kisiwani et de Songo Mnara (1981)
- Réserve de gibier de Selous (1982)
- Parc national du Kilimandjaro (1987)
- La ville de pierre de Zanzibar (2000)
- Sites d'art rupestre de Kondoa (2006)

Thaïlande
- Sanctuaires de faune de Thung Yai-Huai Kha Khaeng (1991)
- Ville historique de Sukhothaï et villes historiques associées (1991)
- Ville historique d'Ayutthaya (1991)
- Site archéologique de Ban Chiang (1992)
- Complexe forestier de Dong Phayayen-Khao Yai (2005)

Togo
- Koutammakou, le pays des Batammariba (2004)

Tunisie
- Amphithéâtre d'El Jem (1979)
- Médina de Tunis (1979)

- Site archéologique de Carthage (1979)
- Parc national de l'Ichkeul (1980)
- Cité punique de Kerkouane et sa nécropole (1985, 1986)
- Kairouan (1988)
- Médina de Sousse (1988)
- Dougga / Thugga (1997)

Turkménistan
- Parc national historique et culturel de l'« Ancienne Merv » (1999)
- Kunya-Urgench (2005)
- Forteresses parthes de Nisa (2007)

Turquie
- Grande mosquée et hôpital de Divriği (1985)
- Parc national de Göreme et sites rupestres de Cappadoce (1985)
- Zones historiques d'Istanbul (1985)
- Hattousa : la capitale hittite (1986)
- Nemrut Dağ (1987)
- Hierapoli-Pamukkale (1988)
- Xanthos-Letoon (1988)
- Ville de Safranbolu (1994)
- Site archéologique de Troie (1998)
- Mosquée Selimiye et son ensemble social (2011)

Ukraine
- Kiev : cathédrale Sainte-Sophie et ensemble des bâtiments monastiques et laure de Kievo-Petchersk (1990, 2005)
- Lviv – ensemble du centre historique (1998)
- Arc géodésique de Struve (2005)*
- Forêts primaires de hêtres des Carpates et forêts anciennes de hêtres d'Allemagne (2007)
- Résidence des métropolites de Bucovine et de Dalmatie (2011)

Uruguay
- Quartier historique de la ville de Colonia del Sacramento (1995)

Vanuatu
- Domaine du chef Roi Mata (2008)

Venezuela (République bolivarienne du)
- Coro et son port (1993)
- Parc national de Canaima (1994)
- Ciudad Universitaria de Caracas (2000)

Viet Nam
- Ensemble de monuments de Huê (1993)
- Baie d'Ha-Long (1994, 2000)
- Sanctuaire de Mi-sön (1999)
- Vieille ville de Hoi An (1999)
- Parc national de Phong Nha-Ke Bang (2003)
- Secteur central de la cité impériale de Thang Long-Hanoï (2010)
- Citadelle de la dynastie Hô (2011)

Yémen
- Ancienne ville de Shibam et son mur d'enceinte (1982)
- Vieille ville de Sana'a (1986)
- Ville historique de Zabid (1993)
- Archipel de Socotra (2008)

Zambie
- Mosi-oa-Tunya / Chutes Victoria (1989) # *

Zimbabwe
- Parc national de Mana Pools, aires de safari Sapi et Chewore (1984)
- Monument national du Grand Zimbabwe (1986)
- Ruines de Khami (1986)
- Mosi-oa-Tunya / Chutes Victoria (1989) # *
- Monts Matobo (2003)

Notes

1. Le « Mur d'Hadrien », précédemment inscrit sur la Liste du patrimoine mondial, fait partie des « Frontières de l'Empire romain ».

2. Extension du bien « Parcs des forêts pluviales tempérées subtropicales de la côte est de l'Australie ».

3. Renomination du bien « Parc national d'Uluru-Kata Tjuta » au titre de critères culturels.

4. Les « Beffrois de Flandre et de Wallonie », précédemment inscrits sur la Liste du patrimoine mondial, font partie des « Beffrois de Belgique et de France ».

5. Extension du bien « Parc national Jaú ».

6. Extension du bien « Kluane / Wrangell-St Elias / Glacier Bay ».

7. Le bien de « Burgess Shale », précédemment inscrit sur la Liste du patrimoine mondial, fait partie des « Parcs des Rocheuses canadiennes ».

8. Extension du bien « Palais du Potala et monastère du temple du Jokhang, Lhasa » pour y incluire Norbulingka.

9. Extension du bien « Alhambra et du Generalife à Grenade » pour y inclure le quartier de l'Albaicin.

10. Extension du bien « Mosquée de Cordoue ».

11. Le « Parque Güell, palais Güell, Casa Mila à Barcelone », précédemment inscrits sur la Liste du patrimoine mondial, fait partie de « Œuvres d'Antoni Gaudí ».

12. Extension du bien « Églises du royaume des Asturies » pour y inclure le centre historique de la cité d'Oviedo.

13. Extension du bien « Architecture mudéjare de Teruel ».

14. Extension du bien « Kluane / Wrangell-St Elias / Glacier Bay ».

15. En 1979, le Comité a décidé d'inscrire le Lac d'Ohrid sur la Liste du patrimoine mondial au titre du critère naturel (iii). En 1980, ce bien a été étendu afin d'y inclure la zone culturelle et historique et les critères culturels (i)(iii) et (iv) ont été ajoutés.

16. Au moment de l'extension du bien, le critère naturel (iv) a également été appliqué.

17. Les « Beffrois de Flandre et de Wallonie », précédemment inscrits sur la Liste du patrimoine mondial, font partie des « Beffrois de Belgique et de France ».

18. Le bien du « Château et domaine de Chambord », précédemment inscrit sur la Liste du patrimoine mondial, fait partie du « Val de Loire entre Sully-sur-Loire et Chalonnes ».

19. Le « Temple du Brihadisvara à Thanjavur », précédemment inscrit sur la Liste du patrimoine mondial, fait partie des « Grands temples vivants de Chola ».

20. Le « Darjeeling Himalayan Railway », précédemment inscrit sur la Liste du patrimoine mondial, fait partie des « Chemins de fer de montagne en Inde ».

21. Au moment de l'extension du bien, le critère culturel (iv) a également été appliqué.

22. Au moment de l'extension du bien, les critères culturels (iii) et (v) ont également été appliqués.

23. Le Comité a décidé d'étendre les limites du bien déjà inscrit sous le nom de « Temple de Ggantija », pour y inclure les cinq temples préhistoriques situés dans les îles de Malte et de Gozo et de renommer le site « Temples mégalithiques de Malte ».

24. Le Parc national de Westland et du Mont Cook et le Parc national de Fiordland, précédemment inscrits sur la Liste du patrimoine mondial, font partie de « Te Wahipounamu - Zone sud-ouest de la Nouvelle-Zélande ».

25. L'ancien site de l'« Ensemble conventuel de San Francisco de Lima », précédemment inscrit sur la Liste du patrimoine mondial, est inclu dans le « Centre historique de Lima ».

26. Extension du bien « Biertan et de son église fortifiée ».

27. Le « Mur d'Hadrien », précédemment inscrit sur la Liste du patrimoine mondial, fait partie des « Frontières de l'Empire romain ».

28. Extension du bien « Réserve de faune sauvage de l'Île de Gough ».

29. Au moment de l'extension du bien, le critère culturel (iv) a également été appliqué.

* : bien transfrontalier

: Comme pour 19 biens naturels et mixtes inscrits pour leur valeur géologique avant 1994, la numérotation des critères de ce bien a été modifiée.